元古林書堂本《素問》（下）

主　編◎錢超塵
副主編◎王育林　劉　陽

北京科学技术出版社

《黄帝内經》版本通鑒·第一輯

元古林書堂本《素問》（下）

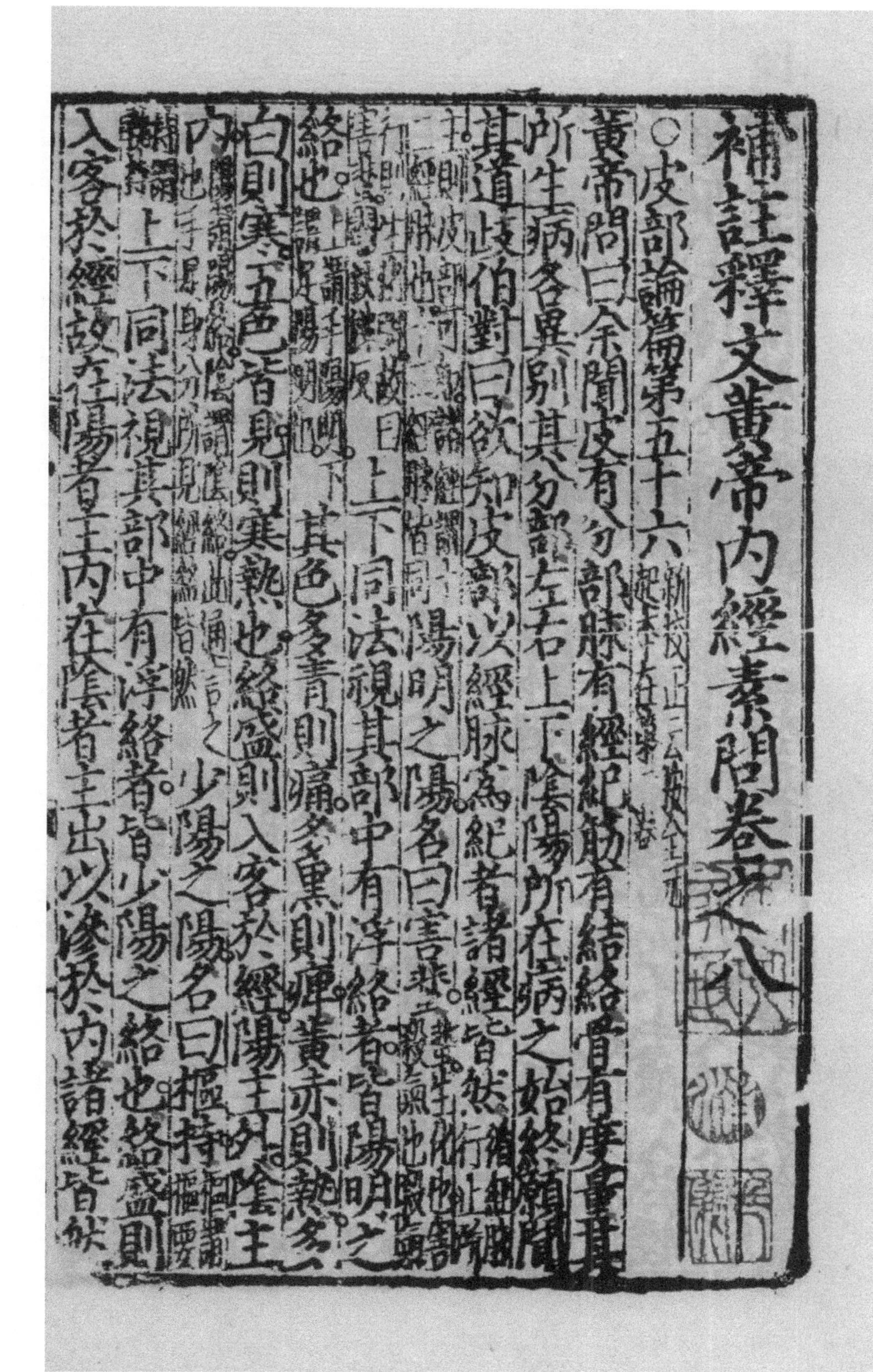

補註釋文黃帝內經素問卷第八

○皮部論篇第五十六 新校正云按全元起本在第二卷

黃帝問曰：余聞皮有分部，脈有經紀，筋有結絡，骨有度量，其所生病各異，別其分部，左右上下，陰陽所在，病之始終，願聞其道。岐伯對曰：欲知皮部以經脈為紀者，諸經皆然。陽明之陽，名曰害蜚。上下同法，視其部中有浮絡者，皆陽明之絡也。其色多青則痛，多黑則痺，黃赤則熱，多白則寒，五色皆見，則寒熱也。絡盛則入客於經，陽主外，陰主內。少陽之陽，名曰樞持。上下同法，視其部中有浮絡者，皆少陽之絡也。絡盛則入客於經，故在陽者主內，在陰者主出，以滲於內，諸經皆然。

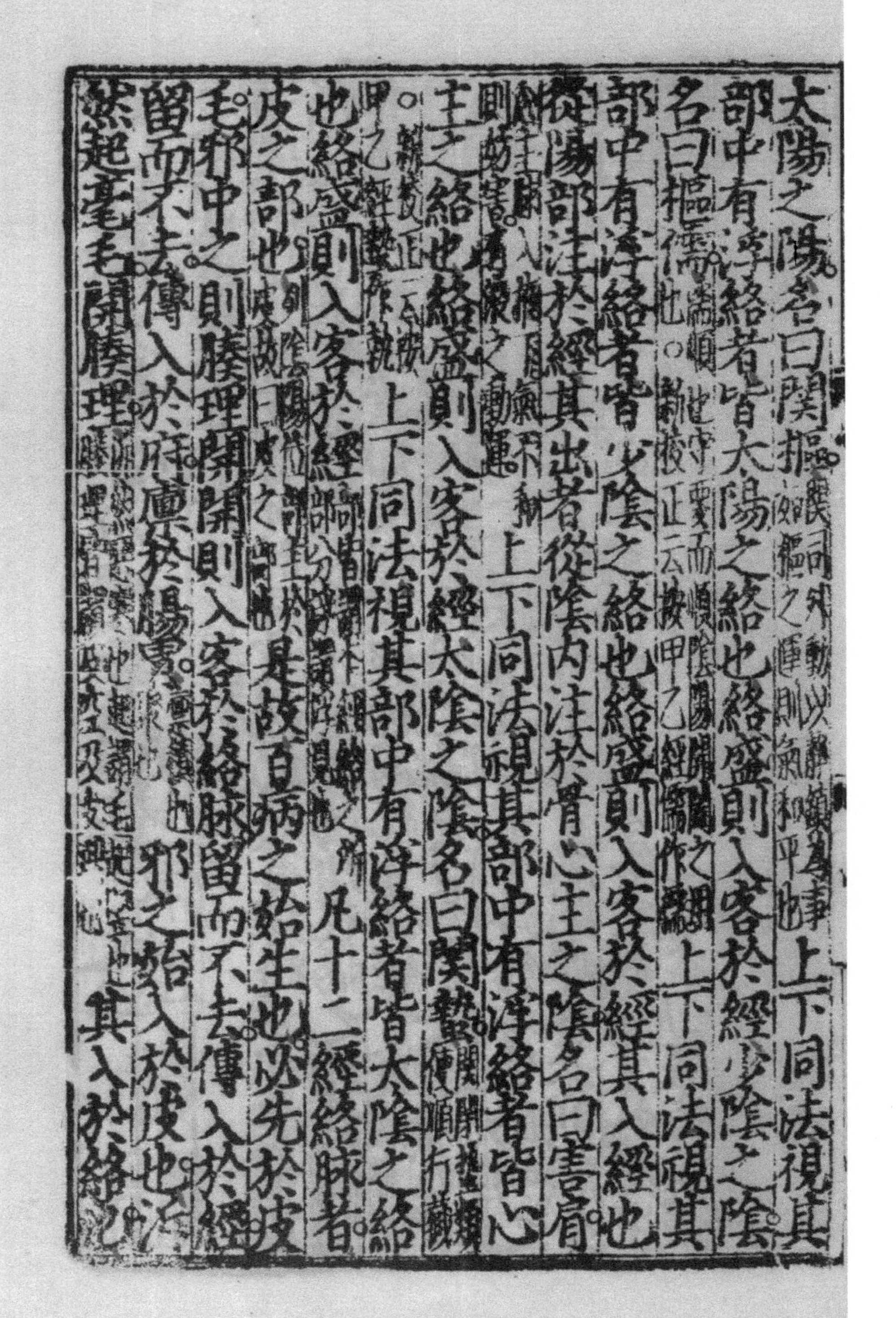

太陽之陽，名曰關樞。[illegible]上下同法，視其部中有浮絡者，皆太陽之絡也，絡盛則入客於經。少陰之陰，名曰樞儒。[illegible]上下同法，視其部中有浮絡者，皆少陰之絡也，絡盛則入客於經，其入經也，從陽部注於經，其出者，從陰內注於骨。心主之陰，名曰害肩。[illegible]上下同法，視其部中有浮絡者，皆心主之絡也，絡盛則入客於經。太陰之陰，名曰關蟄。[illegible]上下同法，視其部中有浮絡者，皆太陰之絡也，絡盛則入客於經。[illegible]凡十二經絡脈者，皮之部也。[illegible]是故百病之始生也，必先於皮毛，邪中之則腠理開，開則入客於絡脈，留而不去，傳入於經，留而不去，傳入於府，廩於腸胃。[illegible]邪之始入於皮也，泝然起毫毛，開腠理。[illegible]其入於絡也，[illegible]

則

則絡脈盛色變。（絡脈盛則色變，謂易其常也。）其入客於經也，則感虛乃陷下。（經虛邪入，故曰感虛。脈虛氣少，故陷下也。）其留於筋骨之間，寒多則筋攣骨痛，（寒則筋急，故筋攣。寒勝為痛，故骨痛。）熱多則筋弛骨消，肉爍䐃破，毛直而敗。（熱則筋緩，故筋弛也。熱勝氣消，故骨消肉爍。熱甚則䐃破，䐃者肉之標，故肉消則䐃破毛直而敗也。䐃，渠殞切。）帝曰：夫子言皮之十二部，（經脈所過，皮部十二。）其生病皆何如？岐伯曰：皮者脈之部也，（脈氣流行，各有陰陽之部。）邪客於皮則腠理開，開則邪入客於絡脈，絡脈滿則注於經脈，經脈滿則入舍於府藏也，故皮者有分部，不與而生大病也。（脈行皮中，各有部分，脈受邪氣，隨則病生，非由皮氣而能生也。新校正云：按全元起本作不與，元起云：言不與疾則皮肉不知，邪流入於內，必生大病也。）帝曰：善。

⊗ 經絡論篇第五十七（新校正云：按全元起本在皮部論末，王氏分篇。）

黃帝問曰：夫絡脈之見也，其五色各異，青黃赤白黑不同，其故何也？岐伯對曰：經有常色而絡無常變也。（經行氣，故色見常應於時；絡主血，故受邪則變而不一矣。）帝曰：經之常色何如？岐伯曰：心赤，肺白，肝青，脾

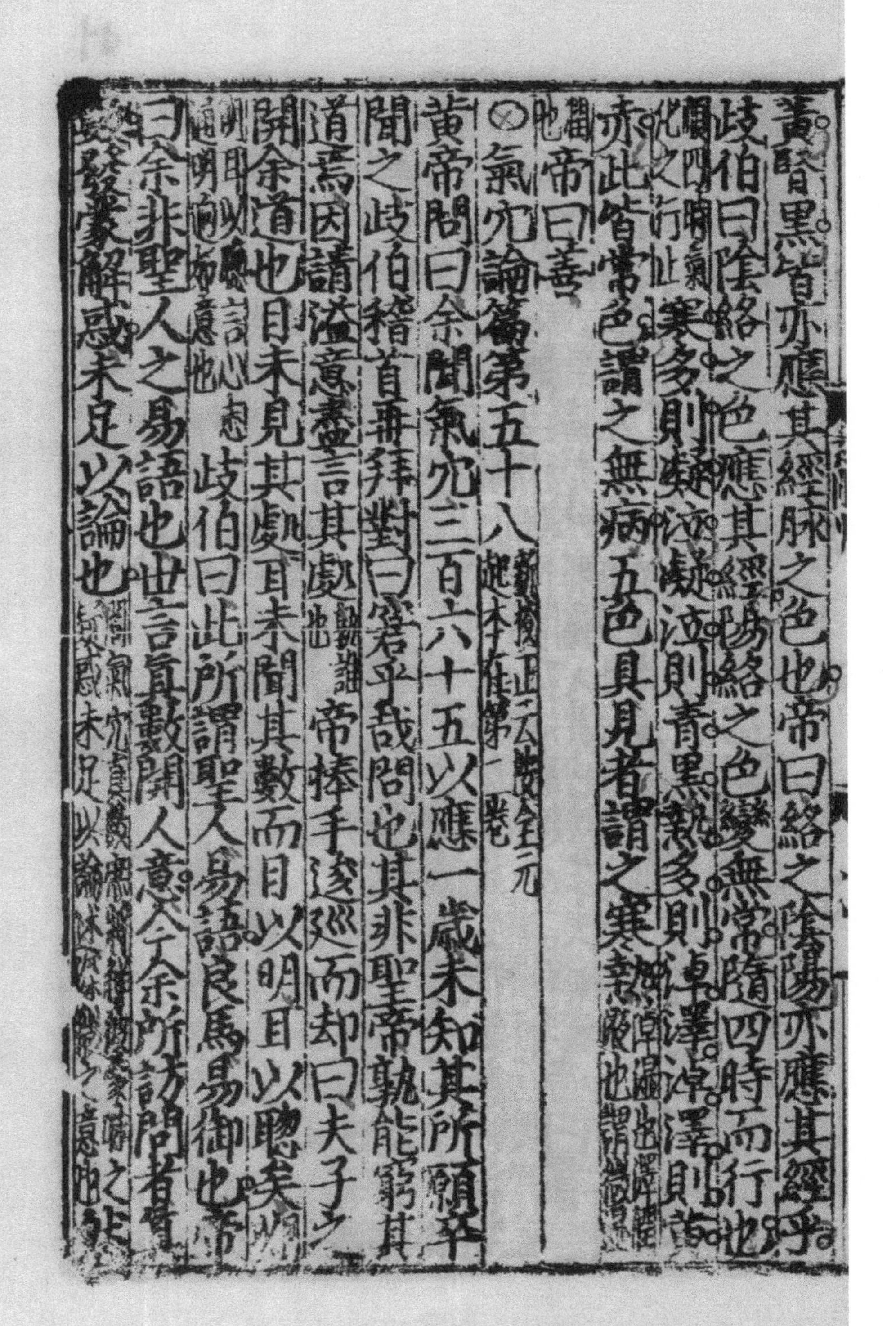

黄赤。黑。皆亦應其經脉之色也。帝曰絡之陰陽亦應其經乎。
岐伯曰陰絡之色應其經陽絡之色變無常隨四時而行也。
寒多則凝泣凝泣則青黑熱多則淖澤淖澤則黄赤
此皆常色謂之無病五色具見者謂之寒熱
帝曰善

◎氣穴論篇第五十八

黄帝問曰余聞氣穴三百六十五以應一歲未知其所願卒聞之岐伯稽首再拜對曰窘乎哉問也其非聖帝孰能窮其道焉因請溢意盡言其處帝捧手逡巡而却曰夫子之開余道也目未見其處耳未聞其數而目以明耳以聰矣岐伯曰此所謂聖人易語良馬易御也帝曰余非聖人之易語也世言真數開人意今余所訪問者真數發蒙解惑未足以論也

余願聞夫子溢志盡言其處，令解其意，請藏之金匱，不敢復出。（言其處，謂穴俞所。）岐伯再拜而起曰：臣請言之。背與心相控而痛，所治天突與十椎及上紀，（天突在頸結喉下同身寸之四寸中央宛宛中，陰維任脈之會，低鍼取之，刺可入同身寸之一寸，留七呼，若灸者可灸三壯。按今甲乙經、經脈流注孔穴圖經，當脊十椎下並無穴目，恐是七椎也，此則督脈氣所主之。）上紀者胃脘也，（謂中脘也。中脘者胃募也，在上脘下同身寸之一寸，居心蔽骨與臍之中，手太陽少陽足陽明脈所生，任脈之會，刺可入同身寸之一寸二分，若灸者可灸七壯。新校正云：按甲乙經云：[illegible]）下紀者關元也。（關元者少腹募也，在臍下同身寸之三寸，足三陰任脈之會，刺可入同身寸之二寸，留七呼，若灸者可灸七壯。新校正云：[illegible]）背胸邪繫陰陽左右，如此其病前後痛濇，胸脇痛而不得息，不得臥，上氣短氣偏痛，（新校正云：[illegible]偏痛，一作[illegible]）脈滿起斜出尻脈，絡胸脇，支心貫鬲，上肩加天突，斜下肩交十椎下。（尋此支絡[illegible]注在[illegible]論[illegible]）（[illegible]支絡[illegible]自背與心相控而痛[illegible]）藏俞五十穴，（[illegible]）

在足大指之端內側，去爪甲角如韭葉，足太陰脉之所出也。刺可入同身寸之一分，留三呼，若灸者可灸三壯。大都在足大指本節後陷者中，足太陰脉之所流也。刺可入同身寸之三分，留七呼，若灸者可灸三壯。太白在足內側核骨下陷者中，足太陰脉之所注也。刺可入同身寸之三分，留七呼，若灸者可灸三壯。商丘在足內踝下微前陷者中，足太陰脉之所行也。刺可入同身寸之四分，留七呼，若灸者可灸三壯。陰陵泉在膝下內側輔骨下陷者中，伸足乃得之，足太陰脉之所入也。刺可入同身寸之五分，留七呼，若灸者可灸三壯。肺之井者少商也，滎魚際也，俞大淵也，經經渠也，合尺澤也。少商在手大指之端內側，去爪甲角如韭葉，手太陰脉之所出也。刺可入同身寸之一分，留一呼，若灸者可灸三壯。新校正云：按《甲乙經》作一壯。魚際在手大指本節後內側散脉中，手太陰脉之所流也。刺可入同身寸之二分，留二呼，若灸者可灸三壯。太淵在掌後陷者中，手太陰脉之所注也。刺可入同身寸之二分，留二呼，若灸者可灸三壯。經渠在寸口陷者中，手太陰脉之所行也。刺可入同身寸之三分，留三呼，不可灸，傷人神明。尺澤在肘中約上動脉，手太陰脉之所入也。刺可入同身寸之三分，留三呼，若灸者可灸三壯。腎之井者湧泉也，滎然谷也，俞大谿也，經復溜也。新校正云：按《甲乙經》溜作伏留，留字並同。合陰谷也。湧泉在足心陷者中，屈足卷指宛宛中也，足少陰脉之所出也。刺可入同身寸之三分，留三呼，若灸者可灸三壯。然谷在足內踝前起大骨下陷者中，足少陰脉之所流也。刺可入同身寸之三分，留三呼，若灸者可灸三壯。刺此多見血，令人立饑欲食。太谿在足內踝後跟骨上動脉陷者中，足少陰脉之所注也。刺可入同身寸之三

分留七呼若灸者可灸三壯。復溜在足內踝上。同身寸之二寸
陷者中。新校正云按刺腰痛篇注云在內踝後上二寸
動脈。足少陰脈之所行也。刺可入同身寸之三分留三呼。
若灸者可灸五壯。陰谷在膝下內輔骨之後大筋之下小筋
之上。按之應手屈膝而得之。足少陰脈之所入也。刺可入同
身寸之四分若灸者可灸三壯。是五藏之俞藏各五穴則
二十五俞以左右脈具而言之則五十穴。府俞七十二穴府謂六府非兼九形府也。俞謂井滎俞原經
合非背俞也。膽之府其井者竅陰也。滎俠谿也。俞臨泣也。原丘墟也。經陽輔也。合陽陵泉也。竅陰在足小指次指之
端去爪甲角如韭葉。足少陽脈之所出也。刺可入同身寸之一分留一呼。新校正云按甲乙經作三呼。若灸者可灸
三壯。俠谿在足小指次指歧骨間本節前陷者中。足少陽脈之所流也。刺可入同身寸之三分留三呼。若灸者可灸三壯。
臨泣在足小指次指本節後間陷者中。去俠谿同身寸之一寸半。足少陽脈之所注也。刺可入同身寸之二分。新校正
云按甲乙經作二分。留五呼。若灸者可灸三壯。丘墟在足外踝下如前陷者中。去臨泣同身寸之三寸。足少陽脈之所
過也。刺可入同身寸之五分留七呼若灸者可灸三壯。陽輔
在足外踝上。新校正云按甲乙經云外踝上四寸。輔骨前絕
骨之端。如前同身寸之三分所去丘墟七寸。足
少陽脈之所行也。刺可入同身寸之五分留七呼若灸者可
灸三壯。陽陵泉在膝下同身寸之一寸。䯒外廉陷者中。足少
陽脈之所入也。刺可入同身寸之六分留十呼若灸者可灸
三壯。胃之井者厲兌也。滎內庭也。俞陷谷也。原衝
陽也。經解谿也。合三里也。厲兌在足大指次指之端去爪甲

[illegible]韭葉。足陽明脈之所出也。刺可入同身寸之一分。留一[illegible]灸者可灸一壯。內庭在足大指次指外間陷者中。足陽[illegible]之所流也。刺可入同身寸之三分。留十呼。○新校正云：按甲乙經云作二十呼。○若灸者可灸三壯。陷谷在足大指次指外間本節後陷者中。去內庭同身寸之二寸。足陽明脈之所注也。刺可入同身寸之五分。留七呼。若灸者可灸三壯。衝陽在足跗上同身寸之五寸骨間動脈上。去陷谷同身寸之三寸。足陽明脈之所過也。刺可入同身寸之三分。留十呼。若灸者可灸三壯。解谿在衝陽後同身寸之一寸半。○新校正云：按甲乙經作一寸半。刺瘧注作三寸半。素問二注不同。當從甲乙經之說。○腕上陷者中。足陽明脈之所行也。刺可入同身寸之五分。留五呼。若灸者可灸三壯。三里在膝下同身寸之三寸。䯒骨外廉兩筋肉分間。足陽明脈之所入也。刺可入同身寸之一寸。留七呼。若灸者可灸三壯。[illegible]大腸之井者商陽也。滎二間也。俞三間也。原合谷也。經陽谿也。合曲池也。商陽在手大指次指內側去爪甲角如韭葉。手陽明脈之所出也。刺可入同身寸之一分。留一呼。若灸者可灸三壯。二間在手大指次指本節前內側陷者中。手陽明脈之所溜也。刺可入同身寸之三分。留六呼。若灸者可灸三壯。三間在手大指次指本節後內側陷者中。手陽明脈之所注也。刺可入同身寸之三分。留三呼。若灸者可灸三壯。合谷在手大指次指岐骨之間。手陽明脈之所過也。刺可入同身寸之三分。留六呼。若灸者可灸三壯。陽谿在腕中上側兩筋間陷者中。手陽明脈之所行也。刺可入同身寸之三分。留七呼。若灸者可灸三壯。曲池在肘外輔屈肘曲骨之中。手陽明脈之所入也。以手拱胸取之。刺可入同身寸之五分。留七呼。若灸

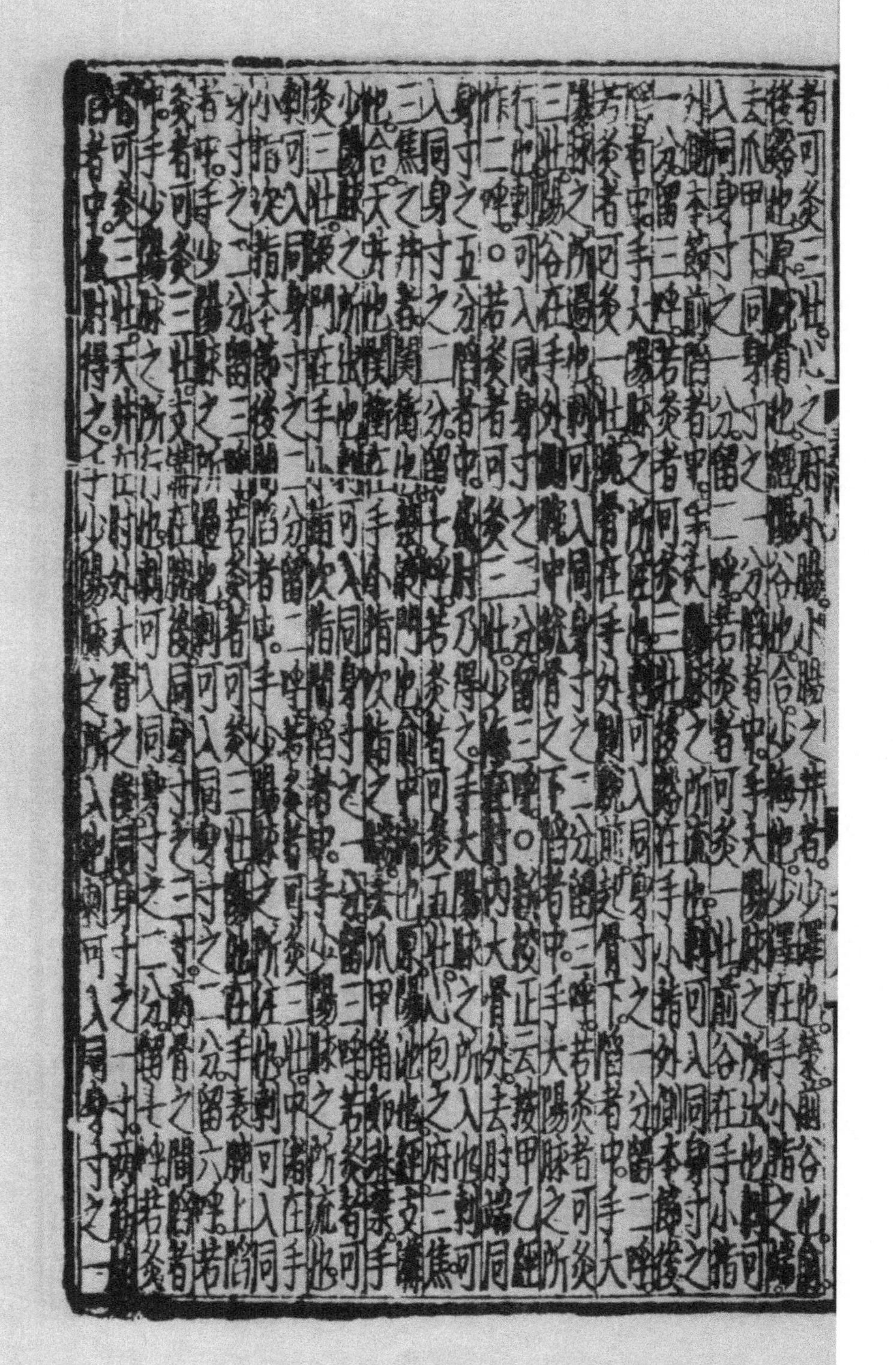

寸，留七呼。若灸者可灸三壯。腎之府膀胱。膀胱之井者至陰，[illegible]榮通谷也，俞束骨也，原京骨也，[illegible]崑崙也，合委中也。至陰在足小指外側，去爪甲角如韭葉，足太陽脈之所出也。刺可入同身寸之一分，留五呼。若灸者可灸三壯。通谷在小指外側本節前陷者中，太陽脈之所流也。刺可入同身寸之二分，留五呼。若灸者可灸三壯。束骨在足小指外側本節後赤白肉際陷者中，足太陽脈之所注也。刺可入同身寸之三分，留三呼。若灸者可灸三壯。京骨在足外側大骨下赤白肉際陷者中，按而得之，足太陽脈之所過也。刺可入同身寸之三分，留七呼。若灸者可灸三壯。崑崙在足外踝後跟骨上陷者中，細脈動應手，足太陽脈之所行也。刺可入同身寸之五分，留十呼。若灸者可灸三壯。委中在膕中央約文中動脈。新校正云：詳委中穴与《甲乙經》及《刺瘧篇》注、《瘧論》注同，又《骨空論》云在膝解之後，曲脚之中，背面取之。又《熱穴論》注、《刺熱篇》注云在足膝後屈處。足太陽脈之所入也。刺可入同身寸之五分，留七呼。若灸者可灸三壯。如是六府之俞府各六穴，則三十六俞，以左右脉俱而言之，則七十二穴。

熱俞五十九穴，水俞五十七穴，

並具水熱論守。新校正云：按熱俞又見《刺熱篇》注。

頭上五行行五，五五二十五穴，

此亦熱俞之五十九穴也。

中䏚兩傍各五，凡十穴，

謂五藏之背俞也。肺俞在第三椎下兩傍，心俞在第五椎下兩傍，肝俞在第九椎下兩傍，脾俞在第十一椎下兩傍，腎俞在第十四椎下兩傍。此五藏俞者，各俠脊相去同身寸之一寸半，並足太陽脈之會。刺可入同身寸之三分，肝俞留六呼，餘並留七呼。若灸者可灸三壯。俠脊數之，則十穴也。

大椎

上兩傍各一，凡二穴。今甲乙經經脈流注孔穴圖經並不載，未詳何俞也。新校正云：按大椎上傍
無穴，大椎下傍穴名大杼，後故王氏云未詳。目瞳子浮白二穴。瞳子髎在目外去眥同身寸之五分，
手太陽手足少陽三脈之會，刺可入同身寸之三分，若灸者可灸三壯。浮白在耳後入髮際同身寸之一寸，足太陽少陽
二脈之會，刺可入同身寸之三分，若灸者可灸三壯。左右言之，各二為四也。兩髀厭分中二穴。謂環
跳穴也。在髀樞後，足少陽太陽二脈之會，刺可入同身寸之一寸，留二呼，若灸者可灸三壯。新校正云：按王氏云在髀
樞後，按甲乙經云在髀樞中，後當作中。灸三壯，甲乙經作五壯。犢鼻二穴。在膝髕下䯒上俠解大筋中，足陽明
脈氣所發，刺可入同身寸之六分，若灸者可灸三壯。耳中多所聞二穴。聽宮穴也。在耳中珠子，大如赤
小豆，手足少陽手太陽三脈之會，刺可入同身寸之一分，若灸者可灸三壯。新校正云：按甲乙經云刺可入三分。眉
本二穴。攢竹穴也。在眉頭陷者中，足太陽脈氣所發，刺可入同身寸之三分，留六呼，若灸者可灸三壯。完骨
二穴。在耳後入髮際同身寸之四分，足太陽少陽之會，刺可入同身寸之三分，留七呼，若灸者可灸三壯。新校正
云刺可入三分，灸七壯。項中央一穴。風府穴也。在項上入髮際同身寸之一寸大筋內宛宛中，督脈陽維
二經之會。疾言其肉立起，言休其肉立下。刺可入同身寸之四分，留三呼，灸之不幸使人瘖。枕骨二穴。竅陰
穴也。在完骨上，枕骨下，搖動應手，足太陽少陽之會，刺可入同身寸之三分，若灸者可灸三壯。新校正云：按甲乙經云

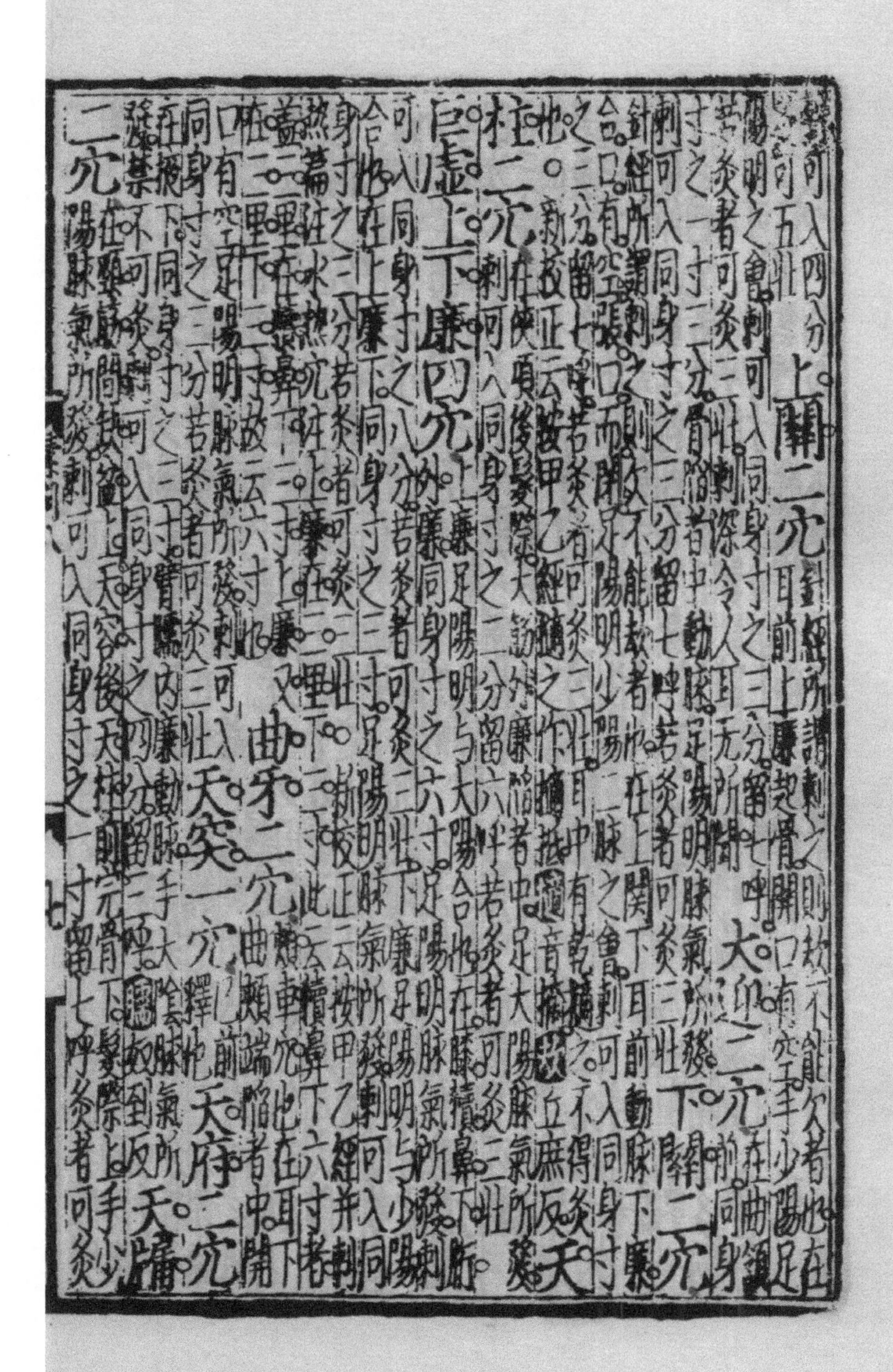

可入四分。可五壯。

上關二穴 鍼經所謂刺之則欠不能欠者也。在耳前上廉起骨，開口有空，手少陽足陽明之會。刺可入同身寸之三分，留七呼。若灸者可灸三壯。刺深令人耳無所聞。

大迎二穴 在曲頷前同身寸之一寸三分骨陷者中動脈，足陽明脈氣所發。刺可入同身寸之三分，留七呼。若灸者可灸三壯。

下關二穴 鍼經所謂刺之則呿不能欠者也。在上關下，耳前動脈下廉，合口有空，張口則閉，足陽明少陽二脈之會。刺可入同身寸之三分，留七呼。若灸者可灸三壯。耳中有乾擿抵之，不得灸也。○新校正云：按甲乙經擿之作擿抵。適音擿。呿丘庶反。

天柱二穴 在俠項後髮際大筋外廉陷者中，足太陽脈氣所發。刺可入同身寸之二分，留六呼。若灸者可灸三壯。

巨虛上下廉四穴 上廉，足陽明與大腸合也，在膝犢鼻下胻外廉同身寸之六寸，足陽明脈氣所發。刺可入同身寸之八分。若灸者可灸三壯。下廉，足陽明與小腸合也，在上廉下同身寸之三寸，足陽明脈氣所發。刺可入同身寸之三分。若灸者可灸三壯。○新校正云：按甲乙經并刺熱篇注、水熱穴注，上廉在三里下三寸，此云犢鼻下六寸者，蓋三里在犢鼻下三寸，上廉又在三里下三寸，故云六寸也。

曲牙二穴 頰車穴也。在耳下曲頰端陷者中，開口有空，足陽明脈氣所發。刺可入同身寸之三分。若灸者可灸三壯。

天突一穴 已前釋也。

天府二穴 在腋下同身寸之三寸，臂臑內廉動脈，手大陰脈氣所發。禁不可灸。刺可入同身寸之四分，留三呼。臑，奴到反。

天牖二穴 在頸筋間，缺盆上，天容後，天柱前，完骨下，髮際上，手少陽脈氣所發。刺可入同身寸之一寸，留七呼。若灸者可灸三壯。扶突二穴在頸當曲頰下同身寸之一寸人迎後手陽明脈氣所發仰而取之刺可入同身寸之四分若灸者可灸三壯。天窻二穴在曲頰下扶突後動脈應手陷者中手太陽脈氣所發刺可入同身寸之六分若灸者可灸三壯。肩解二穴謂肩井也在肩上陷解中缺盆上大骨前手足少陽陽維之會刺可入同身寸之五分若灸者可灸三壯。新校正云按甲乙經灸五壯。關元一穴新校正云詳此已前釋當篇再注今去之。委陽二穴三焦下輔俞也在膕中外廉兩筋間此足太陽之別絡刺可入同身寸之七分留五呼若灸者可灸三壯。肩貞二穴在肩曲甲下兩骨解間肩髃後陷者中手太陽脈氣所發刺可入同身寸之八分若灸者可灸三壯。瘖門一穴在項髮際宛宛中入係舌本督脈陽維二經之會仰頭取之刺可入同身寸之四分不可灸灸之令人瘖。新校正云按氣府論注云去風府一寸。齊一穴臍中也禁不可刺刺之使人臍中惡瘍潰矢出者死不可治若灸者可灸三壯。胸俞十二穴謂俞府彧中神藏靈墟神封步廊左右則十二穴也俞府在巨骨下俠任脈兩傍橫去任脈各同身寸之二寸陷者中下五穴遞相去同身寸之一寸六分陷者中並足少陰脈氣所發仰而取之刺可入同身寸之四分若灸者可灸五壯。背俞二穴大杼也在脊第一椎下兩傍相去各同身寸之一寸半陷者中督脈別絡手足太陽三脈氣之會刺可入同身寸之三分留七呼若灸者可灸七壯。膺俞十二穴謂雲門中府周榮胸鄉天谿食竇左右則十二穴。新校正云按甲乙經作胸鄉周榮。雲門在巨骨

俠任脉傍橫去任脉各同身寸之六寸。○新校正云按水
穴注作背中行兩傍与此文雖異処所无別。陷者中動脉應
手。雲門中府相去同身寸之一寸。餘五穴遞相去同身寸
之一寸六分陷者中。並手太陰脉氣所發。雲門令舉臂取
之。餘並仰而取之。雲門刺可入同身寸之七分。太深令人逆
息。中府刺可入同身寸之三分。留五呼。餘刺可入同身寸之
四分。若灸者可灸五壯。○新校正云詳王氏以此十二穴并
手太陰。按甲乙經雲門乃手太陰。中府乃手足太陰之會。周
榮已下乃足太陰脉
十二穴並手太陰也。

分肉二穴

在足外踝上絕骨之端。同身
寸之三分筋肉分間。陽維脉
氣所發。刺可入同身寸之三分。留七呼。若灸者可灸三壯。○
新校正云按甲乙經无分肉穴。詳処所疑是陽輔。在足外踝
上輔骨前絕骨端如前三分所。又按刺腰痛注作絕
骨之端如後二分。刺入五分。留十呼。与此注小異。

踝上橫二穴

內踝上者交信穴也。交信去內踝上同身寸之二寸。少
陰前太陰後筋骨間。陰蹻之郄。刺可入同身寸之四
分。留五呼。若灸者可灸三壯。外踝上者附陽穴也。附陽去外踝
上同身寸之三寸。太陽前少陽後筋骨間。陽蹻之郄。刺可入
同身寸之六分。留七呼。若灸者可灸三
壯。○新校正云按甲乙經附陽作付陽。

陰陽蹻四穴

陰蹻穴
在足內
踝下。是謂照海。陰蹻所生。刺可入同身寸之四分。留六呼。若
灸者可灸三壯。陽蹻穴是謂申脉。陽蹻所生。在外踝下陷者
中。○新校正云按刺腰痛篇注作在外踝下五分。繆刺論注
云外踝下半寸。○容爪甲。刺可入同身寸之三分。留七呼。若
灸者可灸三壯。○新校正云按甲乙經
留七呼作六呼。刺腰痛篇注作十呼。

水俞在諸分

分謂肉
之分理

問治水取之熱俞在氣穴寫熱則取之寒熱俞在兩骸厭中二穴骸厭謂膝外俠膝之骨厭中也大禁二十五在天府下五寸謂五里穴也所以謂之大禁者謂其禁不可刺也鍼經曰迎之五里中道而止五至而已五往而藏之氣尽矣故五五二十五而竭其俞矣蓋謂此也又曰五里者尺澤之後五里与此文同凡三百六十五穴鍼之所由行也新校正云詳自藏俞五十至此并重復共得三百六十穴通前天突十椎上紀下紀共三百六十五穴除重復實有三百一十三穴帝曰余已知氣穴之處遊鍼之居願聞孫絡谿谷亦有所應乎孫絡小絡也謂絡之支別者岐伯曰孫絡三百六十五穴會亦以應一歲以溢奇邪以通榮衛榮衛稽留衛散榮溢氣竭血著外為發熱內為少氣疾寫无怠以通榮衛見而寫之無問所會榮積衛留內外相薄者見其血絡當即寫之亦无問其脈之俞會帝曰願聞谿谷之會也岐伯曰肉之大會為谷肉之小會為谿肉分之間谿谷之會以行榮衛以會大氣新校正云按甲乙經作以舍大氣邪溢氣壅脈熱肉敗榮衛不行必將為膿內銷骨髓外破大膕留於節湊必將為敗

骨節之間津液所湊之處則骨節之間髓亦皆潰為膿故必敗爛筋骨而不得屈伸矣積寒留舍榮衛

不居卷肉縮筋新校正云按全元起本作寒肉縮筋肋肘不得伸內為骨痺外

為不仁命曰不足大寒留於谿谷也邪氣盛甚真氣不榮故為是也

謂陽氣不足也寒邪外薄久冱不消內消故曰不足大寒留於谿谷之中也谿谷三百六

十五穴會亦應一歲其小痺淫溢循脈往來微鍼所及與法

相同若小寒之氣流行淫溢隨脈往來為痺病用鍼瀉者與常法相同爾帝乃辟左右而起再

拜曰今日發蒙解惑藏之金匱不敢復出乃藏之金蘭之室

署曰氣穴所在岐伯曰孫絡之脈別經者其血盛而當寫者

亦三百六十五脈並注於絡傳注十二絡脈非獨十四絡脈

也十四絡者謂十二經絡兼任脈督脈之絡也脾之大絡起自於脾故不并言之也內解寫於中者

十脈解謂骨解之中經絡也雖則別行然所受邪亦還注瀉於五藏之脈左右各五故十脈也

◎氣府論篇第五十九新校正云按全元起本在第二卷

足太陽脈氣所發者七十八穴兼氣浮薄相通者言之當言九十三穴非七十八穴也正

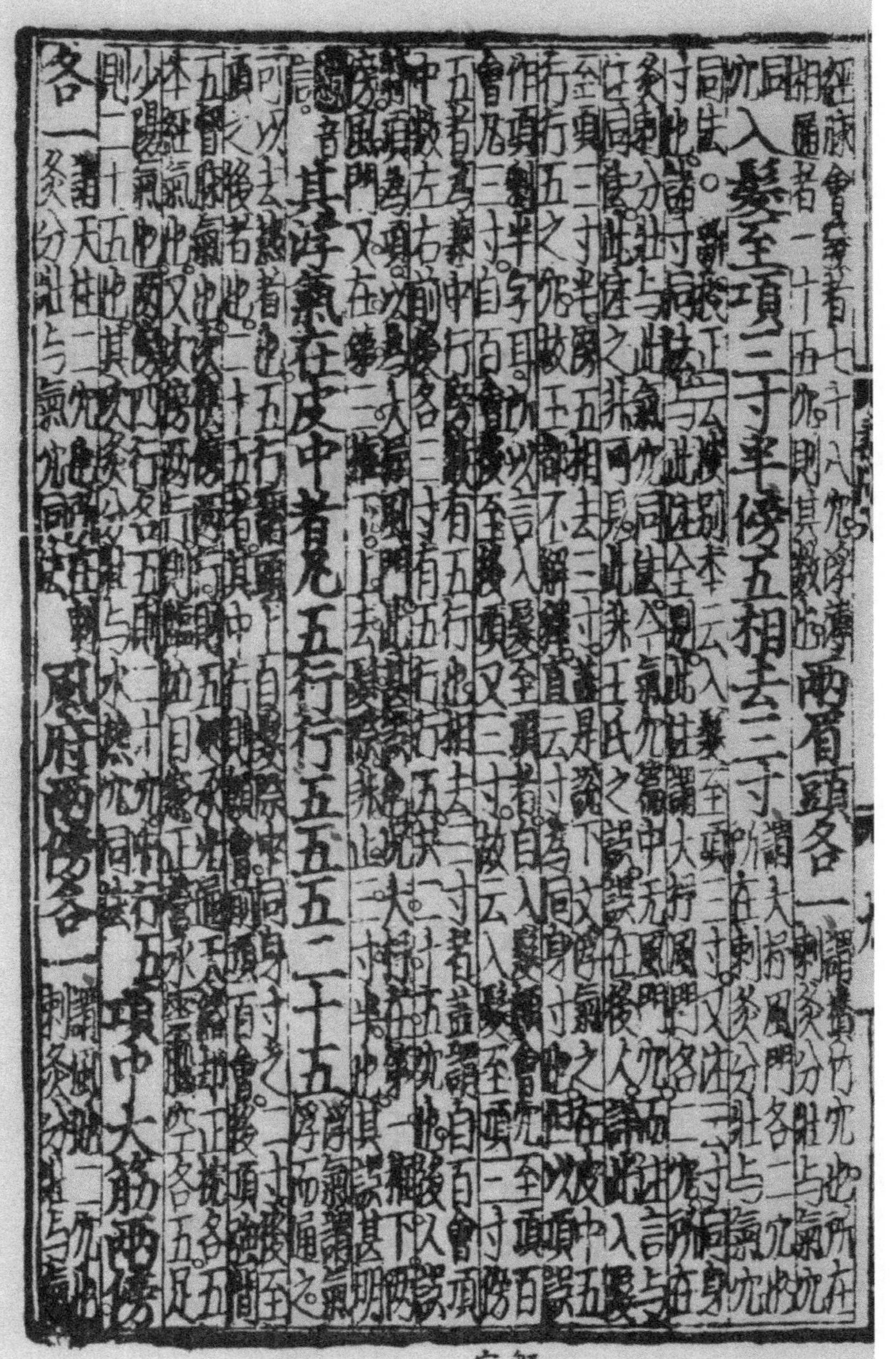

兩眉頭各一

入髮至項三寸半傍五相去三寸

其浮氣在皮中者凡五行行五五五二十五

項中大筋兩傍各一

風府兩傍各一

顖會穴

灸治法○新校正云按甲乙經風池足少陽陽維之會非太陽之所發也經言風府兩傍乃天柱穴之分位此亦覆明上項中大筋兩傍穴也此注以天柱二穴為風池二穴數九十二數外更刺前大杼風門及風池六穴也

俠背以下至尻尾二十一節十五間各一

十五間各一者今中誥孔穴圖經所存者十三穴左右共二十六謂附分魄戶神堂譩譆鬲關魂門陽綱意舍胃倉肓門志室胞肓秩邊十三也附分在第二椎下附項內廉兩傍各去俠脊同身寸之三寸足太陽之會刺可入同身寸之八分若灸者可灸五壯○魄戶在第三椎下兩傍上直附分足太陽脈氣所發下十一穴並同正坐取之刺可入同身寸之五分若灸者如附分法○神堂在第五椎下兩傍上直魄戶刺可入同身寸之三分灸同附分法○譩譆在第六椎下兩傍上直神堂○新校正云按骨空論注云以手厭之令病人呼譩譆之言則指下動矣○刺可入同身寸之六分留七呼灸如附分法○鬲關在第七椎下兩傍上直譩譆正坐開肩取之刺可入同身寸之五分若灸者可灸三壯○新校正云按甲乙經云灸五壯○魂門在第九椎下兩傍上直鬲關正坐取之刺灸分壯如鬲關法○陽綱在第十椎下兩傍上直魂門正坐取之刺灸分壯如魂門法○意舍在第十一椎下兩傍上直陽綱正坐取之刺灸分壯如陽綱法○胃倉在第十二椎下兩傍上直意舍刺灸分壯如意舍法○肓門在第十三椎下兩傍上直胃倉刺同胃倉可灸三十壯○新校正云按肓門灸三十壯甲乙經同水穴注作灸三壯○志室在第十四椎下兩傍上直肓門正坐取之刺灸分壯如魄戶法○胞肓在第十九椎下兩傍上直志室伏而取之刺灸分壯如魄戶法○新校正云

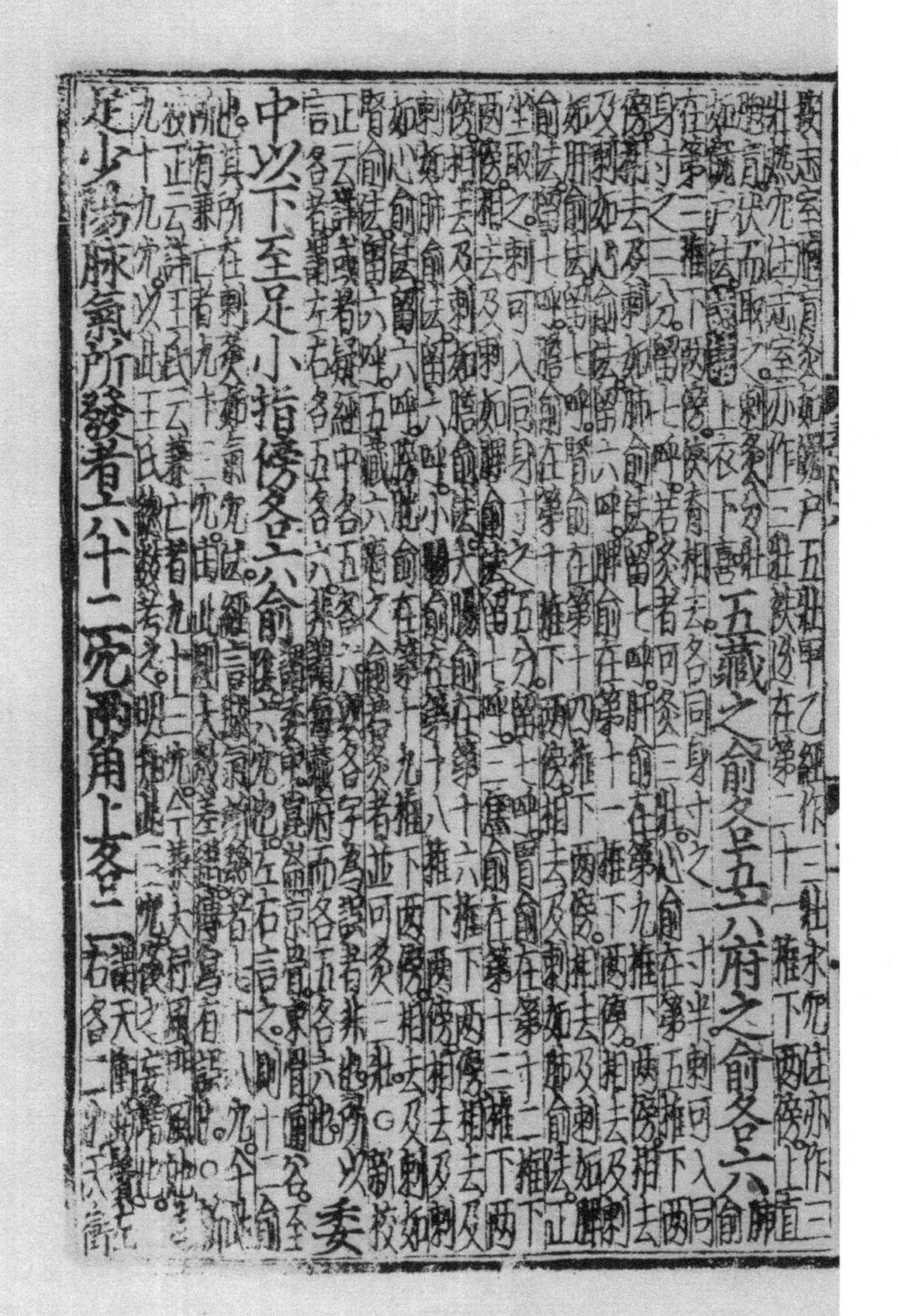

五藏之俞各五六府之俞各六

中以下至足小指傍各六俞

足少陽脉氣所發者六十二穴兩角上各二

天衝在耳上如前同身寸之三分，足太陽少陽二脈之會，刺可入同身寸之三分，若灸者可灸三壯。曲鬢在耳上入髮際曲隅陷者中，鼓頷有空，足太陽少陽二脈之會，刺可入同身寸之三分，若灸者可灸三壯。

直目上髮際內各五

謂臨泣、目窗、正營、承靈、腦空，左右十穴也。臨泣在直目上入髮際五分陷者中，足太陽少陽陽維三脈之會，留七呼。目窗在臨泣後同身寸之一寸。正營在目窗後同身寸之一寸。承靈在正營後同身寸之一寸半。腦空在承靈後同身寸之一寸半，俠枕骨後枕骨上。並足少陽陽維二脈之會，刺可入同身寸之三分。腦空刺可入同身寸之四分，若灸者並可灸五壯。

耳前角上各一

謂頷厭二穴也。在曲角下顳顬之上廉，手足少陽足陽明三脈之會，刺可入同身寸之七分，留七呼，若灸者可灸三壯。

耳前角下各一

謂懸釐二穴也。在曲角上顳顬之下廉，手足少陽陽明四脈之交會，刺可入同身寸之三分，留七呼，若灸者可灸三壯。

銳髮下各一

謂和髎二穴也。在耳前銳髮下橫動脈，手足少陽手太陽三脈之會，刺可入同身寸之三分，若灸者可灸三壯。

客主人各一

客主人，穴名也，一名上關。在耳前上廉起骨，開口有空，手足少陽足陽明三脈之會，刺可入同身寸之三分，留七呼，若灸者可灸三壯。

耳後陷中各一

謂翳風二穴也。在耳後陷者中，按之引耳中，手足少陽二脈之會，刺可入同身寸之三分。

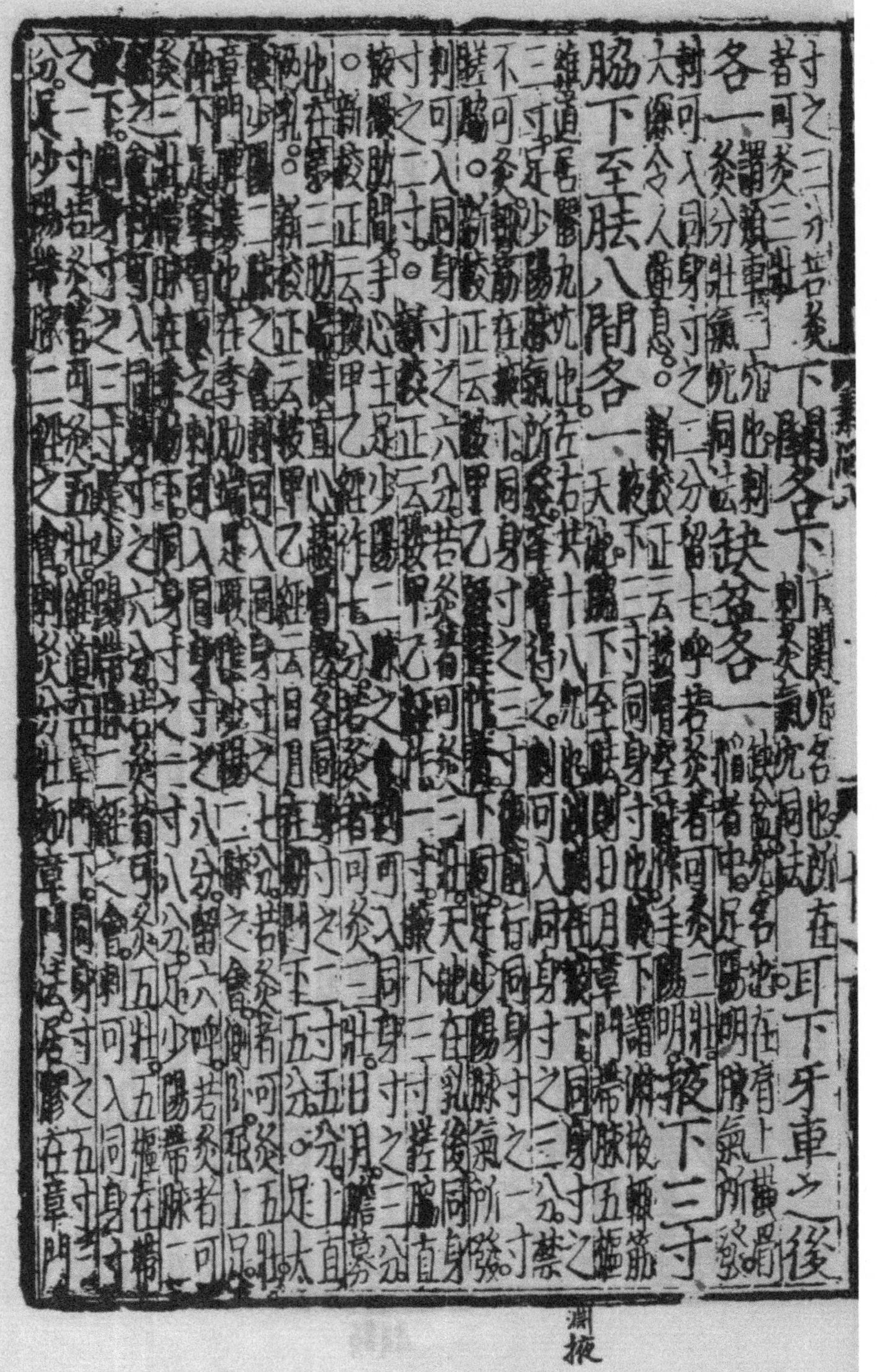

下同身寸之四寸三分。臑骨上。○新校正云按甲乙經作臑膂上陷者中。陽蹻足少陽二脈之會。刺灸分壯如維道法。所以謂之八間者。自腋下三寸至季脇凡八肋骨。髀樞中傍各一。謂環銚二穴也。刺灸分壯與氣穴同法。○新校正云按氣穴論云兩髀厭分中二穴。又甲乙經環銚在髀樞中者。蓋謂此穴在髀樞中。今王氏云髀樞中傍各一。中也。傍各一者。謂左右各一穴也。非謂環銚在髀樞中傍也。膝以下至足小指次指各六俞。謂陽陵泉。陽輔。丘墟。臨泣。俠谿。竅陰六穴也。左右言之。則十二俞也。其所在刺灸分壯與氣穴同法。足陽明脈氣所發者六十八穴。額顱髮際傍各三。謂懸顱。陽白。頭維。左右共六穴也。正面髮際橫行數之。懸顱在曲角上顳顬之中。足陽明脈之會。刺可入同身寸之三分。留三呼。若灸者可灸三壯。陽白在眉上同身寸之一寸。直瞳子。足陽明陰維二脈之會。刺可入同身寸之三分。灸三壯。頭維在額角髮際。俠本神兩傍各同身寸之一寸五分。足少陽陽明二脈之交會。刺可入同身寸之五分。禁不可灸。○新校正云按甲乙經陽白足少陽陽維之會。今王氏注云足陽明陰維之會。詳此在足陽明脈氣所發。則足陽明近是。然陽明經不到此。又不与陰維會。疑王注非。甲乙經為得矣。面鼽骨空各一。謂四白穴也。在目下同身寸之一寸。足陽明脈氣所發。刺可入同身寸之四分。不可灸。○新校正云按甲乙經刺入三分。灸七壯。大迎之骨空各一。大迎穴名也。在曲頷前同身寸之一寸三分骨陷者中動脈。足陽明脈氣所發。刺可入同身寸之三分。留七呼。若灸者可灸三壯。人迎

各一人迎穴名也在頸俠結喉傍大脈動應手足陽明脈氣所發刺可入同身寸之四分過深殺人禁不可灸

缺盆外骨空各一謂天髎二穴也在肩缺盆中上伏骨之陬陷者中手足少陽陽維三脈之會刺可入同身寸之八分若灸者可灸三壯。新校正云按甲乙經[illegible]

膺中骨間各一謂膺窗等六穴也[illegible]膺窗在胸兩傍俠中行各相去同身寸之四寸巨骨下同身寸之四寸八分陷者中足陽明脈氣所發刺可入同身寸之四分若灸者可灸五壯此穴之上又有氣戶庫房[illegible]屋翳[illegible]仰而取之[illegible]下即乳中[illegible]乳根[illegible]刺可入同身寸之四分若灸者可灸五壯[illegible]

俠鳩尾之外當乳下三寸俠胃脘各五[illegible]謂不容承滿梁門關門太一五穴也[illegible]刺可入同身寸之八分若灸者可灸五壯。新校正云按甲乙經[illegible]

俠臍廣三寸各三謂滑肉門天樞外陵[illegible]刺可入同身寸之八分[illegible]

[illegible]

菟音馬兔骨肩前也

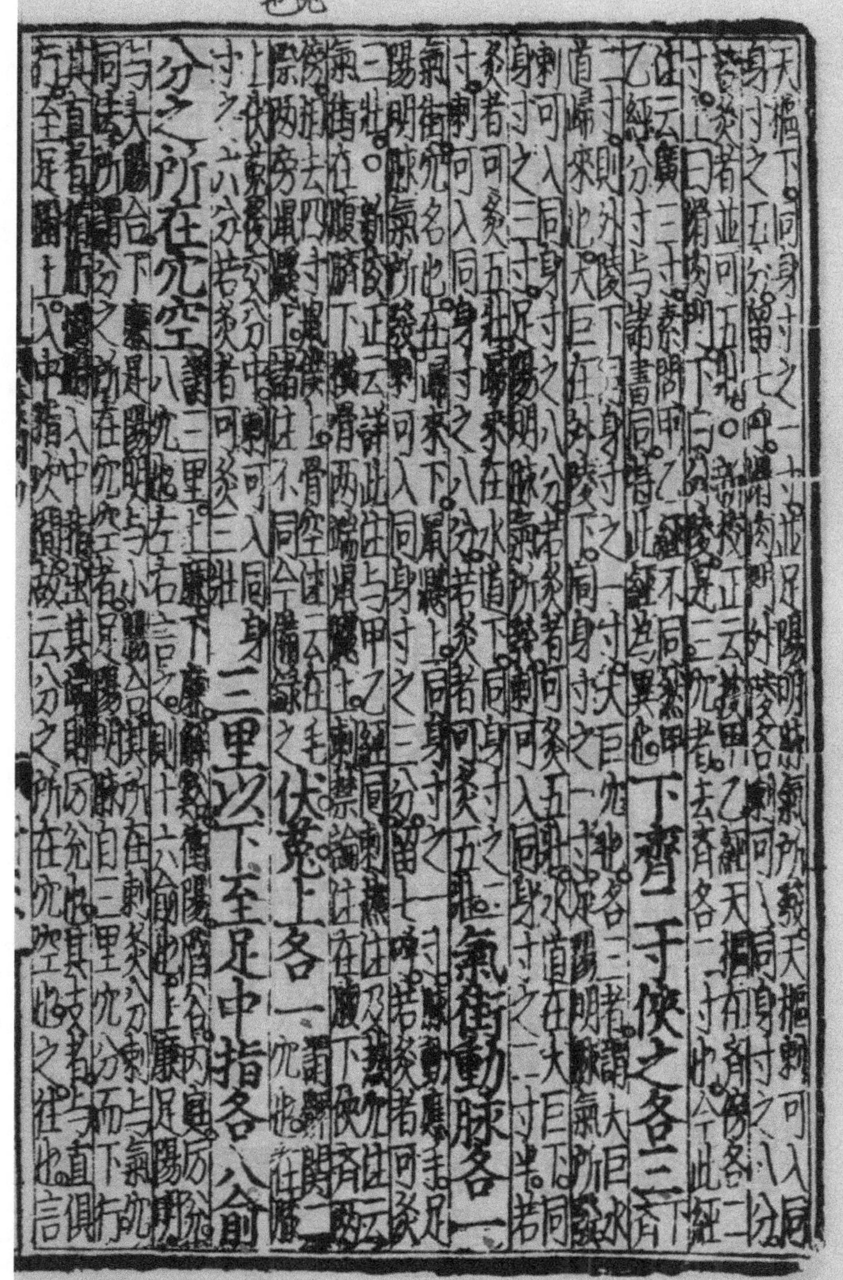

下齊二寸俠之各三

氣街動脈各一

伏菟上各一

三里以下至足中指各八俞

分之所在穴空

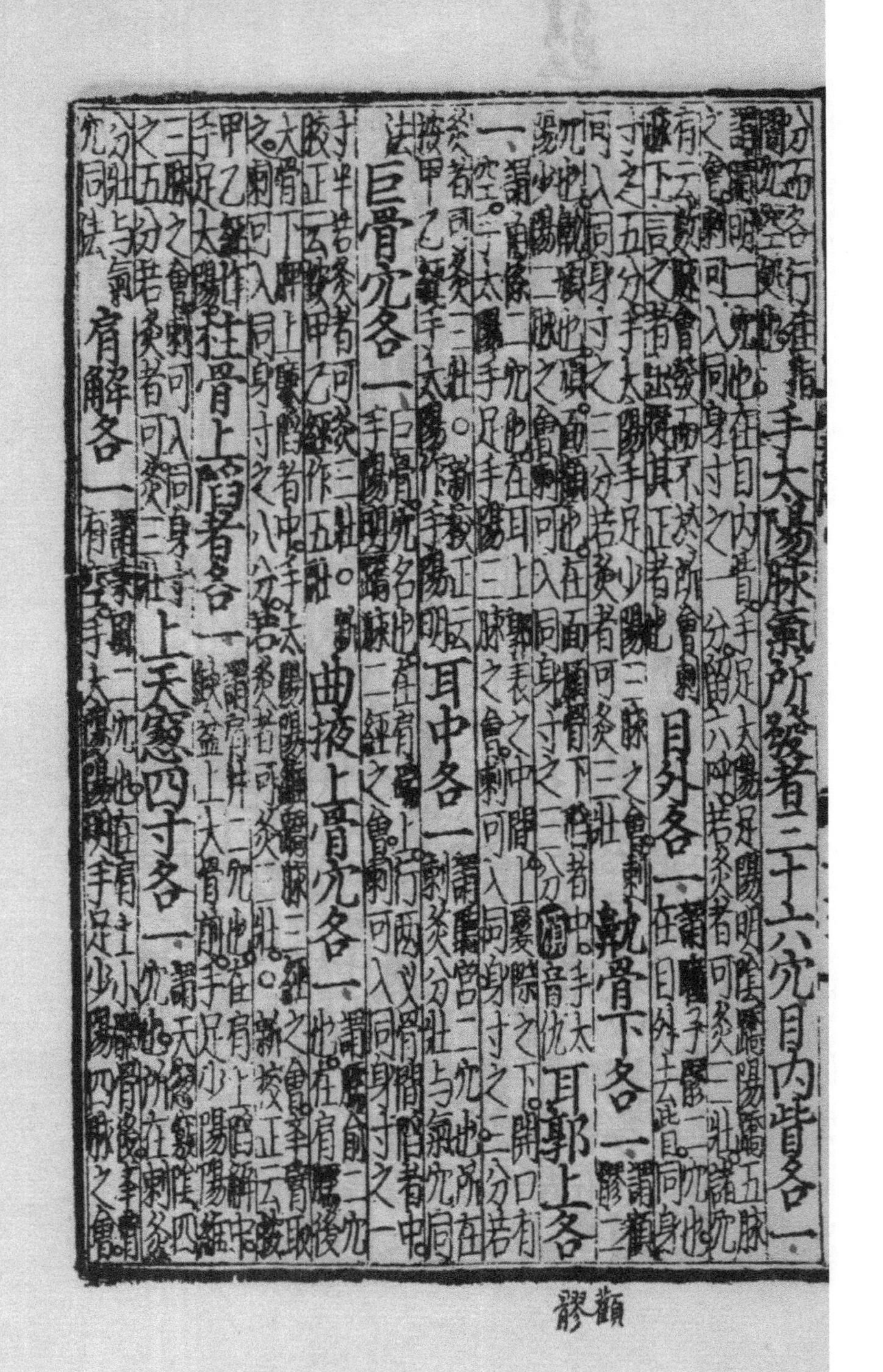
分，各行[illegible]。手太陽脈氣所發者三十六穴：目內眥各一，謂睛明二穴也，在目內眥，手足太陽、足陽明、陰蹻、陽蹻五脈之會，刺可入同身寸之一分，留六呼，若灸者可灸三壯。諸穴有二云，所數不同，所會所刺[illegible]。目外各一，謂瞳子髎二穴也，在目外去眥五分，手太陽、手足少陽三脈之會，刺可入同身寸之三分，若灸者可灸三壯。鼽骨下各一，謂顴髎二穴也，在面頄骨下陷者中，手太陽、手少陽二脈之會，刺可入同身寸之三分。頄音仇。耳郭上各一，謂角孫二穴也，在耳上郭表之中間上，髮際之下，開口有空，手太陽、手足少陽三脈之會，刺可入同身寸之三分，若灸者可灸三壯。新校正云：按《甲乙經》手太陽作手陽明。耳中各一，謂聽宮二穴也，在耳中珠子，大如赤小豆，手足少陽、手太陽三脈之會，刺可入同身寸之一分，若灸者可灸三壯。所在刺灸分壯，與氣穴同法。巨骨穴各一，手陽明蹻脈二經之會，在肩端上行兩叉骨間陷者中，刺可入同身寸之一寸半，若灸者可灸三壯。新校正云：按《甲乙經》作五壯。曲掖上骨穴各一，謂臑俞二穴也，在肩臑後大骨下胛上廉陷者中，手太陽、陽維、蹻脈三經之會，刺可入同身寸之八分，若灸者可灸三壯。新校正云：按《甲乙經》作五壯。柱骨上陷者各一，謂肩井二穴也，在肩上陷解中缺盆上大骨前，手足少陽、陽維之會，刺可入同身寸之五分，若灸者可灸三壯。新校正云：按《甲乙經》作五壯。上天窗四寸各一，謂天窌二穴也，在肩缺盆中上毖骨之際陷者中，手足少陽、陽維三脈之會，刺可入同身寸之八分，若灸者可灸三壯。新校正云：按《甲乙經》作五壯。天窗、天容各一穴，所在刺灸分壯，與氣穴同法。肩解各一，謂秉風二穴也，在肩上小髃骨後，舉臂有空，手太陽、陽明、手足少陽四脈之會，

顴
髎

宜取之。刺可入同身寸之五分，若灸者灸三壯。○新校正云：按甲乙經灸五壯。肩解下三寸各一，謂天宗二穴也。在秉風後大骨下陷者中，手太陽脈氣所發，刺可入同身寸之五分，留六呼，若灸者可灸三壯。肘以下至手小指本各六俞，六俞穴初起於指端，經言至小指本，則以端為本。言上之本也。下文陽明之陽同也。○六俞，謂小海、陽谷、腕骨、後谿、前谷、少澤六穴也。左右言之則十二俞也。其所在刺灸分壯，與氣穴同法。○新校正云：按此手太陽、陽明、少陽三經，各言至手某指本，王注以端為本者，非也。詳手三陽之井穴，盡出手某指之端爪甲下際，此言本者，是逐指爪甲之本也。又安得以端為本哉。手陽明脈氣所發者二十二穴：鼻空外廉項上各二，謂迎香、扶突各二穴也。迎香在鼻下孔旁，手足陽明二脈之會，刺可入同身寸之三分。扶突在曲頰下一寸，人迎後，手陽明脈氣所發，仰而取之，刺可入同身寸之四分，若灸者可灸三壯。大迎骨空各一，大迎，穴名也。在曲頷前同身寸之一寸三分骨陷者中動脈，足陽明脈氣所發，刺可入同身寸之三分，留七呼，若灸者可灸三壯。○新校正云：詳大迎穴已見前足陽明經中，今又見於此，王氏不注所以，當如顴髎穴兩出之義。柱骨之會各一，謂天鼎二穴也。在頸缺盆上，直扶突，氣舍後同身寸之半寸，手陽明脈氣所發，刺可入同身寸之四分，若灸者可灸三壯。○新校正云：按甲乙經作一寸半。髃骨之會各一，謂肩髃二穴也。所在刺灸分壯與氣穴同法。○新校正云：按髃骨氣穴注中無，刺熱注、水熱穴注、骨空論注中有之。肘以下至手大指次指本各六俞。謂三里、曲池、陽谿、合谷、二間、三間、商陽六穴也。左右言之，則十二俞也。在肘下二寸，灸三分壯，与手氣穴同法。新校正云：按《氣穴論》注有曲池，而元三里無曲池也。手陽明之合也。此云三里而遺曲池也。上与手少陽脉同法。此穴中手少陽太陽脉氣。

手少陽脉氣所發者三十二穴：鼽骨下各一，謂顴髎二穴也。所在刺灸分壯。俱會於中，等无優劣，故重說於此。下有者同。眉後各一，謂絲竹空二穴也。在眉後陷者中，手少陽脉氣所發，刺可入同身寸之三分，留六呼，不可灸，灸之不幸，使人目小及盲。新校正云：按《甲乙經》手少陽作足少陽，留六呼作三呼。角上各一，謂懸釐二穴也。此与足少陽脉中同，以是二脉之會。新校正云：按《甲乙經》此云角上，此謂下，言角下此云角上，疑此誤。下完骨後各一，謂天牖二穴也。所在刺灸分壯。天牖在耳後，手少陽脉之所發，刺可入同身寸之一分，不灸。新校正云：按天牖二穴，此作一分，灸三壯。項中足太陽之前各一，謂風池二穴也。在耳後陷者中，按之引於耳中，手足少陽脉之會，刺可入同身寸之三分，若灸者可灸三壯。新校正云：按《甲乙經》云刺可入同身寸之四分。俠扶突各一，謂天窻二穴也。在曲頰下扶突後動脉應手陷者中，手太陽脉氣所發，刺可入同身寸之六分，若灸者可灸三壯。肩貞各一，謂肩貞二穴也。在肩曲胛下兩骨解間，肩髃後陷者中，手太陽脉氣所發，刺可入同身寸之八分，若灸者可灸三壯。肩貞下三寸分間各一，謂肩髎、臑會、消濼各二穴也。肩髎在肩端臑上陷者中，手少陽脉氣所發，刺可入同身寸之七分，若灸者可灸三壯。臑會在肩前廉，去肩端同身寸之三寸手陽明少陽二絡氣之會刺可入同身寸之五分灸者可灸五壯消濼在肩下臂外開腋斜肘分下行間手少陽脈之會刺可入同身寸之五分若灸者可灸三壯

肘以下至手小指次指本各六俞

謂天井支溝陽池中渚液門關衝六穴也左右言之則十二俞也所在刺灸分壯與氣穴同法

督脈氣所發者二十八穴

今少一穴○新校正云按……十九穴乃刺一穴非……

項中央二

是謂風府瘖門二穴也○悉在項中……風府在項上入髮際同身寸之一寸大筋內宛宛中督脈陽維之會○刺可入同身寸之四分留三呼不可妄灸灸之不幸令人瘖○瘖門在項髮際宛宛中入系舌本督脈陽維二經之會○仰頭取之○刺可入同身寸之四分不可灸灸之令人瘖○新校正云……王氏云……

髮際後中八

謂神庭上星顖會前頂百會後頂強間腦戶八穴也○神庭在髮際直鼻督脈足太陽陽明三脈之會禁不可刺若刺之令人巔疾目失睛若灸者可灸三壯○上星在顱上直鼻中央入髮際同身寸之一寸陷者中容豆刺可入同身寸之三分……顖會在上星後同身寸之一寸陷者中○前頂在顖會後同身寸之一寸五分骨間陷者中○百會在前頂後同身寸之一寸五分頂中央旋毛中陷容指督脈足太陽之交會○後頂在百會後同身寸之一寸五分○強間在後頂後同身寸之一寸五分○腦戶在枕骨上強間後同身寸之一寸五分督脈足太陽之會不可灸此八者並督脈氣

所發也○上星百會強間腦戶各刺可入同身寸之三分○上星留六呼○腦戶留三呼○餘並刺可入同身寸之四分○若灸者可灸五壯○新校正云按甲乙經腦戶不可灸骨空論注云不可妄灸

面中三

謂素髎水溝齗交三穴也○素髎在鼻柱上端督脈氣所發刺可入同身寸之三分○水溝在鼻柱下人中直脣取之○督脈手陽明之會○刺可入同身寸之三分○留六呼○若灸者可灸三壯○齗交在脣內齒上齗縫○督脈任脈二經之會○可逆刺之入同身寸之三分○若灸者可灸三壯○此三者正通面左古文字也○

大椎以下至尻尾及傍十五穴

脊椎之間有大椎○陶道○身柱○神道○靈臺○至陽○筋縮○中樞○脊中○懸樞○命門○陽關○腰俞○長強○會陽十五俞也○大椎在第一椎上陷者中○三陽督脈之會○陶道在項大椎節下間○督脈足太陽之會○俛而取之○身柱在第三椎節下間俛而取之○神道在第五椎節下間俛而取之○靈臺在第六椎節下間俛而取之○至陽在第七椎節下間俛而取之○筋縮在第九椎節下間俛而取之○中樞在第十椎節下間俛而取之○脊中在第十一椎節下間○俛而取之○禁不可灸○令人僂○懸樞在第十三椎節下間○伏而取之○命門在第十四椎節下間○伏而取之○陽關在第十六椎節下間○坐而取之○腰俞在第二十一椎節下間○長強在脊骶端○督脈別絡少陰二脈所結○會陽在陰尾骨兩旁○凡此十五者並督脈氣所發○腰俞長強各刺可入同身寸之二分○新校正云按甲乙經作二寸○水穴論注作二分○腰俞穴○繆刺論注作二寸○熱穴注作二寸○刺熱注作二分○諸注不同○據甲乙經作二寸疑大深○與其失之深不若失之淺○宜作二分之說○○留七呼○懸樞刺可入同身寸之三分○會陽刺可入同身寸之八分○餘並刺可入同

身寸之五分陶道神道各留五呼陶道身柱神道筋縮可灸之五壯大椎可九壯餘並可三壯○新校正云按甲乙經无靈臺中樞陽關三陽至骶下凡二十一節脊椎法也通項骨三節即二十四節任脈之氣所發者二十八穴今少一穴喉中央二謂廉泉天突二穴也廉泉在頷下結喉上舌本下陰維任脈之會刺可入同身寸之三分留三呼若灸者可灸三壯天突在頸結喉下同身寸之四寸中央宛宛中陰維任脈之會低針取之刺可入同身寸之一寸留七呼若灸者可灸三壯膺中骨陷中各一謂璇璣華蓋紫宮玉堂膻中中庭六穴也璇璣在天突下同身寸之一寸華蓋在璇璣下同身寸之一寸紫宮玉堂膻中中庭各相去同身寸之一寸六分陷者中並任脈氣所發仰而取之各刺可入同身寸之三分若灸者可灸五壯鳩尾下三寸胃脘五寸胃脘以下至橫者六寸半一新校正云詳一字疑誤腹脈法也鳩尾心前穴名也其正當心蔽骨之端言其骨垂下如鳩鳥尾形故以為名也鳩尾下有鳩尾巨闕上脘中脘建里下脘水分齊中陰交脖胦丹田關元中極曲骨十四俞也鳩尾在臆前蔽骨下同身寸之五分任脈之別不可灸刺人無蔽骨者從岐骨際下行同身寸之一寸○新校正云按甲乙經云一寸半為鳩尾處也下次巨闕上脘中脘建里下脘水分遞相去同身寸之一寸上脘則足陽明手太陽之會中脘則手太陽少陽足陽明三脈所生也齊中禁不可刺若刺之使人齊中惡瘍潰矢出者死不治陰交在齊下同身寸之一寸任脈陰衝之會脖胦在齊下同身寸之一

寸半。丹田。三焦募也。在齊下。同身寸之一寸。關元。小腸募也。在齊下。同身寸之三寸。足三陰任脈之會也。中極在關元下一寸。足三陰之會也。曲骨在橫骨上。中極下。同身寸之一寸。足厥陰之會。凡此十四者。並任脈氣所發。建里。丹田。並刺可入同身寸之六分。留七呼。○新校正云。按甲乙經作五分十一寸上三陰之會也。曲骨在身寸之八分下同寸分之一寸。入同身寸之一寸。中脘。脖胦。並刺可入同身寸之一寸二分。曲骨刺可入同身寸之一寸半。留七呼。餘並刺可入同身寸之一寸二分。若灸者。關元中脘各可灸七壯。齊中[illegible]曲骨各三壯。餘並可五壯。自鳩尾下至陰間。並任脈主之。腹脈法也。○新校正云。據此注云。餘並刺入一寸二分。關元在中與甲乙經及氣穴骨空注刺入二寸不同。當從甲乙經之寸數。

下陰別一。謂會陰一穴也。自曲骨下至陰。陰之下。兩陰之間。則此穴也。是任脈別絡。俠督脈者。衝脈之會。故曰下陰別一也。刺可入同身寸之二寸。留七呼。若灸者可灸三壯也。○新校正云。按甲乙經七呼作三呼。

目下各一。謂承泣二穴也。在目下同身寸之七分。上直瞳子。陽蹻任脈足陽明三經之會。刺可入同身寸之三分。不可灸。

下脣一。謂承漿穴也。在頤前下脣之下。足陽明脈任脈之會。開口取之。刺可入同身寸之二分。留五呼。若灸者可灸三壯。○新校正云。按甲乙經作六呼。

齗交一。謂齗交穴名也。所在刺灸分壯。與脈法同。

衝脈氣所發者二十二穴。俠鳩尾外各半寸至齊寸一。謂幽門。通谷。陰都。石關。商曲。肓俞。六穴左右則十二穴也。幽門俠巨闕兩傍。相去各同身寸之半寸陷者中。下五穴各相去同身寸之一寸。並衝脈足少陰二經之

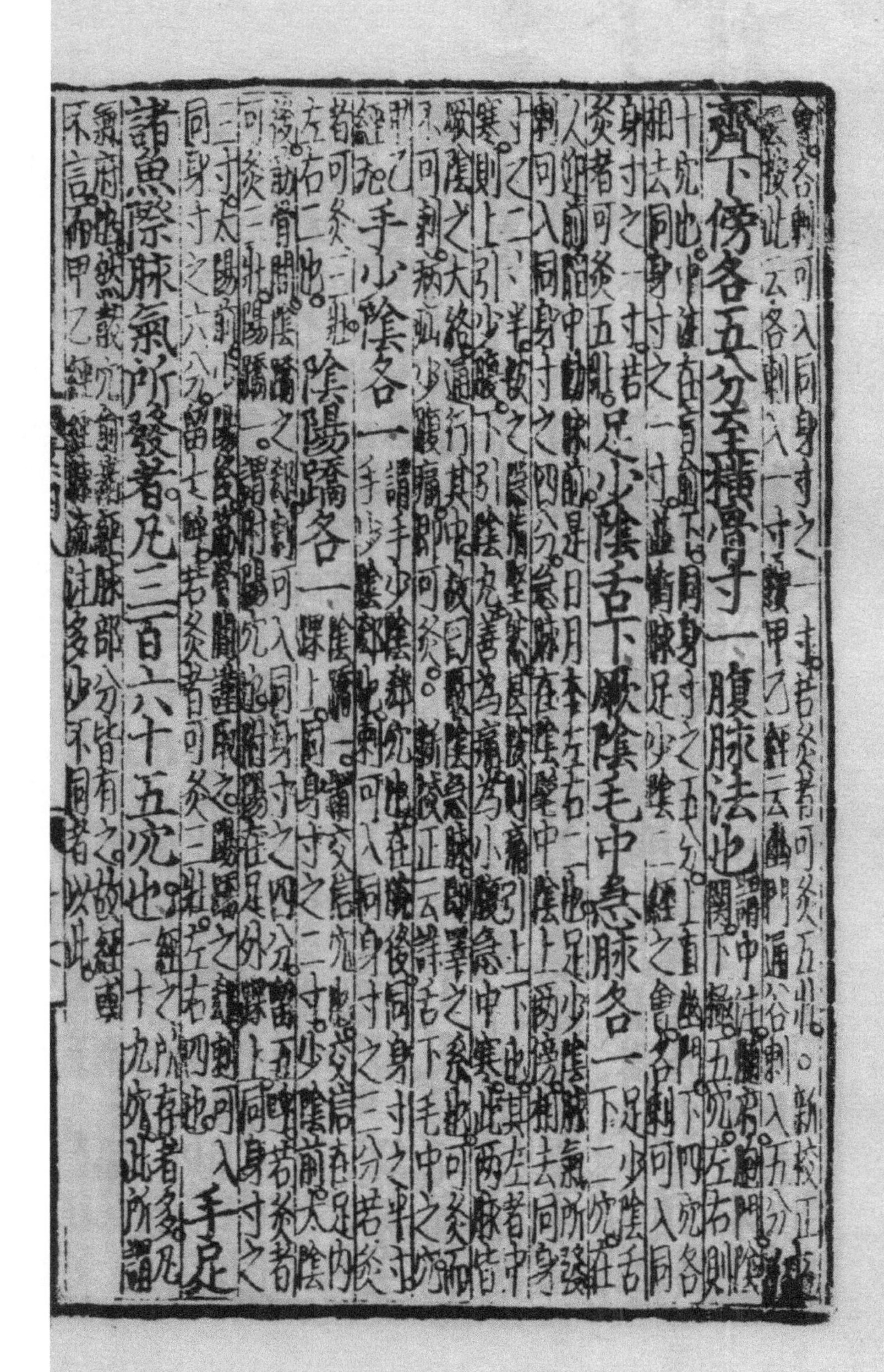

會。各刺可入同身寸之一寸，若灸者可灸五壯。○新校正云：按此云各刺入一寸，按甲乙經云幽門通谷刺入五分。

齊下傍各五分至橫骨寸一，腹脉法也。謂中注、髓府、氣穴、大赫、橫骨，左右則十穴也。中注在盲俞下同身寸之五分，上直幽門，下四穴各相去同身寸之一寸，並衝脉足少陰二經之會。各刺可入同身寸之一寸，若灸者可灸五壯。

足少陰舌下，厥陰毛中急脉各一。足少陰舌下二穴，在人迎前陷中動脉前，是日月本，左右二也。足少陰脉氣所發，刺可入同身寸之四分。急脉在陰毛中，陰上兩傍，相去同身寸之二寸半，按之隱指堅然，甚按則痛引上下也。其左者中寒，則上引少腹，下引陰丸，善為痛，為小腹急中寒。此兩脉皆厥陰之大絡通行其中，故曰厥陰急脉，即睪之系也。可灸而不可刺。病疝少腹痛即可灸。○新校正云：詳舌下毛中之穴，甲乙經無。

手少陰各一。謂手少陰郄穴也，在腕後同身寸之半寸，手少陰郄也。刺可入同身寸之三分，若灸者可灸三壯。左右二也。

陰陽蹻各一。陰蹻一，謂交信穴也，交信在足內踝上同身寸之二寸，少陰前，太陰後，筋骨間，陰蹻之郄。刺可入同身寸之四分，留五呼，若灸者可灸三壯。陽蹻一，謂附陽穴也，附陽在足外踝上同身寸之三寸，太陽前，少陽後，筋骨間，陽蹻之郄。刺可入同身寸之六分，留七呼，若灸者可灸三壯。左右四也。

手足諸魚際脉氣所發者，凡三百六十五穴也。經之所存者多，凡一十九穴，此所謂氣府也。然散穴俞，諸經脉部分皆有之，故經或不言，而甲乙經經脉流注多少不同者，以此。

骨空論篇第六十 新校正云按全元起本在第二卷自灸寒熱之法已下在第六卷刺齊篇末

黃帝問曰余聞風者百病之始也以鍼治之奈何岐伯對曰風從外入令人振寒汗出頭痛身重惡寒 風中身形則腠理閉密陽氣內拒寒復外勝勝拒相薄榮衛失所故如是 治在風府 風府穴也在項上入髮際同身寸之一寸宛宛中督脈足太陽之會刺可入同身寸之四分若灸者可灸五壯新校正云按風府注氣府論中各已注与甲乙經同此注云督脈足太陽之會可灸五壯者乃是風門熱府穴也當云督脈陽維之會留三呼不可灸乃是 調其陰陽不足則補有餘則寫 調和陰陽之道必法天常盛瀉虛補此其常也 大風頸項痛刺風府風府在上椎 上椎謂大椎上入髮際同身寸之一寸 大風汗出灸譩譆譩譆在背下俠脊傍三寸所厭之令病者呼譩譆譩譆應手 譩譆穴也在肩膊內廉俠第六椎下兩傍各同身寸之一寸半以手厭之令病人呼譩譆之聲則指下動矣足太陽脈氣所發刺可入同身寸之六分留七呼若灸者可灸五壯譩譆者因取為名爾 從風憎風刺眉頭 謂攢竹穴也在眉頭陷者中足太陽脈氣所發刺可入同身寸之三分若灸者可灸三壯 失枕在肩上橫骨間 謂缺盆穴也在肩上橫骨陷者中手陽明脈氣所發刺可入同身寸之二分留七呼若灸者可灸三壯

古文榆與搖通，礼有榆狄

䏚丁陵反　少也

髎力條反

入寸留七呼，令人逆息。○新校正云：按《氣府》注作足陽明，此云手陽明，詳二經俱發於此，故王注兩言之。折，使榆臂，齊肘正，灸脊中。榆讀為搖，搖謂搖動也。然失枕非獨取肩上橫骨間，亦當正形灸脊中也。欲而驗之，則使搖動其臂，屈折其肘，自項之下，橫齊肘端，當其中間，則其處也。是曰陽關，在第十六椎節下間，督脈氣所發，刺可入同身寸之五分，若灸者可灸三壯。○新校正云：詳陽關穴《甲乙經》無。䏚絡季脅引少腹而痛脹，刺譩譆。䏚謂俠脊兩傍空軟處也。少腹，齊下也。腰痛不可以轉搖，急引陰卵，刺八髎與痛上。八髎在腰尻分間。八，或為九。髎，謂真骨及中□孔穴。經正有八髎，無九髎也。分謂腰尻筋肉分間陷下處。鼠瘻寒熱，還刺寒府。寒府在附膝外解營。膝外骨間屈伸之處，寒氣喜中，故名寒府也。解謂骨解，營謂深刺而必中其營也。取膝上外者使之拜，取足心者使之跪。拜而取者，使膝外空開也。跪而取之者，令足心宛宛處深定也。任脈者，起於中極之下，以上毛際，循腹裏，上關元，至咽喉，上頤循面入目。○新校正云：按《難經》《甲乙經》無"上頤循面入目"六字。衝脈者，起於氣街，並少陰之經，俠齊上行，至胸中而散。○新校正云：按《難經》《甲乙經》作陽明。任脈衝脈，皆奇經也。任脈當齊中而上行，衝脈俠齊兩傍而上行。然中極者，謂齊下同身寸之四寸也，言中極之下者，言中極從少腹之內上行，而外出於毛際而上，非謂本起於此也。關元者，謂齊下同身寸之三寸也。氣名也。在毛際兩傍鼠鼷上同身寸之一寸也。言衝脈起於氣衝者，亦從少腹之內與任脈並行而至於是，乃循腹也。何以言之。鍼經曰：衝脈者，十二經之海，與少陰之絡起於腎下，出於氣街。又曰：衝脈任脈者，皆起於胞中，上循背裏，為經絡之海。其浮而外者，循腹各行，會於咽喉，別而絡脣口。血氣盛則皮膚熱，血獨盛則滲灌皮膚，生毫毛。由此言之，則任脈衝脈從少腹之內上行至中極之下，氣街之內，明矣。○新校正云：[illegible]

[illegible]任脈為病，男子內結七疝，女子帶下瘕聚。衝脈為病，逆氣裏急。督脈為病，脊強反折。督脈亦奇經也。然任脈衝脈督脈者，一源而三歧也。故經或謂衝脈為督脈也。何以明之？今甲乙及古經脈流注圖經，以任脈循背者謂之督脈，自少腹直上者謂之任脈，亦謂之督脈，是則以背腹陰陽別為各目爾。以任脈自胞上過帶脈貫齊而上，故男子為病內結七疝，女子為病則帶下瘕聚也。以衝脈俠齊而上，並少陰之經，上至胸中，故衝脈為病則逆氣裏急也。以督脈上循脊裏，故督脈為病則脊強反折也。督脈者，起於少腹以下骨中央，女子入繫廷孔。起，非初起，亦猶任脈衝脈起於胞中也。其實乃起於腎下，至於少腹，則下行於腰橫骨圍之中央也。繫廷孔者，謂窈漏，近所謂前陰穴也。以其陰廷繫屬於中，故名之。其孔，溺孔之端也。孔，則窈漏也。窈漏之中，其上有溺孔焉。端，謂陰廷在此溺孔之上端也。而督脈自骨圍中央則至於是。其

絡

髆補各反

循陰器合篡間繞篡後督脈別絡自溺孔之端分而各行下循陰器乃合篡間也所謂間者謂前陰後陰之兩間也自兩間之後已復分而行繞篡之後別繞臀至少陰與巨陽中絡者合少陰上股內後廉貫脊屬腎別謂別絡分而各行之於焦也足少陰之絡者自股內後廉貫脊屬腎足太陽絡之外行者循髀樞絡股陽而下其中行者下貫臀至膕中與外行絡合故言至少陰與巨陽中絡合少陰上股內後廉貫脊屬腎也新校正云詳各行於焦疑焦字誤與太陽起於目內眥上額交巔上入絡腦還出別下項循肩髆內俠脊抵腰中入循膂絡腎督脈循膂而上行也其男子循莖下至篡與女子等其少腹直上者貫齊中央上貫心入喉上頤環脣上繫兩目之下中央自與太陽起於目內眥下至女子等並督脈之別絡也其直行者自尻上循脊裏而下至於鼻人也自其少腹直上至兩目之下中央並任脈之行而云是督脈所繫由此言之則任脈衝脈督脈名異而同一體也此生病從少腹上衝心而痛不得前後為衝疝尋此生病正是任脈經云為衝疝者正明督脈以別之主面則目幽者一脈一氣而無陰陽之異主則此生病者當心脊俱痛豈獨衝心而為疝乎其女子不孕癃痔遺溺嗌乾以衝脈任脈並自少腹上至於咽喉又以督脈循陰器合篡間繞篡後別繞臀故

膕戈麥反曲脚也

不孕癃痔遺溺嗌乾也。所以謂之任脉者，女子得之以任養也，故經云此病其女子不孕也。所以謂之衝脉者，以其氣上衝也，故經云此生病從少腹上衝心而痛也。所以謂之督脉者，以其督領經脉之海也。由此三用，故一源三歧，經或通呼，似相謬引，故下文曰：

督脉生病，治督脉，治在骨上，甚者在齊下營。

亦正任脉之分也。衝任督三脉，異名同體，亦明矣。骨上，謂腰橫骨上毛際中，曲骨穴也，任脉足厥陰之會，刺可入同身寸之一寸半，若灸者可灸三壯。齊下，謂齊直下同身寸之一寸，陰交穴，任脉陰衝之會，刺可入同身寸之八分，若灸者可灸五壯。

其上氣有音者，治其喉中央，在缺盆中者。

中，謂缺盆兩間之中天突穴，在頸結喉下，同身寸之四寸中央宛宛中，陰維任脉之會，刺可入同身寸之一寸，留七呼，若灸者可灸三壯。

其病上衝喉者，治其漸，漸者上俠頤也。

陽明之脉，漸上頤而環脣，故以俠頤名為漸也，是謂大迎。大迎在曲頷前同身寸之一寸三分骨陷中動脉，足陽明脉氣所發，刺可入同身寸之三分，留七呼，若灸者可灸三壯。

蹇膝伸不屈，治其楗。

楗，謂髀輔骨上，橫骨下，股外之中，側立搖動取之，筋動應手。

坐而膝痛，治其機。

機，謂髖骨兩傍相接處也。

立而暑解，治其骸關。

暑，熱也。若膝痛立而膝骨解中熱者，治其骸關。骸關，謂膝解也。一經云：起而引解，言膝痛起立痛引解中也。暑引二字，其義則異，其處則同。

膝痛，痛及拇指，治其膕。

膕，謂膝解之後，曲脚之中，委中穴，背

閱

濼力毒反 痠元丸反 痠疼也

髖解上也

取之。脉動應手。足太陽脉之所入。刺可入同身寸之五分。留七呼。若灸者可灸三壯。坐而膝痛如物隱者治其關。關在膕上。當楗之後。背立按之。以動摇筋應手。膝痛不可屈伸治其背內。謂大杼穴也。所在灸刺分壯與氣穴同法。連䯒若折。治陽明中俞髎。若膝痛不可屈伸。連䯒痛如折者。則鍼陽明脉中俞髎也。是則正取三里穴也。若別。治巨陽少陰滎。若痛而膝如別離者。則治足太陽少陰之滎也。太陽滎通谷也。在足小指外側本節前陷者中。刺可入同身寸之二分。留五呼。若灸者可灸三壯。足少陰滎然谷也。在足內踝前起大骨下陷者中。刺可入同身寸之三分。留三呼。若灸者可灸三壯。淫濼脛痠。不能久立。治少陽之維。新校正云。按甲乙經外踝上五寸乃足少陽之絡。此云維者字之誤也。在外上五寸。淫濼謂似酸痛而无力也。五寸一云四寸。中誥圖經外踝上四寸无穴。五寸是光明穴也。足少陽之絡。刺可入同身寸之七分。留十呼。若灸者可灸五壯。新校正云。按甲乙經云刺入六分。留七呼。輔骨上横骨下為楗。俠髖為機。膝解為骸關。俠膝之骨為連骸。骸下為輔。輔上為膕。膕上為關。頭横骨為枕。由是則謂膝輔骨下為楗。楗上為髖。膝外為骸關。關後為膕。膕下為輔。輔骨上為連骸。連骸者是骸骨相連接處也。頭上之横骨為枕骨。水俞五十七穴者。尻上五行。行五。伏菟上兩行。行五。左右

背

各一行，行五。踝上各一行，行六穴。所在刺灸分壯具水熱穴論中。此皆是骨空，故氣穴之[illegible]論內与此重言爾。髓空在腦後五分，在顱際鋭骨之下。是謂風府，通腦中也。一在齗基下。當頤下骨陷中，有穴容豆。中誥圖經名下頤。齗音銀。一在項後中復骨下。謂瘖門穴也。在項髮際宛宛中，入系舌本，督脈陽維之會，仰頭取之。刺可入同身寸之四分，禁不可灸。一在脊骨上空，在風府上。上謂腦戶穴也。在枕骨上，大羽後同身寸之一寸五分宛宛中，督脈足太陽之會。此別腦之戶，不可妄灸，灸之不幸令人瘖。刺可入同身寸之三分，留三呼。新校正云：按甲乙經大羽者，強間之別名。氣府注云：若灸者可灸五壯。脊骨下空，在尻骨下空。不應主療，經闕其名。新校正云：按甲乙經長強在脊骶端，正在尻骨下。王氏云不應主療，經闕其名，得非誤乎。數髓空在面俠鼻。謂顴髎等穴。經不一二指陳其處，小小者尔。或骨空在口下當兩肩。謂大迎穴也。所在刺灸分壯与前俠頤同法。兩髆骨空，在髆中之陽。近肩髃穴，經无名。臂骨空在臂陽，去踝四寸兩骨空之間。在支溝上同身寸之一寸，是謂通間。新校正云：按甲乙經支溝上一寸名三陽絡，通間其別名也。股骨上空在股陽，出上膝四寸。[illegible]䯒骨空在輔骨之上端。謂犢鼻穴也。在膝髕下䯒骨上，俠解大筋中，足陽明脈氣所發。刺可入同身寸六分，灸者可灸

[illegible]可解

股際骨空在毛中動下。經闕其名。尻骨空在髀骨之後，相去四寸。是謂尻骨八髎穴也。扁骨有滲理湊，無髓孔，易髓無空。扁骨，謂尻間扁戾骨也。其骨上有滲灌文理歸湊之，無別髓孔也。易，亦也。骨有孔則髓有孔，骨若無孔，髓亦無孔也。

灸寒熱之法，先灸項大椎，以年為壯數，次灸橛骨，以年為壯數。[illegible]尾窮謂之橛骨也。視背俞陷者灸之。背胛骨際有陷處也。舉臂肩上陷者灸之。肩髃穴也，在肩端兩骨間，手陽明蹻脈之會，刺可入同身寸之六分，留六呼，若灸者可灸三壯。兩季脇之間灸之。京門穴，腎募也，在髂骨與腰中季脇本俠脊，刺可入同身寸之三分，留七呼，若灸者可灸三壯。外踝上絕骨之端灸之。陽輔穴也，在足外踝上輔骨前絕骨之端，如前三分所，去丘墟七寸，足少陽脈之所行也，刺可入同身寸之五分，留七呼，若灸者可灸三壯。新校正云：按甲乙經云在外踝上四寸。足小指次指間灸之。俠谿穴也，在足小指次指歧骨間本節前陷者中，足少陽脈之所流也，刺可入同身寸之三分，留三呼，若灸者可灸三壯。新校正云：按甲乙經[illegible]。腨下陷脈灸之。承筋穴也，在腨中央陷者中，足太陽脈氣所發，禁不可刺，可灸三壯。新校正云：按[illegible]。外踝後灸之。崑崙穴也，在足外踝後跟骨上陷者中，細脈動應手，足太陽脈之所行也，刺可入同身寸之五分，留十呼，若灸者可灸三壯。

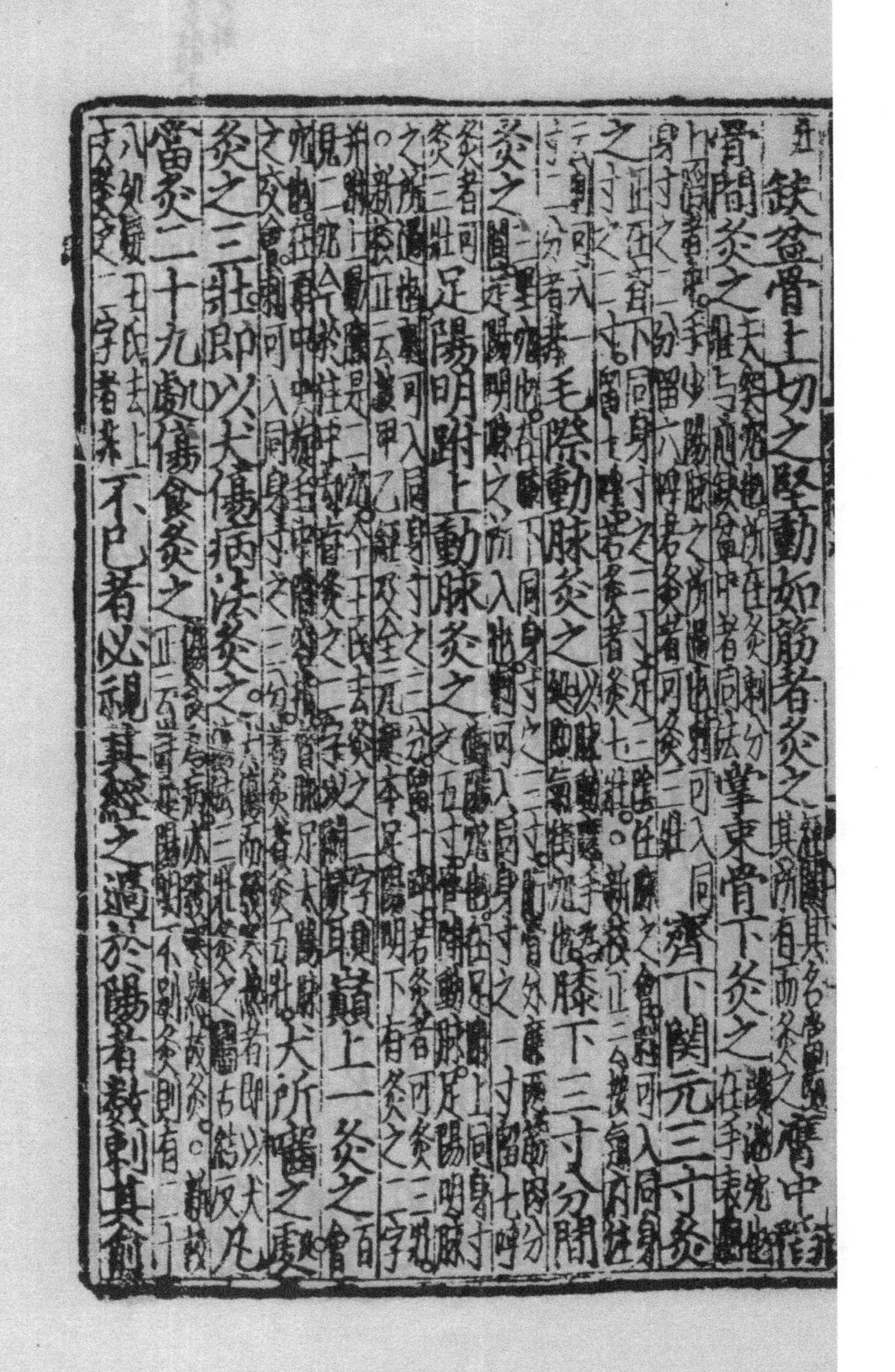
缺盆骨上切之堅動如筋者灸之
骨間灸之　掌束骨下灸之
臍下關元三寸灸之
膝下三寸分間
灸之　毛際動脈灸之
足陽明跗上動脈灸之
巔上一灸之
灸之三壯即以犬傷病法灸之
犬所嚙之處
當灸二十九處傷食灸之
不已者必視其經之過於陽者數刺其俞

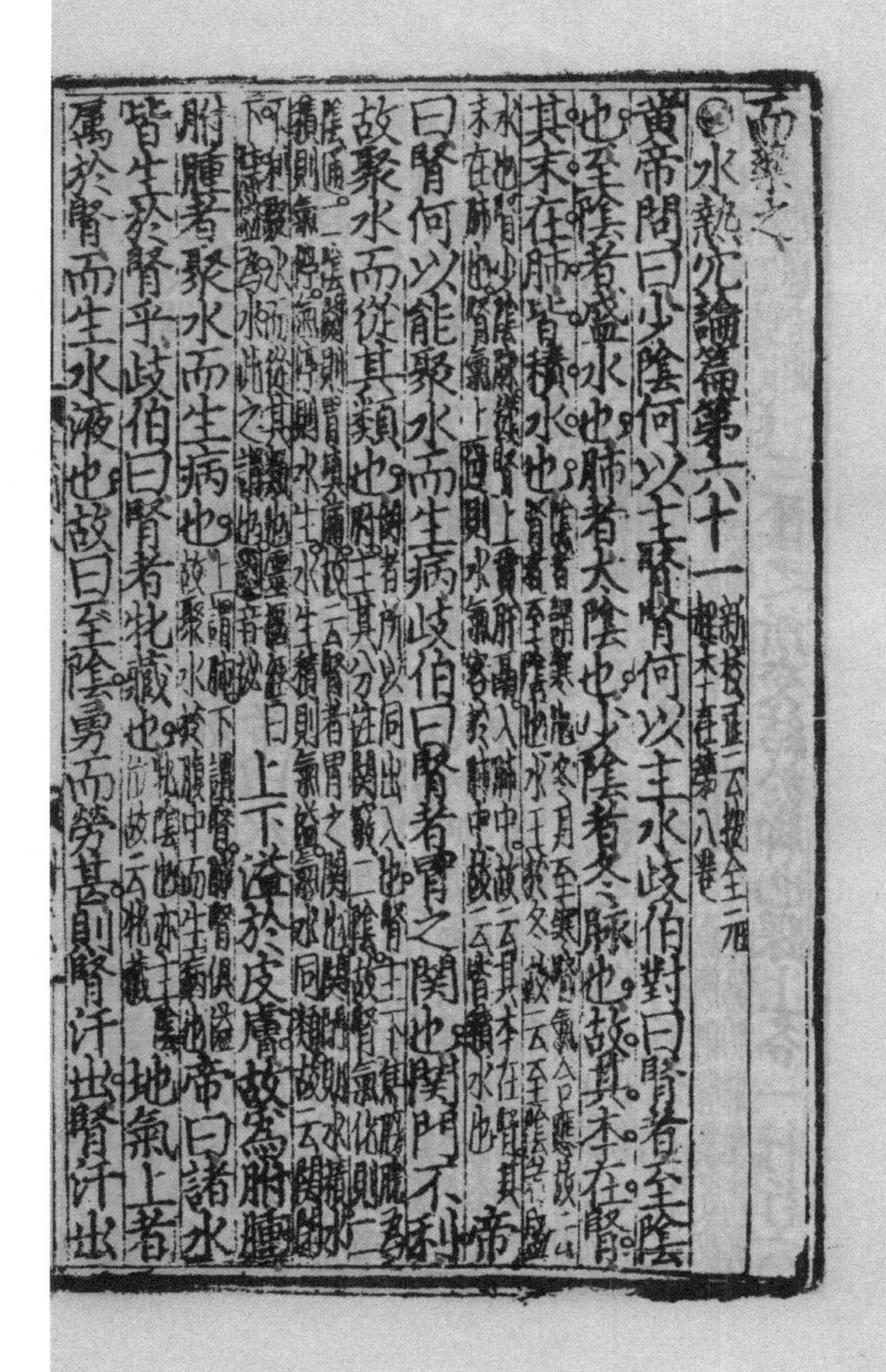

水熱穴論篇第六十一 新校正云按全元起本在第八卷

黃帝問曰少陰何以主腎腎何以主水岐伯對曰腎者至陰也至陰者盛水也肺者太陰也少陰者冬脈也故其本在腎其末在肺皆積水也 陰者謂寒也冬月至寒腎氣合應故云腎者至陰也水王於冬故云至陰者盛水也腎少陰脈從腎上貫肝鬲入肺中故云其本在腎其末在肺也腎氣上逆則水氣客於肺中故云皆積水也 帝曰腎何以能聚水而生病岐伯曰腎者胃之關也關門不利故聚水而從其類也 關者所以司出入也腎主下焦膀胱為府主其分注關竅二陰故腎氣化則二陰通二陰閉則胃填滿故云腎者胃之關也關閉則水積水積則氣停氣停則水生水生則氣溢氣水同類故云關閉不利聚水而從其類也內經曰下焦溢為水此之謂也 上下溢於皮膚故為胕腫胕腫者聚水而生病也 上謂肺下謂腎肺腎俱溢故聚水於腹中而生病也 帝曰諸水皆生於腎乎岐伯曰腎者牝藏也 牝陰也亦主陰位故云牝藏 地氣上者屬於腎而生水液也故曰至陰勇而勞甚則腎汗出腎汗出

逢於風。內不得入於藏府。外不得越於皮膚。客於玄府。行於皮裏。傳於胕腫。本之於腎。名曰風水。勇而勞甚謂有房也勞勇汗出則玄府開汗出逢風則玄府復閉玄府閉已則餘汗未出內伏皮膚傳為水從風而水故名風水所謂玄府者汗空也。汗液色玄從空而出以汗聚於裏故謂之玄府府聚也帝曰水俞五十七處者是何主也。岐伯曰腎俞五十七穴。積陰之所聚也。水所從出入也。尻上五行。行五者。此腎俞。背部之俞凡有五行當其中者督脈氣所發次兩傍四行皆足太陽脈氣也。故水病下為胕腫大腹。上為喘呼。水下居於腎則腹至足而胕腫上入於肺則喘息賁急而大呼也不得臥者。標本俱病。標本者肺為標腎為本如此者是肺腎俱水為病也故肺為喘呼。腎為水腫。肺為逆不得臥。肺為喘呼氣逆不得臥者以其主呼吸故也腎為水腫者以其主水故也分為相輸俱受者。水氣之所留也。分其居處以名之則是氣相輸應本其俱受病氣則皆是水所留也伏菟上各二行。行五者。此腎之街也。街謂道也腹部正俞兩傍各有五行俠衝陰腎脈及衝脈之所發次兩傍則胃足陽明脈氣所發此四行穴則伏菟之上也菟音兔三陰之所交結於脚也。踝上各一行。行六

者此腎脉之下行也名曰太衝
十七穴者皆藏之陰絡水之所客也

齊兩傍相去四寸，鼠鼷上一寸，動脈應手。骨空注云在毛際兩傍鼠鼷上，諸注不同，今備錄之。○鼠鼷上同身寸之一寸。各橫相去同身寸之二寸，此五穴者並足陽明脈氣所發，水道刺可入同身寸之一寸半，若灸者可灸五壯。氣街刺可入同身寸之三分，留七呼，若灸者可灸三壯。餘三穴並刺可入同身寸之八分，若灸者並可五壯。所謂腎之街者，則此。踝上各一行，行六者，大鍾在足內踝後街中，○新校正云：按甲乙經云：跟後衝中。刺瘧注、刺腰痛注作跟後街中動脈，此云內踝後，此注非。○足少陰絡，別走太陽者，刺可入同身寸之二分，留三呼，若灸者可灸三壯。復溜在內踝上同身寸之二寸陷者中，足少陰脈之所行也，刺可入同身寸之三分，留三呼，若灸者可灸五壯。照海在內踝下，刺可入同身寸之四分，留六呼，若灸者可灸三壯。交信在內踝上同身寸之二寸，少陰前，太陰後，筋骨間，陰蹻之郄，刺可入同身寸之四分，留五呼，若灸者可灸三壯。築賓在內踝上腨分中，陰維之郄，刺可入同身寸之三分，若灸者可灸五壯。陰谷在膝下內輔骨之後，大筋之下，小筋之上，按之應手，屈膝而得之，足少陰脈之所入也，刺可入同身寸之四分，若灸者可灸三壯。所謂腎經之下行，名曰太衝者，則此也。

帝曰：春取絡脈分肉，何也？岐伯曰：春者木始治，肝氣始生，肝氣急，其風疾，經脈常深，其氣少，不能深入，故取絡脈分肉間。帝曰：夏取盛經分腠，何也？岐伯曰：夏者火始治，心氣始長，脈瘦氣弱，陽氣留溢，新校正云：按別本留一作流。熱熏分腠

內至於經，故取盛經分腠，絕膚而病去者，邪居淺也。絕謂絕破，令病
得出也。所謂盛經者，陽脈也。帝曰：秋取經俞何也？岐伯曰：秋者
金始治，肺將收殺，三陰已升，故肺將收殺。金將勝火，陽氣在合，金王火衰，故云
金將勝火。陰氣初勝，濕氣及體，以陰升於下，濕霧露降，故云濕氣及體。陰氣未盛，未能
深入，故取俞以寫陰邪，取合以虛陽邪，陽氣始衰，故取於合。
新校正云：按皇甫士安云：是謂治秋之治變。帝曰：冬取井滎何也？岐伯曰：冬者水
始治，腎方閉，陽氣衰少，陰氣堅盛，巨陽伏沈，陽脈乃去，去謂下去。
故取井以下陰逆，取滎以實陽氣。新校正云：按全元起本實作遺，甲乙經、千金方作通。
故曰冬取井滎，春不鼽衄。新校正云：按皇甫士安云：是謂末冬之治變。此之謂也。
新校正云：按此與四時刺逆從論及診要經終論義頗不同，與九卷之義相通。帝曰：夫子言治熱病
五十九俞，余論其意，未能領別其處，願聞其處，因聞其意。岐
伯曰：頭上五行行五者，以越諸陽之熱逆也。頭上五行者，當中行謂上星、顖
會、前頂、百會、後頂，次兩傍謂五處、承光、通天、絡却、玉枕，又次
兩傍謂臨泣、目窗、正營、承靈、腦空也。上星在顱上直鼻中央

身間在壯呼脉俞之可一忽目按呼足寸寸上所身容會分顱入
寸動骨刺若別此七三入寸正上甲絡太之道星髮寸指法前會髮
之脉中雇灸絡入分同五營入乙郄陽一天囟也之督百頂在際
三應行注者手者臨身分延髮經留脉寸在傍上一脉會在上同
分手兩刺可足以泣寸然相際承五氣五承同星寸足在顖星身
留陷傍熱灸太寫留之是去同光呼兩分髮身留五太前會後寸
五者相主五陽胷七四五同身不至髮至後寸六分陽項後同之
呼中去作壯三中呼分者身寸灸枕刺枕同之呼枕脉後同身一
若仰同五脉之若餘並寸之至留可在身一若骨之同身寸寸
灸而身壯新氣熱灸並足之五桃三入絡寸寸灸上交身寸之陷
者取寸校之[illegible]者可少一分刺呼同郄之五者刺會寸之一者
可之之膺正會各也可刺陽寸足入若身後一分並如刺之一寸中
灸手六俞云刺同杼灸入陽承太二灸寸同寸承而顖如一寸陷容
五足寸者按同身在五同維冥陽分者之身五光後會上寸五者豆
壯太雲膺甲入寸項壯身二隘少又可三寸分在五法星五分中刺
缺陰門中乙同之第寸脉空陽刺灸分之絡五壯然法分骨刺可
盆脉下之經身一一大之迹陽兩三五七郄處次是後項間可入
在之一俞并寸寸椎杼會相維傍壯處分在後兩五頂中陷入同
肩會寸也氣之半下膺腦去三臨通然通同傍者在央者同身
上刺乳正穴三陷兩俞堂同脉泣新天是天身穴皆百旋中身寸
橫可上名注分者傍缺一身之在校各五後寸五跗會毛刺寸之
骨入三中作留中相盆穴寸會頭正留者同之處脉後中如之三
陷同筋府七七督去上背刺之目直云七並身一在氣同陷顖四分

入甘明今陰新以火寸足三三可足水七之蓋背云風留身者者
也委蹻中日校竅之陽救寸灸陽穴呼熱亦俞背府七寸可中
刺中脈詰牽正四三明巨足三明注若也疑三俞热呼之灸手
取在之孔臂云骸分脈虛陽壯脈中灸脈氣之注末府若一三陽
入足會穴取按之若氣下明巨之三者應肖者不詳郄灸寸壯明
同膝刺屬之中熱灸所廉脈虛所里可手在也同何治者五背脈
身後可經刺乙也者蘐足氣上入在灸足腹者處热可分俞氣
寸屈入元可經之雲可刺陽所廉也脈三陽首氣注之灸督郄所
之處同髃入同六門灸可明蘐足刺下壯明下街此背五脈風蘐
五胴身骨同氣寸在三入与刺陽可同脈橫三指俞壯足門刺
分寸寸穴身穴動巨壯同少可明入身新氣骨里名也今太热可
留央之有寸注脈骨也身陽入与同寸校所兩巨風中陽府入
七約六肩之作應下雲合同太身之正蘐端虛門新詰之俞同
呼天分髃七手手首門在身陽寸三云刺鼠上热校孔會也身
若中留穴分太足中髃上寸合之寸按可髎下府正穴刺在寸
灸動六在若陰太行骨廉之在一肘氣入上廉注云圓可第之
者脈呼肩灸刺陰兩委下八三寸外街同同此氣按經入二二
可足若端者热脈傍中同分里留廉諸身身八穴王錐同椎分
灸太灸兩可注氣相髓身若下七兩注寸寸者論氏不身下留
三陽者骨灸亦所去空寸灸同呼筋下之之以以注名寸兩七
壯脈可間五作蘐同此之者身若肉同寫大刺之之傍呼
按之灸手指手也身八三可寸灸分其分寸胃杼热既五各若
今兩三陽驗太寸者寸灸之者間前留動中爲論曰穴同灸

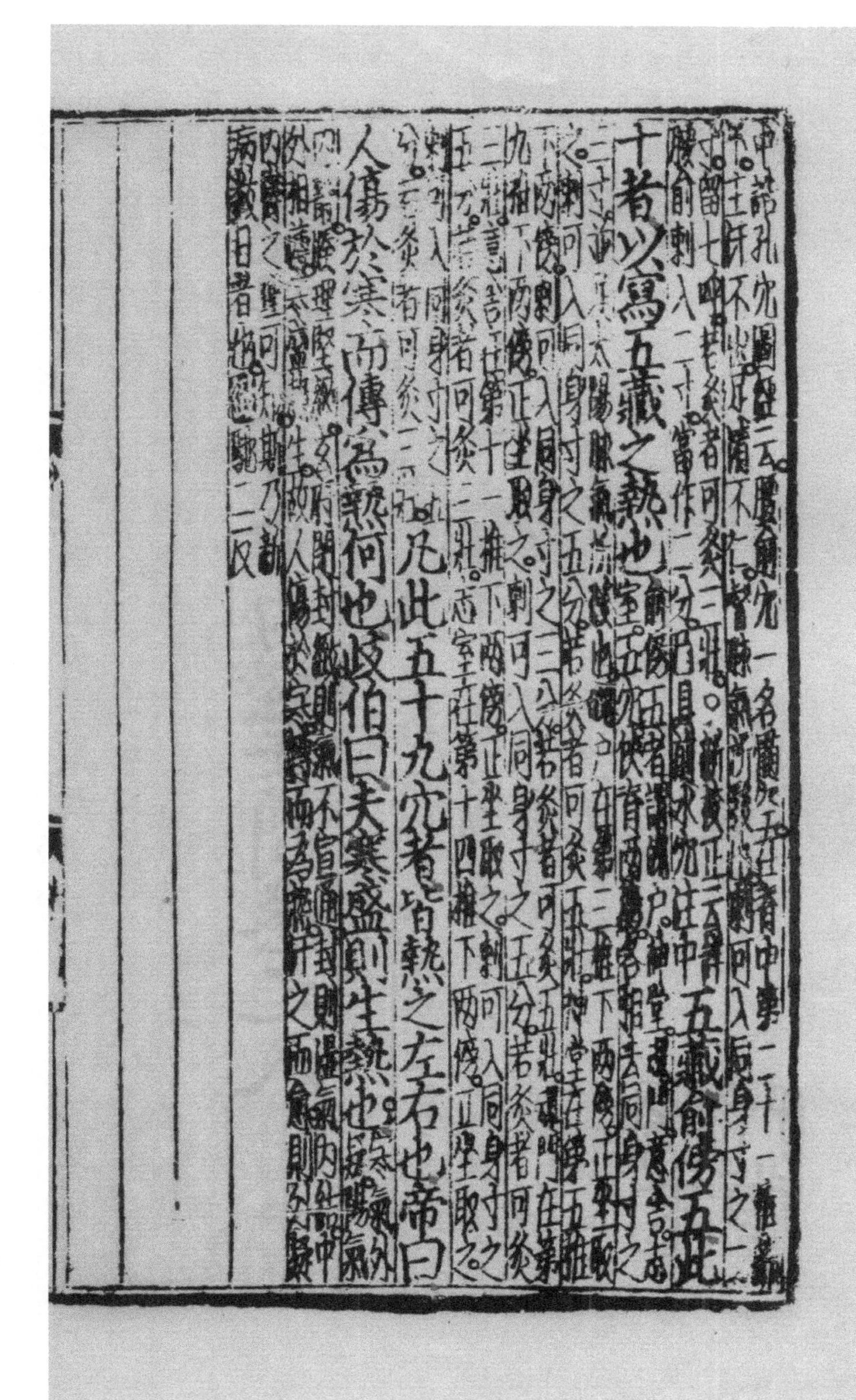

脊中節孔穴圖經並云腰俞穴一名髓空在脊中第二十一椎節
下間。主[illegible]不[illegible]不[illegible]氣[illegible]刺可入同身寸之二
寸留七呼若灸者可灸三壯。○新校正云[illegible]注中[illegible]
腰俞刺入二寸當作二分。[illegible]正云[illegible]五藏俞傍五
十者以寫五藏之熱也。俞傍五者謂魄戶神堂魂門意舍志室
五穴俠脊兩傍各相去同身寸之三寸並足太陽脈氣之所發也。魄戶在第三椎下兩傍正坐取
之。刺可入同身寸之五分若灸者可灸五壯。神堂在第五椎
下兩傍。刺可入同身寸之三分若灸者可灸五壯。魂門在第九
椎下兩傍正坐取之。刺可入同身寸之五分若灸者可灸
三壯。意舍在第十一椎下兩傍正坐取之。刺可入同身寸之
五分。若灸者可灸三壯。志室在第十四椎下兩傍正坐取之。
刺可入同身寸之五分若灸者可灸三壯。凡此五十九穴者，皆熱之左右也。帝曰：
人傷於寒，而傳為熱，何也？岐伯曰：夫寒盛，則生熱也。寒氣外
凝內鬱結腠理堅緻玄府閉封緻則氣不宣通封則濕氣內結中
外相薄寒盛熱生故人傷於寒轉而為熱汗之而愈則外凝內鬱
之理可知斯乃新
病數日者也。緻直[illegible]二反

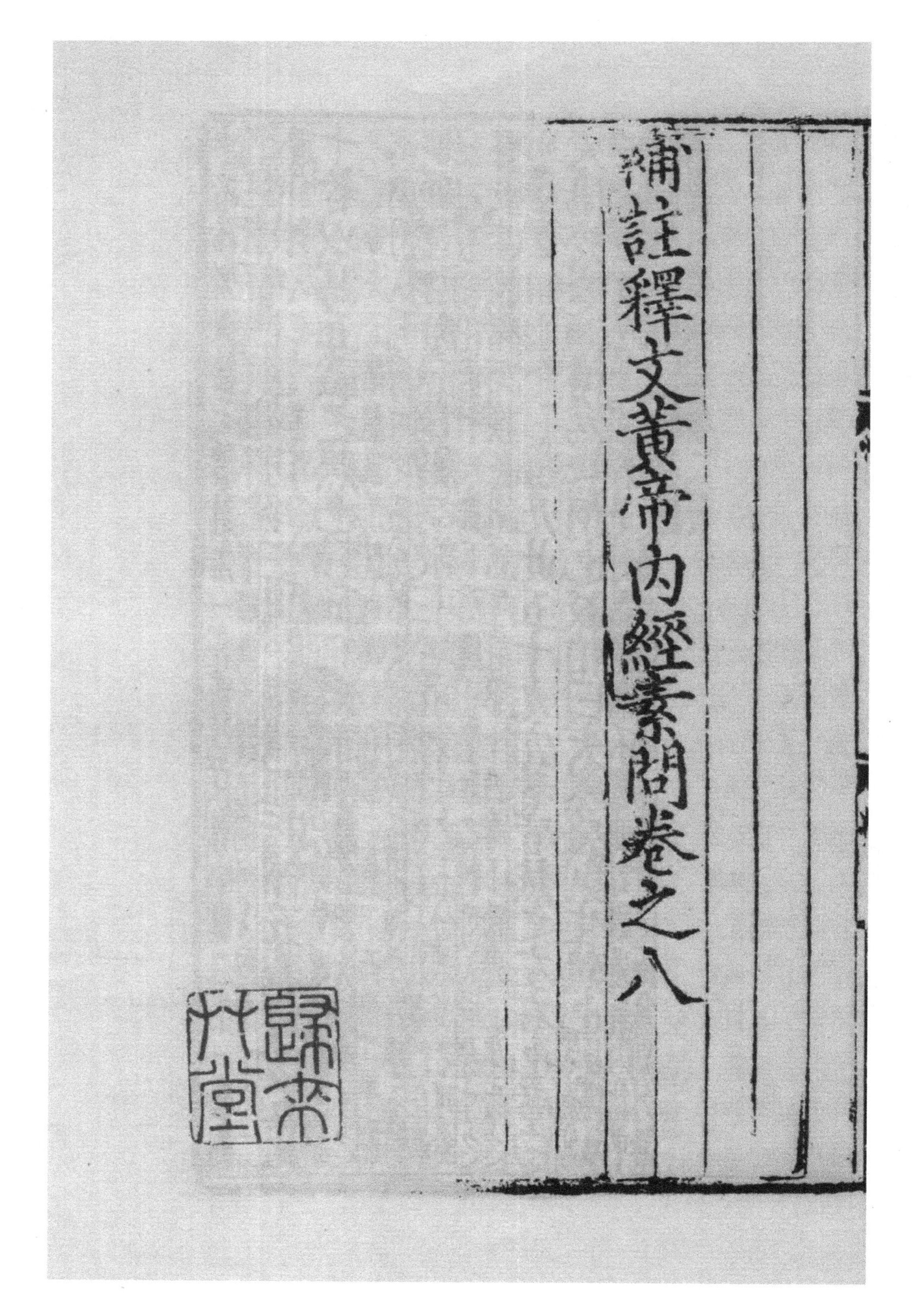
補註釋文黄帝内經素問卷之八

註釋文黃帝內經素問卷之九

調經論篇第六十二（新校正云按全元起本在第一卷）

黃帝問曰余聞刺法言有餘寫之不足補之何謂有餘何謂不足岐伯對曰有餘有五不足亦有五帝欲何問帝曰願盡聞之岐伯曰神有餘有不足氣有餘有不足血有餘有不足形有餘有不足志有餘有不足凡此十者其氣不等也（神屬心氣屬肺血屬肝形屬脾志屬腎以各有所宗故不等也）帝曰人有精氣津液四支九竅五藏十六部三百六十五節乃生百病百病之生皆有虛實今夫子乃言有餘有五不足亦有五何以生之乎（[illegible]）

五藏二字衍

先秦文章皆有韻，王氏改悲為憂，悲失之矣。休、悲同音，猶憂與笑亦韻也。王注作悲，似未為失。

岐伯曰：皆生於五藏也。言所以病皆生於五藏者何哉？以内藏五神而成形也。夫心藏神，肺藏氣，肝藏血，脾藏肉，腎藏志，而此成形。志意通，内連骨髓，而成身形五藏。志意者，通言五神之大凡也。骨髓者，通言表裏之成化也。言五神通泰，骨髓化成，身形既立，乃五藏互相為有矣。新校正云：按甲乙經無「五藏」二字。五藏之道，皆出於經隧，以行血氣，血氣不和，百病乃變化而生，是故守經隧焉。隧，潛道也。經脈伏行而不見，故謂之經隧焉。血氣者，人之神，邪侵之則血氣不正，血氣不正，故變化而百病乃生矣。然經脈者，所以決死生，處百病，調虛實，故守經隧焉。新校正云：按甲乙經「經隧」作「經渠」，義各通。隧，音遂。帝曰：神有餘不足何如？岐伯曰：神有餘則笑不休，神不足則悲。心之藏也。鍼經曰：心藏脈，脈舍神，心氣虛則悲，實則笑不休也。新校正云：詳王注云「悲，一為憂」，按甲乙經及太素并全元起注本並作「憂」。皇甫士安云：心虛則悲，悲則憂；心實則笑，笑則喜。夫心之與肺，脾之與心，互相成也。故喜發於心而成於肺，思發於脾而成於心，一過其節則二藏俱傷。楊上善云：[illegible]，心之憂在心變動也。肺之憂在肺之志。是則肺主秋，憂為正也。心主於夏，變而生憂也。血氣未并，五藏安定，邪客於形，洒淅起於毫毛，未入於經絡也，故命曰神之微。并，謂并合也。未與邪合，故曰未并也。洒淅，寒貌也。[illegible][illegible]

起於毫毛，尚在於小絡，神之微病，故命曰神之微也。[illegible] 帝曰：補寫奈何？岐伯曰：神有餘，則寫其小絡之血，出血勿之深斥，無中其大經，神氣乃平。[illegible] 神不足者，視其虛絡，按而致之，刺而利之，無出其血，無泄其氣，以通其經，神氣乃平。[illegible] 帝曰：刺微奈何？岐伯曰：按摩勿釋，著鍼勿斥，移氣於不足，神氣乃得復。[illegible] 帝曰：善。氣有餘不足奈何？岐伯曰：氣有餘則喘欬上氣，不足則息利少氣。

移其氣以補不足

甲乙經及太素誤去不字

洫泝

肺之藏也。肺藏氣，息不利則喘。鍼經曰：肺氣虛則鼻息利少氣，實則喘喝，胸盈仰息也。血氣未并，五藏安定，皮膚微病，命曰白氣微泄。肺合皮，其色白，故皮膚微病，命曰白氣微泄。帝曰：補寫奈何？岐伯曰：氣有餘則寫其經隧，無傷其經，無出其血，無泄其氣；不足則補其經隧，無出其氣。氣謂榮氣也。鍼寫若傷其經，則血出而榮氣泄脫，故不欲出血泄氣，但寫其衛氣而已。鍼補則又宜謹閉穴俞，然其衛氣亦不欲泄之。新校正云：按楊上善云：經隧者，手太陰之別，從手太陰走手陽明，乃是手太陰向手陽明之道。欲道藏府陰陽，故補寫皆從正經別走之絡，寫其陰經別走之路，不得傷其正經也。帝曰：刺微奈何？[illegible]白氣微[illegible]者。岐伯曰：按摩勿釋，出鍼視之，曰我將深之，適人必革，[illegible]精氣自伏，邪氣散亂，無所休息，氣泄腠理，真氣乃相得。[illegible]新校正云：按楊上善云：[illegible]帝曰：善。血有餘不足奈何？岐伯曰：血有餘則怒，不足則恐。肝之藏也。鍼經曰：肝藏血，肝氣虛則恐，實則怒。新校正云：按全元起本恐作悲。

脈太二字似誤

脈。甲乙經及太素同血氣未并，五藏安定，孫絡水溢，則經有留血。絡有邪盛則入於經。故云孫絡外溢則經有留血帝曰：補寫奈何？岐伯曰：血有餘，則寫其盛經出其血；不足，則視其虛經內鍼其脈中，久留而視。新校正云按甲乙經云久留之血至。太素同脈太疾出其鍼，無令血泄。脈盛滿則血有餘，故出之。經氣虛則血不足，故無令血泄也。久留疾出，是謂補之。鍼解論曰：徐而疾則實，義與此同帝曰：刺留血奈何？岐伯曰：視其血絡，刺出其血，無令惡血得入於經，以成其疾。血絡滿者，刺按出之，則惡色之血不得入於經脈帝曰：善。形有餘不足奈何？岐伯曰：形有餘則腹脹，涇溲不利；不足則四支不用。脾之藏也。鍼經曰：脾氣虛則四支不用，五藏不安，實則腹脹，涇溲不利。涇，大便；溲，小便也。○新校正云：楊上善云：涇作經，女人月經也血氣未并，五藏安定，肌肉蠕動，命曰微風。邪薄肉分，衛氣不通，陽氣內鼓，故肉蠕動。○新校正云：按全元起本及甲乙經蠕作溢，太素作濡帝曰：補寫奈何？岐伯曰：形有餘則寫其陽經，不足則補其陽絡。並謂經絡之帝曰：刺微奈何？岐伯曰：取分肉間，無中其經，無傷其絡，衛氣得復，邪氣乃索。衛氣者，所以溫分肉楊說是。全元起云：繆刺論曰：刺然骨之前出血，如食頃而已。然骨之前即然筋也。

經云離非不和也，注誤。

一而充皮膚，肥腠理，而司開闔，故肉腠動，開肉分間，作開肉分，以出其邪，故无中其經，无傷其絡，衛氣得復，而邪氣盡索也。

帝曰：善。志有餘不足奈何？岐伯曰：志有餘則腹脹飧泄，不足則厥。志，腎之藏也。針經曰：腎藏精，精舍志。腎氣虛則厥，實則脹。脹謂腹脹，□□□□。足少陰脈下行，今氣不足，故隨衝脈逆行上衝也。□□音孫。血氣未并，五藏安定，骨節有動。骨節有動，謂□□骨節□□動也。帝曰：補寫奈何？岐伯曰：志有餘則寫然筋血者，然筋，□□□正云：然谷，甲乙經及太素一云然谷，□□□□，然谷下筋也，□□□。□□□□□□□，是然筋。然，谷者，多云然骨之前，□字，諸經引然谷，皆□□□□□□□。不足則補其復溜。復溜，足少陰經也，在內踝之上二寸陷者中，血絡盛則出之，其刺者，在內踝之上二寸陷者中，刺可入同身寸之三分，留三呼，若灸者可灸三壯。復溜，足少陰也，在內踝上二寸陷者中，刺可入同身寸之三分，留三呼，若灸者可灸五壯。帝曰：刺未并奈何？岐伯曰：即取之，無中其經，邪所乃能立虛。不求穴俞，而直取居邪之處，故一云即取之，□□□□。新校正云：按甲乙經邪所作以去其邪。帝曰：善。余已聞虛實之形，不知其何以生。岐伯曰：氣血以并，陰陽相傾，氣亂於衛，血逆於經，血氣離居，一實一虛。衛行脈外，故氣亂於衛；血行脈內，故血逆於經。血氣不和，故一虛一實。血并

離則并并則虛

陰与中古韻同見詩邶風

於陰。氣并於陽。故為驚狂。（氣并於陽則陽氣外盛故為驚狂）血并於陽。氣并於陰。乃為炅中。（氣并於陰則陽氣內盛故為熱中炅熱也）血并於上。氣并於下。心煩惋善怒。血并於下。氣并於上。亂而喜忘。（上謂鬲上下謂鬲下）帝曰。血并於陰。氣并於陽。如是血氣離居。何者為實。何者為虛。岐伯曰。血氣者。喜溫而惡寒。寒則泣不能流。溫則消而去之。（泣謂如雪在水中凝住而不行去也）是故氣之所并為血虛。血之所并為氣虛。（氣并於血則血少故血虛血并於氣則氣少故氣虛）帝曰。人之所有者。血與氣耳。今夫子乃言血并為虛。氣并為虛。是無實乎。岐伯曰。有者為實。無者為虛。（氣并於血則血無血并於氣則氣無）故氣并則無血。血并則無氣。今血與氣相失。故為虛焉。（氣并於血則血失其氣血并於氣則氣失其血故曰血與氣相失）絡之與孫脈俱輸於經。血與氣并。則為實焉。血之與氣并走於上。則為大厥。厥則暴死。氣復反則生。不反則死。帝曰。實者何道從來。虛者何道從去。虛實之要。願聞其故。岐伯曰。夫陰與陽皆有俞會。陽注於陰。陰滿之外。陰陽勻平。以充其形。九候若一。命曰平人。(平人謂平和之人)夫邪之生也。或生於陰。或生於陽。其生於陽者。得之風雨寒暑。其生於陰者。得之飲食居處。陰陽喜怒。帝曰。風雨之傷人奈何。岐伯曰。風雨之傷人也。先客於皮膚。傳入於孫脈。孫脈滿則傳入於絡脈。絡脈滿則輸於大經脈。血氣與邪幷客於分腠之間。其脈堅大。故曰實。(實者外堅充滿)不可按之。按之則痛。帝曰。寒濕之傷人奈何。岐伯曰。寒濕之中人也。皮膚不收。(新校正云按全元起云不收不仁也甲乙經及太素云皮膚收無不字)肌肉堅緊。榮血泣。衛氣去。故曰虛。虛者聶辟氣不足。按之則氣足以溫之。故快然而不痛。(聶謂聶皺辟謂辟疊也。新校正云按甲乙經作聶辟。太素作攝辟)帝曰。善。陰之生實奈何。(實謂邪氣盛也)岐伯曰。喜怒不節則陰氣上逆。上逆則下虛。下虛則陽氣走之。故曰實矣。(新校正云按經喜怒不節則陰氣上逆陽氣[illegible][illegible]喜字)帝曰。陰之生虛奈何。(虛謂精氣奪也)岐伯曰。喜則氣下。悲則氣消消則脈虛空因寒飲食寒氣熏滿〔新校正云按甲乙經作動藏〕則血泣氣去故曰虛矣帝曰經言陽虛則外寒陰虛則內熱陽盛則外熱陰盛則內寒余已聞之矣不知其所由然也〔經言謂上古經言〕岐伯曰陽受氣於上焦以溫皮膚分肉之間今寒氣在外則上焦不通上焦不通則寒氣獨留於外故寒慄〔慄謂振慄也〕帝曰陰虛生內熱奈何岐伯曰有所勞倦形氣衰少穀氣不盛上焦不行下脘不通〔新校正云按甲乙經作下焦不通〕胃氣熱熱氣熏胸中故內熱〔甚用其力致勞倦也貪役不食故穀氣不盛也〕帝曰陽盛生外熱奈何岐伯曰上焦不通利則皮膚緻密腠理閉塞玄府不通〔新校正云按甲乙經及太素無玄府二字〕衛氣不得泄越故外熱〔外傷寒毒內薄諸陽寒外盛則皮膚收皮膚收則腠理密故衛氣稸聚無所流行矣寒氣外薄陽氣內爭積火內燔故生外熱也燔音煩〕帝曰陰盛生內寒奈何岐伯曰厥氣上逆寒氣積於胸中而不寫不寫則溫氣去寒獨留則血凝泣凝則脈不通〔新校正云按甲乙經作腠理不通〕其脈盛

大以濇。故中寒。溫氣謂陽氣也。陰逆內滿，則陽氣去於皮外也。帝曰：陰與陽并，血氣以并，病形以成，刺之奈何？岐伯曰：刺此者取之經隧，取血於營，取氣於衛，用形哉，因四時多少高下。營主血，陰氣也。衛主氣，陽氣也。夫行鍼之道，必先知形之長短，骨之廣狹，備三備法，通計身形，以施分寸，故曰用形也。四時多少高下，具在下篇。帝曰：血氣以并，病形以成，陰陽相傾，補寫奈何？岐伯曰：寫實者氣盛乃內鍼，鍼與氣俱內，以開其門，如利其戶；鍼與氣俱出，精氣不傷，邪氣乃下，外門不閉，以出其疾；搖大其道，如利其路，是謂大寫，必切而出，大氣乃屈。言欲開其穴而泄其氣也。切謂急也，言急出其鍼也。鍼經論曰：疾而徐則虛者，疾出鍼而徐按之也。大氣謂大邪氣也，屈謂退屈也。帝曰：補虛奈何？岐伯曰：持鍼勿置，以定其意，候呼內鍼，氣出鍼入，鍼空四塞，精無從去，方實而疾出鍼，氣入鍼出，熱不得還，閉塞其門，邪氣布散，精氣乃得存，動氣候時，新校正云：按《甲乙經》作"動無後時"。近氣不失，遠氣乃來，是謂追之。言但密閉穴俞，勿令其氣散泄也。近氣謂已至之氣，遠氣謂未至之氣也。欲動經氣而為補者，皆必候所以不刺氣之所在而刺之是謂得時而調之追藏病也針經曰追而濟之安得无實則此謂也帝曰夫子言虛實者有十生於五藏五藏五脈耳夫十二經脈皆生其病新校正云按甲乙經一云皆生百病太素同今夫子獨言五藏夫十二經脈者皆絡三百六十五節節有病必被經脈經脈之病皆有虛實何以合之岐伯曰五藏者故得六府與為表裏經絡支節各生虛實其病所居隨而調之隨其虛實之所在支節而調之病在脈調之血脈者血之府脈實血實脈虛血虛由此脈病而調之血也新校正云按全元起本及甲乙經云病在血調之也病在血調之絡血病則絡脈易變故調之於絡也病在氣調之衛衛主氣故氣病而調之衛也病在肉調之分肉候寒熱而取之病在筋調之筋隨緩急而調之病在骨調之骨察輕重而調之燔針劫刺其下及與急者調筋法也筋急則燒針而劫刺之病在骨焠針藥熨焠針火針也調骨法也病不知所痛兩蹻為上兩蹻謂陰陽蹻脈陰蹻之脈出於照海陽蹻之脈出於申脈申脈在足外踝下陷者中容爪甲刺可入同身寸之三分留六呼若灸者可灸三壯新校正云按刺腰痛注云在外踝下五分照海在足內踝下刺可入同身寸之四分留六呼若灸者可灸三壯

身形有痛，九候莫病，則繆刺之。莫病謂無病也繆刺者刺絡脉左痛刺右右痛刺左痛在於左而右脉病者，巨刺之。巨刺者刺經脉左痛刺右右痛刺左必謹察其九候，鍼道備矣。

繆刺論篇第六十三新校正云按全元起本在第二卷

黄帝問曰：余聞繆刺，未得其意，何謂繆刺？繆刺言所刺之穴應用如紀繆綱紀[illegible]岐伯對曰：夫邪之客於形也，必先舍於皮毛，留而不去，入舍於孫脉，留而不去，入舍於絡脉，留而不去，入舍於經脉，內連五藏，散於腸胃，陰陽俱感，五藏乃傷，此邪之從皮毛而入，極於五藏之次也。如此則治其經焉。今邪客於皮毛，入舍於孫絡，留而不去，閉塞不通，不得入於經，流溢於大絡，而生奇病也。病在血絡是謂奇邪○新校正云按全元起云大絡十五絡也夫邪客大絡者，左注右，右注左，上下左右，與經相干，而布於四末，其氣無常處，不入於經俞，命曰繆刺。四末謂[illegible]入絡帝曰：願聞繆刺，以左取右，以右取

四末者所謂風淫末疾

奈何其與巨刺何以別之岐伯曰邪客於經左盛則右病右盛則左病亦有移易者。新校正云按甲乙經[illegible]易[illegible]左痛未已而右脈先病如此者必巨刺之。必中其經非絡脈也。左病者謂彼痛未止而此先病以承之故絡病者其痛與經脈繆處故命曰繆刺。[illegible]正別也。亦謂公孫飛揚等之別絡也。新校正云按王氏云非正別脈按本論邪客足太陰絡令人腰痛注引從腰[illegible]明上絡咽嗌[illegible]乃太陰之正也是其脈之正發得謂之非正別亦帝曰願聞繆刺奈何取之何如岐伯曰邪客於足少陰之絡令人卒心痛暴脹胸脅支滿以其絡支別者並正經從腎上貫肝鬲走於心包故邪客之則病如是無積者刺然骨之前出血如食頃而已。然骨之前然谷穴也在足內踝前起大骨下陷者中足少陰滎也刺可入同身寸之三分留三呼若灸者可灸三壯刺此多見血令人立飢欲食不已左取右右取左。[illegible]病新發者取五日已。謂素有此病而新發者刺之五日乃已邪客於手少陽之絡令人喉痺舌卷口乾心煩臂外廉痛手不及頭。以其脈循手表出臂外上肩入缺盆布膻中散絡心包其支者從膻中上出缺盆上項又心主其[illegible]

刺手中指次指爪甲上去端如韭葉各一痏謂關衝穴少陽之井也刺可入同身寸之一分留三呼若灸者可灸三壯○新校正云按甲乙經關衝穴出手小指次指之端今言中指者誤也壯者立已老者有頃已左取右右取左此新病數日已邪客於足厥陰之絡令人卒疝暴痛以其絡去內踝上同身寸之五寸別走少陽其支別者循脛上睪結於莖故卒疝暴痛也刺足大指爪甲上與肉交者各一痏謂大敦穴足厥陰之井也刺可入同身寸之三分留十呼若灸者可灸三壯男子立已女子有頃已左取右右取左邪客於足太陽之絡令人頭項肩痛以其經從巔入絡腦還出別下項循肩髆內故頭項肩痛也刺足小指爪甲上與肉交者各一痏立已謂至陰穴太陽之井也刺可入同身寸之一分留五呼若灸者可灸三壯○新校正云按甲乙經一云在足小指外側去爪甲角如韭葉不已刺外踝下三痏左取右右取左如食頃已謂金門穴足太陽郄也在足外踝下刺可入同身寸之三分若灸者可灸三壯邪客於手陽明之絡令人氣滿胸中喘息而支

支胠胸中熱以其支別者從缺盆中直而上頸又入缺盆絡肺故病如是刺手大指次指爪甲上去端如韭葉各一痏左取右右取左如食頃已謂商陽穴手陽明之井也刺可入同身寸之一分留一呼若灸者可灸一壯○新校正云按甲乙經一云商陽在手大指次指內側去爪甲角如韭葉邪客於臂掌之間不可得屈刺其踝後○新校正云按全元起本云足人手之本節踝也先以指按之痛乃刺之以月死生為數月生一日一痏二日二痏十五日十五痏十六日十四痏以月半已前謂之生月半以後謂之死虧滿而異也邪客於足陽蹻之脈令人目痛從內眥始以其脈起於足上行至頭而屬目內眥故病令人目痛從內眥始也鍼經曰陰蹻脈入鼽屬目內眥合於太陽陽蹻而上行故陽蹻之病從內眥始也刺外踝之下半寸所各二痏謂申脈穴陽蹻之所生也刺可入同身寸之三分留六呼若灸者可灸三壯○新校正云按甲乙經一云刺入六分左刺右右刺左如行十里頃而已人有所墮墜惡血留內腹中滿脹不得前後先飲利藥此上傷厥陰之脈下傷少陰之絡刺足內踝之下然骨之

前血脈出血（此少陰之絡也。○[illegible]）刺足跗上動脈（[illegible]陽穴。○胃之原也，刺可入同身寸之三分，留十呼，若灸者可灸三壯。○主腹大不嗜食，以腹脹[illegible]）不已，刺三毛上各一痏，見血立已，左刺右，右刺左。（[illegible]井也[illegible]）善悲驚不樂，刺如右方。（[illegible]不樂亦[illegible]）邪客於手陽明之絡，令人耳聾，時不聞音。（以其脈支者入耳會於宗脈，故病令人耳聾，時不聞聲。○又其絡支別者[illegible]）刺手大指次指爪甲上，去端如韭葉，各一痏，立聞，不已，刺中指爪甲上與肉交者，立聞。（[illegible]手心主之井也[illegible]）[illegible]其不時聞者，不可刺也。（[illegible]）耳中生風者，亦刺之如此數，左刺右，右刺左。凡痹往來行無常處者，在分肉間痛而刺之，以月死生為數，用鍼者隨氣盛衰，以為痏數，針過其日

數則脫氣不及日數則氣不寫左刺右右刺左病已止不已
復刺之如法言所以約月死生爲痏數者何以隨氣之盛衰也月生一日一痏二日二
痏漸多之十五日十五痏十六日十四痏漸少之漸多是刺之則无過數
无不及也邪客於足陽明之經令人鼽衄上齒寒以其脈起於鼻交頞中下循鼻
外入上齒中還出俠口環脣下交承漿卻循頤後下廉出大迎循頰車上耳前故病令人鼽衄上齒寒也以其脈左右
交於面部故舉經脈之病以明繆刺之類也故下文云新校正云按全元起本與甲乙經陽明之經作陽明之絡刺
足中指次指爪甲上與肉交者各一痏左刺右右刺左中當爲大
亦傳寫中大之誤也據靈樞經孔穴圖經中指次指爪甲上无穴當言刺大指次指爪甲上乃竅陰穴足少陽之井不當更
有次指二字也竅陰穴者刺可入同身寸之一分留一呼若灸者可灸一壯新校正云按甲乙經云刺足中指爪甲上无
次指二字蓋以大指次指爲中指義與王注同下文云足陽明中指爪甲上亦謂此穴也厲兌穴在足大指次指之端去爪
甲角如韭葉邪客於足少陽之絡令人脅痛不得息欬而汗出以其
脈支別者從目兌眥下大迎合手少陽於𩕳下加頰車下頸合缺盆以下胷中貫鬲絡肝屬膽循脅故令人脅痛欬而汗出
[illegible]之六反刺足小指次指爪甲上與肉交者各一痏足少陽之井竅陰穴也

新注引難經賁門得之

刺可入同身寸之一分，留一呼，若灸者可灸三壯。○新校正云：按甲乙經竅陰在足小指次指之端，去爪甲角如韭葉。不得息立已，汗出立止，欬者溫衣飲食，一日已。左刺右，右刺左，病立已；不已，復刺如法。邪客於足少陰之絡，令人嗌痛不可內食，無故善怒，氣上走賁上。以其經支別者，從肺出絡心，注胷中，又其正經從腎上貫肝鬲，入肺中，循喉嚨，挾舌本，故嗌痛不可內食，無故善怒，氣上走賁上也。○新校正云：詳王注以賁上為氣奔者，非也。按難經胃為賁門，楊玄操云：賁，鬲也。是氣上走鬲上也。經既云氣上走賁上，安得以賁為奔上之解。刺足下中央之脈各三痏，凡六刺，立已。左刺右，右刺左。謂涌泉穴，少陰之井也，在足心陷者中，屈足卷指宛宛中，刺可入同身寸之三分，留三呼，若灸者可灸三壯。嗌中腫，不能內唾，時不能出唾者，刺然骨之前，出血立已。左刺右，右刺左。亦足少陰之絡也，以其絡並大經循喉嚨，故爾。刺之出血一十九字本錯簡在邪客手足少陰太陰足陽明之絡前，今遷於此。○新校正云：詳王注以其絡並大經循喉嚨，按甲乙經足少陰之絡並經上走心包，少陰之經循喉嚨，今王氏之注經與絡交互，當以甲乙經為正也。邪客於足太陰之絡，令人腰痛，引少腹控䏚，不可以仰息。足太陰之絡，從髀合陽明，上貫尻骨中，與厥陰少陽結於下髎，而循尻骨內入腹，上絡嗌，貫舌中。

中，故腰痛則引少腹控於䏚中也。䏚，謂季脅下之空軟處也。受邪氣則絡拘急，故不可以仰伸而喘息也。刺腰痛篇中乃息字。○新校正云：詳此注云足太陰之絡，按甲乙經乃太陰之正，非絡也。王氏謂之絡者，未詳其旨。刺腰尻之解，兩胂之上，是腰俞，以月死生為痏數，發鍼立已，左刺右，右刺左。腰尻骨間曰解。當中自腰俞，刺可入同身寸之二寸。○新校正云：按氣府論注作二分，刺熱論注作二分，水穴論注作二分，熱穴篇注作一寸，甲乙經作二寸，留七呼，宜與經同。中誥孔穴經云：左取右，右取左，當中不遞，亦此腰下俠尻有骨空各四，皆主腰痛，下髎主與足太陰、厥陰、少陽所結。刺可入同身寸之二寸，留十呼，若灸者可灸三壯。胂，謂兩髁胂也。腰俞、髁胂皆取之。邪客足太陰之絡，并刺法，消已見刺腰痛篇中。此特多是腰俞二字，則髁胂全元起本舊在此，二字當在王氏與髁胂無俞左右取之理，而不知全元起本舊無。邪客於足太陽之絡，令人拘攣背急，引脅而痛，以其經從髆內左右別下貫胂，合膕中，故病令人拘攣背急，引脅而痛。○新校正云：按全元起本及甲乙經引脅而痛，下更云內引心而痛。刺之從項始數脊椎俠脊，疾按之應手如痛，刺之傍三痏，立已。脊椎者，第一椎大椎，數之至第二椎一椎兩旁各同身寸之一寸五分，內循脊兩傍，按之有痛應手，則邪客之處也，隨痛應手深淺而刺之，孔穴俠脊骨兩傍，故云刺之傍也。邪客於足少陽之絡，令人留於樞中痛髀不可舉足少陽脈出氣街繞毛際橫入髀厭中故痛令人留於髀樞後髀不可舉樞謂髀樞也刺樞中以毫鍼寒則久留鍼以月死生為數立已髀樞之後則環銚穴也正在髀樞後以其髀股故言刺髀樞後環銚者足少陽脈氣所發刺可入同身寸之一寸留二呼若灸者可灸三壯毫鍼者第七鍼也新校正云按甲乙經環銚在髀樞中氣穴論注云在兩髀厭分中此經云刺樞中而王氏以謂髀樞之後者誤也治諸經刺之所過者不病則繆刺之正言也經不病則邪在絡故繆刺之若經所過有病是則經病也不當繆刺矣耳聾刺手陽明不已刺其通脈出耳前者手陽明謂前手大指次指去端如韭葉者也是謂商陽[illegible]手陽明脈中商陽合谷陽谿偏歷四穴並主耳聾今經所指謂前商陽不謂此合谷等穴也耳前通脈手陽明脈正當聽會之分刺可入同身寸之四分若灸者可灸三壯齒齲刺手陽明不已刺其脈入齒中者立已[illegible]甲乙經手陽明脈中商陽二間三間合谷陽谿偏歷溫溜七穴並主齒痛手陽明脈貫頰入下齒中足陽明脈循鼻外入上齒中立已邪客於五藏之間其病也脈引而痛時來時止視其病繆刺之於手足爪甲上各刺其井左取右右取左視其脈出其血間日一刺一刺不已五刺已有血脈者則刺之如此數繆傳引上齒齒唇寒痛視其手背脈血

去之若齒齲繆傳而引上齒齒脣寒痛者刺手背脈見血者去之足陽明中指爪甲上一痏

手大指次指爪甲上各一痏立已左取右右取左謂第二指厲兌穴也

手大指次指謂商陽穴手陽明[illegible]鍼經曰齒齲不惡清飲取足陽明惡清飲取手陽明[illegible]新校正云詳前文邪客足陽

明刺中指次指爪甲上[illegible]此皆二分當如此只言中指爪甲上乃是邪客於手足少陰太陰

足陽明之絡此五絡皆會於耳中上絡左角手少陰真心脈足少陰腎脈手

太陰肺脈足太陰脾脈足陽明胃脈此五絡皆會於耳中而出絡左額角也五絡俱竭令人身脈

皆動而形無知也其狀若尸或曰尸厥言其卒冒悶而如死尸身脈猶如常人而

動也然陰氣盛於上則下氣重上而邪氣逆邪氣逆則陽氣亂陽氣亂則五絡閉結而不通故其狀若尸也以是從厥而

生故或曰尸厥刺其足大指內側爪甲上去端如韭葉謂隱白穴足太陰之井也

刺可入同身寸之一分留三呼若灸者可灸三壯後刺足心謂湧泉穴足少陰之井也刺同前

後刺足中指爪甲上各一痏謂第二指足陽明之井也刺同前取厲兌穴法後刺手

大指內側去端如韭葉謂少商穴手太陰之井也刺可入同身寸之一分留一呼若灸者可灸三

壯後刺手心[illegible]謂中衝穴手心主之井也刺可入同身寸之一分留三呼若灸者可灸一壯○新校正云

[illegible]少陰銳骨之端各一痏，立已。[illegible]不已，以竹管吹其兩耳。[illegible]鬄其左角之髮方一寸，燔治，飲以美酒一杯，不能飲者灌之，立已。[illegible]凡刺之數，先視其經脈，切而從之，審其虛實而調之，不調者經刺之。有痛而經不病者繆刺之。因視其皮部有血絡者盡取之，此繆刺之數也。

四時刺逆從論第六十四

[illegible]

厥陰有餘病陰痺，[illegible]不足病生熱痺，[illegible]滑則病狐疝風，[illegible]

狐夜不得尿。日出方得。人病似之，名為狐疝。破狐為狐似非

則病少腹積氣。[illegible]

少陰有餘病皮痹隱軫，[illegible]不足病肺痹，[illegible]滑則病肺風疝，濇則病積溲血。[illegible]

太陰有餘病肉痹寒中，不足病脾痹，[illegible]滑則病脾風疝，濇則病積心腹時滿。[illegible]

陽明有餘病脈痹身時熱，不足病心痹，[illegible]滑則病心風疝，濇則病積時善驚。[illegible]

太陽有餘病骨痹身重，不足病腎痹，[illegible]滑則病腎風疝，濇則病積善時巔疾。[illegible]

少陽有餘病筋痹脇滿，不足病肝痹，[illegible]滑則病肝風疝，濇則病積時筋急目痛。[illegible]

[illegible]曰 是故春氣在經脉，夏氣在孫絡，長夏氣在肌肉，秋氣在皮膚，冬氣在骨髓中。帝曰：余願聞其故。岐伯曰：春者，天氣始開，地氣始泄，凍解冰釋，水行經通，故人氣在脉。夏者，經滿氣溢，入孫絡受血，皮膚充實。長夏者，經絡皆盛，內溢肌中。秋者，天氣始收，腠理閉塞，皮膚引急。（引謂牽引，急謂[illegible]也）冬者蓋藏，血氣在中，內著骨髓，通於五藏。是故邪氣者，常隨四時之氣血而入客也。至其變化，不可為度，然必從其經氣，辟除其邪，除其邪則亂氣不生。（得氣而調，故亂氣不生）帝曰：逆四時而生亂氣奈何？岐伯曰：春刺絡脉，血氣外溢，令人少氣。（血氣溢於外，則中不足，故少氣。[illegible]）（脉不至，令人目不明，[illegible]四時，此分五時，[illegible]此有長夏，[illegible]肌肉之分，[illegible]時各[illegible]）春刺肌肉，血氣環逆，令人上氣。（血逆氣上）（[illegible]）春刺筋骨，血氣內著，令人腹脹。（內著不散）夏刺經脉，血氣乃竭，令人解㑊。（[illegible]）

（不熱壯不壯弱不弱故不可名之也）夏刺肌肉，血氣內卻，令人善恐。（卻，閉也。血氣內閉，則陽氣不通，故善恐。）夏刺筋骨，血氣上逆，令人善怒。（血氣上逆，則怒氣相應，故善怒。新校正云：按經闕夏刺秋分。）秋刺經脈，血氣上逆，令人善忘。（血氣上逆，滿於肺中，故善忘。）秋刺絡脈，氣不外行，（新校正云：按別本作血氣不行，全元起本作氣不衛外，大素同。）令人臥不欲動。（以虛甚故。新校正云：按經闕秋刺長夏分。）秋刺筋骨，血氣內散，令人寒慄。（血氣內散，則中氣虛，故寒慄。）冬刺經脈，血氣皆脫，令人目不明。（以血氣無所營故也。）冬刺絡脈，內氣外泄，留為大痹。冬刺肌肉，陽氣竭絕，令人善忘。（陽氣不壯，至春而竭，故善忘。新校正云：按經闕冬刺秋分。）凡此四時刺者，大逆之病，（新校正云：按全元起本作六經之病。）不可不從也。反之，則生亂氣相淫病焉。（反謂不從也，不從而行逆。淫謂相染而生病也。）故刺不知四時之經，病之所生，以從為逆，正氣內亂，與精相薄。必審九候，正氣不亂，精氣不轉。（[illegible]轉也。）帝曰：善。刺五藏，中心一日死，其動為噫。（診要經終論曰：中心者環死。刺禁論曰：一日死，其動為噫。）中肝五日死，其動為語。（診要經終論闕而不言。刺禁論曰：中肝五[illegible]）

日死其動為語○新校正云按甲乙經語作欠中肺三日死其動為欬診要經終論曰中肺五日
死刺禁論曰中肺三日死其動為欬中腎六日死新校正云按甲乙經作三日其動為嚏欠
診要經終論曰中腎七日死刺禁論曰中腎六日死其動為嚏○新校正云按甲乙經無欠字中脾十日死
新校正云按甲乙經作十五日其動為吞診要經終論曰中脾五日死刺禁論曰中脾十日死其動為吞
二五藏皆有所傷之言而死日數動變不同傳之數也刺傷人五藏必死其動則依其藏之
所變候知其死也所變謂氣動變也中心下至此並為逆從重文也
○標本病傳論篇第六十五新校正云按全元起本在第二卷皮部論篇前
黄帝問曰病有標本刺有逆從奈何岐伯對曰凡刺之方必
別陰陽前後相應逆從得施標本相移故曰有其在標而求
之於標有其在本而求之於本有其在本而求之於標有其
在標而求之於本故治有取標而得者有取本而得者有逆
取而得者有從取而得者得病之情知治大體則逆從皆可施必中焉故知逆與
從正行無問知標本者萬舉萬當道不疑惑識斷深明則無問於人正行皆當不

知標本，是謂妄行。（識猶褊淺，道卑末高深，率且見違，故行多妄。）夫陰陽逆從標本之爲道也，小而大，言一而知百病之害。（著之至也。言別陰陽知逆順，法明著，見精微，觀其所舉則小，尋其所利則大，以斯明著，故言一而知百病之害。）少而多，淺而博，可以言一而知百也。（言少可以貫多，舉淺可以料大者，何法之明，故非聖人之道，孰能至於是耶？故學之者猶可以言一而知百病也，博大也。）以淺而知深，察近而知遠，言標與本，易而勿及。（雖事極深玄，人非咫尺，略以淺近而悉貫之。然標本之道，要而易，可爲言，而世人識見無能及者。）治反爲逆，治得爲從。先病而後逆者治其本。先逆而後病者治其本。先寒而後生病者治其本。先病而後生寒者治其本。先熱而後生病者治其本。先熱而後生中滿者治其標。先病而後泄者治其本。先泄而後生他病者治其本。必且調之，乃治其他病。先病而後生中滿者治其標。先中滿而後煩心者治其本。人有客氣，有同氣。（新校正云：按全元起本同作固。）小大不利治其標。小大利治其本。（本先）［illegible］標後病，以［illegible］之。病發而有餘，本而標之。先治其本，後治其標。病發

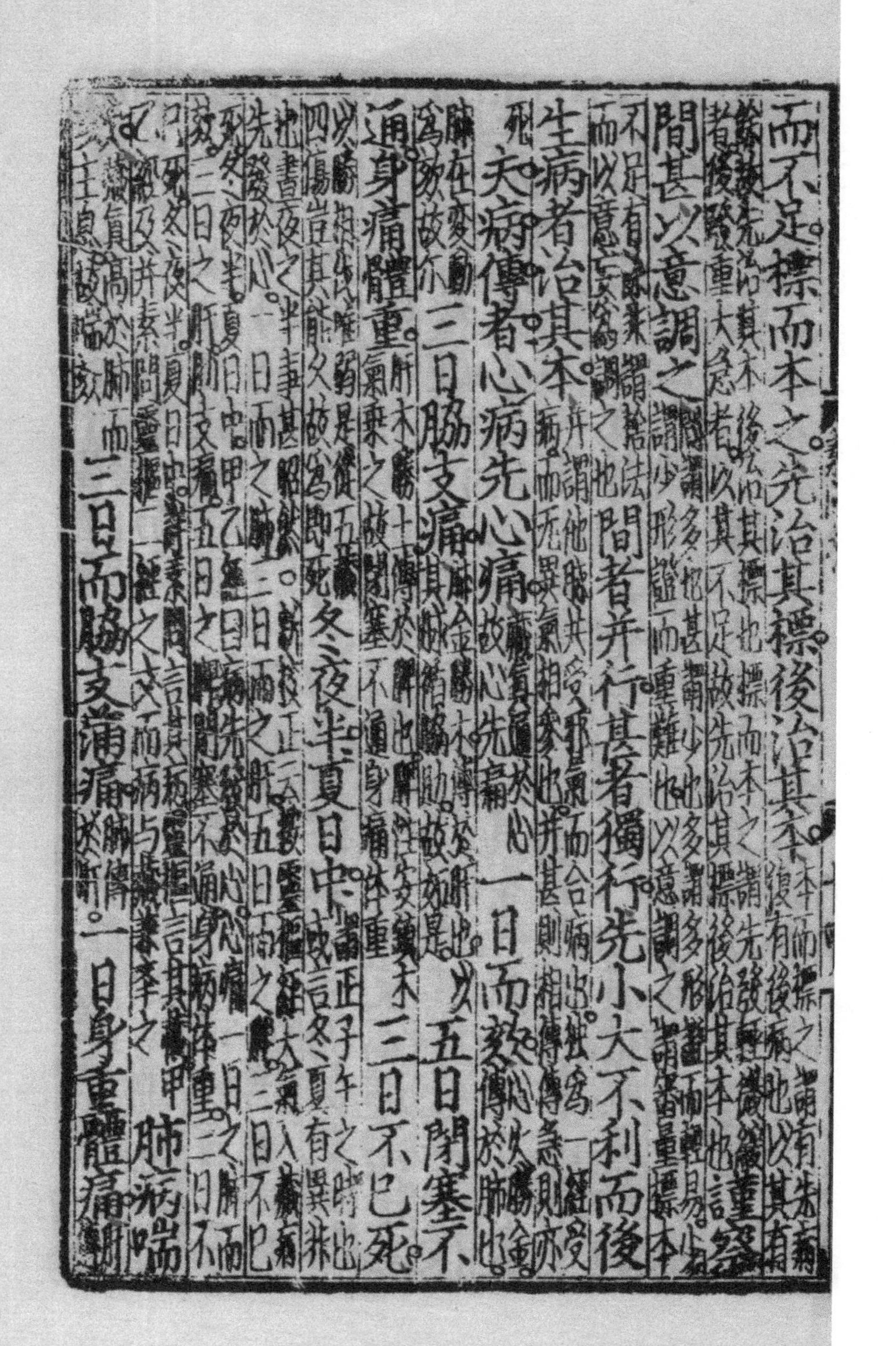

而不足。標而本之。先治其標。後治其本。

間甚。以意調之。間者并行。甚者獨行。先小大不利而後生病者。治其本。

夫病傳者。心病先心痛。一日而欬。三日脇支痛。五日閉塞不通。身痛體重。三日不已死。冬夜半。夏日中。

肺病喘欬。三日而脇支滿痛。一日身重體痛。

五日而脹。自傳於府十日不已，死。冬日入，夏日出。孟冬之中日入於申之八刻二分，仲冬之中日入於申之七刻三分，季冬之中入於申，與孟月等。孟夏之中日出於寅之八刻一分，仲夏之中日出於寅之七刻三分，季夏之中日出於寅，與孟月等也。肝病頭目眩，脇支滿。藏真散於肝，脉內連目系，故如是。三日體重身痛。肝傳於脾五日而脹。自傳於府三日腰脊少腹痛，脛痠。謂胃傳於腎，以其脉起於足，循腨內出膕內廉，上股內後廉，貫脊屬腎絡膀胱，故如是也。腰為腎之府，故腰痛。三日不已，死。冬日入，新校正云：按甲乙經作日中。夏早食。日入早晏，如冬之法也。早食，謂早於食時，則卯正之時也。脾病身痛體重，藏真濡於脾而主肌肉，故爾。一日而脹。自傳於府二日少腹腰脊痛，脛痠。胃傳於腎三日背䏚筋痛，小便閉。自傳於府及之䏚也。䏚音呂。十日不已，死。冬人定，夏晏食。人定，謂申後二十五刻。晏食，謂寅後二十五刻。腎病少腹腰脊痛，䯒痠。藏真下於腎，故如是。三日背䏚筋痛，小便閉。自傳於府。新校正云：按甲乙經、靈樞經云之腎，是自傳於府及之膀胱也。三日腹脹。膀胱傳小腸。新校正云：按甲乙經、靈樞經云三日上之心，心脹。三日兩脇支痛。府傳於藏。新校正云：按靈樞經云三日之小腸，三日上之心。今云兩脇支痛，是足小腸府傳心藏，而發痛也。三日不已，死。冬大晨，夏晏晡。大晨謂寅後九

刻大明之時也晏晡謂申後九刻向昏之時也胃病脹滿以其脉循腹故如是五日少腹腰脊

痛䯒痠胃傳腎三日背胎筋痛小便閉自傳於府及之部也五日身體重。

腎傳於膀胱水府也。新校正云按靈樞經及甲乙經各云

五日上之心是謂心傳心為身體重今王氏言傳脾

者家六日不已死冬夜半後夏日昳夜半後謂子後八刻丑

正之時也日昳謂午後八刻未正之時也膀胱病小便閉以其為津液之府故

新校正云按靈樞經作五日少腹脹腰脊

痛䯒痠自歸於藏一日腹脹腎復傳於小腸一日身體痛小腸傳於脾。新校正云按靈

樞經云一日上之心是謂心傳於脾甲乙經作之脾與王注同二日不已死冬雞鳴夏下晡

鷄鳴謂早丑正之分也下晡謂申後五刻也諸病以次是相傳如是者

皆有死期不可刺五藏相傳者或一藏二藏三藏而死者有急有緩

六月丙而死急者一日二日三日四日五六日而死則此類

也是其傳之五行之氣相尅其相傳以五

行爲紀以不勝之數傳於所勝之數者謂木傳於土

水傳於火當云一日火傳於金當云三日金

木傳於火當云五日也若以己勝之數傳於不勝者則木三

日傳於土土五日傳於水水一日傳於火火二日傳於金金

四日傳於木經之傳日似法三陰三陽之氣玉機真藏論

五藏相通移皆有次不治三月若六月若三日若六日傳

當與此同也斯亦猶當時臨病詳視日數方悉是非爾間一藏止。新校正云按甲乙經無止字及至三四藏者。乃可刺也。間一藏止者謂隔過前一藏而不更傳也則謂木傳土土傳水水傳火火傳金金傳木而止皆間隔一藏也及至三四藏者皆謂至前第三第四藏也諸至三藏者皆是其己不勝之氣也至四藏者皆至己所生之父母也不勝則不能為害於彼所生則父子無剋伐之期氣順以行故刺之可矣

補註釋文黃帝內經素問卷之九

新刊補註釋文黃帝内經素問卷之十

○天元紀大論篇第六十六

黃帝問曰：天有五行，御五位，以生寒暑燥濕風；人有五藏，化五氣，以生喜怒思憂恐。御謂臨御，化謂生化也。天真之氣无所不周，器象雖殊，參應一也。新校正云：按陰陽應象大論云喜怒悲憂恐，二論不同者，思者脾也，四藏皆受成焉；悲者勝怒也，二論所以互相成也。論言五運相襲而皆治之，終朞之日，周而復始，余已知之矣。願聞其與三陰三陽之候，奈何合之？論謂六節藏象論也。運謂五行應天之五運，各周三百六十五日而為紀者也，故曰終朞之日，周而復始也。以六合五，數未參同，故問之也。

鬼臾區稽首再拜對曰：昭乎哉問也！夫五運陰陽者，天地之道也，萬物之綱紀，變化之父母，生殺之本始，神明之府也，可不通乎！道謂化生之道。綱紀謂生長化成收藏之綱紀也。父母謂万物形之先也。本始謂生殺皆因而有之也。夫有形稟氣而不為五運陰陽之所攝者，未之有也。所以造化不極，能為万物生化之元始者，何也？以其是神明之府故也。然合散不測，生化无窮，非神明運為无能令也。新校正云詳陰陽者至神明之府也與陰陽應象大論同而兩論之注頗異故物生謂之化。物極謂之變。陰陽不測謂之神。神用無方謂之聖。所謂化變聖神之道也化施化也變散易也神无期也聖无思也氣之施化故曰生氣散易故曰極无期稟候故曰神无思測量故曰聖由化與變故萬物无能逃五運陰陽由聖與神故衆妙无能出幽玄之理深乎妙用不可得而稱之。新校正云按六微旨大論云物之生從乎化物之極由乎變變化之相薄成敗之所由也又五常政大論云氣始而生化氣散而有形氣布而蕃育氣終而象變其致一也夫變化之為用也。應萬化之用也在天為玄。玄遠也天道玄遠變化无窮傳曰天道遠人道邇在人為道。道謂妙用之道也經術政化非道不成在地為化。化謂生化也生萬物者地非土氣孕育則形質不成化生五味。金石草木根葉華實酸苦甘淡辛鹹皆化氣所生隨時而有道生智。智通妙用唯道所生玄生神。玄遠幽深故生神也神之為用觸遇玄通契物化成无不應也神在天為風。風者教之始天之使也天之號令也在地為木。東方之化在天為熱。應火為用在地為火。南方之化在天為濕。應土為用在地為土。中央之化在天為燥。應金為用在地為金。西方之化在天為寒。應水為用在地為水。北方之化神之為用如上五化木為風所生火為熱所熾金為燥所發水為寒所資土為濕所全蓋初因而成立也雖初因之以以化成，卒因之以敗散尒，豈五行之獨有是哉。凡因所因而成立者，悉因所因而散落尒。○新校正云：詳在天爲玄至此，與陰陽應象大論及五運行大論文重，注頗異。

在天爲氣，在地成形，氣，謂風熱濕燥寒。形，謂木火土金水。形氣相感而化生萬物矣。此造化生成之大紀。然天地者，萬物之上下也；天覆地載，上下相臨，萬物化生，无遺略也。由是故萬物自生自長自化自成自盈自虛自復自變也。夫變者何？謂生之氣極本而更始化也。孔子曰：曲成萬物而不遺。左右者，陰陽之道路也；天有六氣御下，地有五行奉上。當歲者爲上，主司天；承歲者爲下，主司地。不當歲者，二氣居右，北行轉之；二氣居左，南行轉之。金木水火運，北面正之，常左爲右，右爲左，則左者南行，右者北行而反也。○新校正云：詳上下左右之說，義具五運行大論中。水火者，陰陽之徵兆也；徵，信也，驗也。兆，先也。以水火之寒熱，彰信陰陽之先兆也。金木者，生成之終始也。木主發生應春，春爲生化之始；金主收殺應秋，秋爲成實之終。終始不息，其化常行，故萬物生長化成收藏自久。○新校正云：按陰陽應象大論曰：天地者，萬物之上下也；陰陽者，血氣之男女也；左右者，陰陽之道路也；水火者，陰陽之徵兆；陰陽者，萬物之能始也。内此論相出入也。氣有多少，形有盛衰，上下相召而損益彰矣。氣有多少，謂天之陰陽三等，多少不同秩也。形有盛衰，謂五運之氣有大過不及也。由是少多盛衰，天地相召，而陰陽損益，昭然彰著可見也。○新校正云：詳陰陽三等之義，具下文注中。帝曰：願

素問十　二十

聞五運之主時也何如時四時也鬼臾區曰五氣運行各終朞日
非獨主時也一運之日終三百六十五日四分度之一乃易之非主一時當其王相囚死而為絕法也氣交
之內迢然而別有之也帝曰請聞其所謂也鬼臾區曰臣積考太始天
元冊文曰天元冊所以記天真元氣運行之紀也自神農之世鬼臾區十世祖始誦而行之此太古占候靈文
洎乎伏羲之時已鐫諸玉版命曰冊文太古靈文故命曰大始天元冊也○新校正云詳今世有天元玉冊或者以謂即
此大始天元冊文非是靈子象初大虛寥廓肇基化元大虛謂空玄之境真氣之所充神明之官
府也真氣精微無遠不至故能為生化之本始運氣之真元矣肇始也基本也萬物資始五運終天
五運謂木火土金水運也終天謂一歲三百六十五日四分度之一也終始更代周而復始也言五運更統於大虛四時
隨部而遷復六氣分居而異主萬物因之以化生非曰自然其誰能始故曰萬物資始易曰大哉乾元萬物資始乃統天
雲行雨施品物流形孔子曰天何言哉四時行焉百物生焉此其義也布氣真靈總統坤元大虛
真氣無所不至也氣齊生有故稟氣含靈者抱真氣以生焉總統坤元言天元氣常司地氣化生之道也易曰至哉坤元
萬物資生乃順承天也九星懸朗七曜周旋九星上古之時也上古世質人淳歸真返朴九星懸
朗五運齊宣中古道德稍衰標星藏曜故計星之見者七焉九星謂天蓬天內天衝天輔天禽天心天任天柱天英此蓋

循環而參始遁甲式法今猶用焉七曜謂日月五星今外蕃具以此曆為舉動吉凶之信也周謂周天之度旋謂左循天度而行五星之行猶各有進退高下小大矣曰陰曰陽。曰柔曰剛。陰陽天道也柔剛地道也天以陽生陰長地以柔化剛成也易曰立天之道曰陰与陽立地之道曰柔与剛此之謂也幽顯既位寒暑弛張。幽顯既位言人神各得其序寒暑弛張言陰陽不失其宜也人神各守所居無相干犯陰陽不失其序物得其宜天地之道且然人神之理亦猶此也。新校正云按至真要大論云幽明何如岐伯曰兩陰交盡故曰幽兩陽合明故曰明幽明之配寒暑之異也生生化化品物咸章。上生謂生之有情有識之類也下生謂生之無情無識之類也上化謂形容彰顯者也下化謂蔽匿形容者也有情有識彰顯形容天氣主之無情無識蔽匿形質地氣主之稟元靈氣之所化育爾易曰天地絪縕萬物化醇斯之謂歟臣斯十世此之謂也。傳習斯文至鬼臾區十世於茲不敢失墜帝曰善何謂氣有多少形有盛衰鬼臾區曰陰陽之氣各有多少故曰三陰三陽也。由氣有多少故隨其升降分為三別也。新校正云按至真要大論云陰陽之三也何謂岐伯曰氣有多少異用也王注云大陰為正陰大陽為正陽次少者為少陰次少者為少陽又次為陽明又次為厥陰形有盛衰謂五行之治各有大過不及也。大過有餘也不及不足也氣至不足大過迎之氣至大過不足隨之天地之氣虧盈如此故云形有盛衰也故其始

也。有餘而往，不足隨之；不足而往，有餘從之。知迎知隨，氣可

與期。言虛盈無常，互有勝負，亦紹謂甲子歲也。六微旨大論曰：天氣始於甲，地氣始於子，子甲相合，命曰歲立，迎之

謂此則始甲子之歲三百六十五日所稟之氣當不足而推之終六甲也故有餘已則不足不足已則有餘亦有餘歲

運有餘歲不足者義以爲天地之化出者有餘已則有餘少巳

[illegible]大論曰天地之化[illegible]奇疾生矣四季金運臨酉正歲[illegible]

[illegible]木運臨卯火運臨午土運臨四季[illegible]大論云[illegible]

紀上商與正商同上角與正角同上宮與正宮同上商與正商同上角與正角同上宮與正宮同[illegible]

宮同太陰之紀上羽與正羽同上徵與正徵同歲會巳[illegible]正商同[illegible]上宮與正宮同

六元正紀大論云不及而加同歲會巳[illegible]義爲正歲應

氣之所至以今至爲正以同天之化爲非有餘不足者非也

天爲天符，承歲爲歲直，三合爲治。應天謂木運之歲上見厥陰

陰土運之歲上見太陰金運之歲上見陽明水運之歲上見太陽天與運

太陽此五者天氣下降如合符運之歲上見少陰少陽火運之歲上見少陽太陽天爲天符承歲

謂木運之歲歲當亥卯火運之歲歲當寅午土運之歲歲當辰戌丑未金運之歲歲當申子此五者

辰戌丑未金運之歲歲當巳酉水運之歲歲當申子

歲之所直故曰歲直三合謂火運之歲上見少陰年辰臨午土運之歲上見太陰年辰臨丑未金運之

年辰臨午土運之歲上見太陰年辰臨丑未金運之歲上見陽明年辰臨酉此三者天氣運氣與年辰俱會故云三合爲

陽明年辰臨酉此三者天氣運氣與年辰俱會故云三合爲治

治也歲直亦曰歲位三合亦爲天符六微旨大論曰天符歲

會，曰太一天符，謂天運與歲俱會也。新校正云：按天符歲會之詳，具六微旨大論中。又詳火運上少陰，年辰臨午，即戊午歲也。土運上太陰，年辰臨丑未，即己丑、己未歲也。金運上陽明，年辰臨酉，即乙酉歲也。**帝曰：上下相召奈何？鬼臾區曰：寒暑燥濕風火，天之陰陽也，三陰三陽上奉之。**太陽為寒，少陽為暑，陽明為燥，太陰為濕，厥陰為風，少陰為火，皆其元在天，故曰天之陰陽也。**木火土金水火，地之陰陽也，生長化收藏下應之。**木，初氣也；火，二氣也；相火，三氣也；土，四氣也；金，五氣也；水，終氣也。以其在地應天，故云下應也。氣在地，故曰地之陰陽也。新校正云：按六微旨大論曰：地理之應六節氣位何如？岐伯曰：顯明之右，君火之位也。君火之右，退行一步，相火治之；復行一步，土氣治之；復行一步，金氣治之；復行一步，水氣治之；復行一步，木氣治之。此即地之陰陽之義也。**天以陽生陰長，地以陽殺陰藏。**生長者天之道，藏殺者地之道。天陽主生，故以陽生陰長；地陰主殺，故以陽殺陰藏。天地雖高下不同，而各有陰陽之運用也。新校正云：詳此經與陰陽應象大論文重，注頗異。**天有陰陽，地亦有陰陽。木火土金水火，地之陰陽也，生長化收藏。故陽中有陰，陰中有陽。**天有陰故能下降，地有陽故能上騰，是以各有陰陽也。陰陽交泰，故化變由之成也。陰陽之氣，極則過亢，故各兼之。陰陽應象大論曰：寒極生熱，熱極生寒。又曰：重陰必陽，重陽必陰。言氣極則變也。故陽中兼陰，陰中兼陽，易之卦離中虛，坎中

六五天地之中合本此漢書注天引内經故不明了

明當作名

所以欲知天地之陰陽者應天之氣動而不息故五歲而右遷應地之氣靜而守位故六朞而環會

天有六氣地有五位天以六氣臨地地以五位承天蓋以天氣不加君火故也以六加五則五歲而餘一氣故遷一位若以五承六則常六歲乃備盡天元之氣故六年而環會所謂周而復始也地氣左行往而不返天氣東轉常自火運數五歲已其次氣正當君火氣之上法不加臨則右遷君火氣上以臨相火之上故曰五歲而右遷也由斯動靜上下相臨而天地萬物之情變化之道可見矣

動靜相召上下相臨陰陽相錯而變由生也

天地之道變化之微其由是矣孔子曰天地設位而易行乎其中此之謂也又五運行大論云上下相遘寒暑相臨氣相得則和不相得則病又云上者右行下者左行左右周天餘而復會

帝曰上下周紀其有數乎鬼臾區曰天以六爲節地以五爲制周天氣者六朞爲一備終地紀者五歲爲一周

六節謂六氣之分五制謂五位之分位應一歲氣統一年故五歲爲一周六年爲一備備謂備歷天氣周謂周行地位所以地位六而言五者天氣不臨君火故也

君火以明相火以位

君火在相火之右但立名於君位不立歲氣故天之六氣不偶其氣以行君火之政守位而奉天之命以宣行火令爾以名奉天故曰君火以名守位稟命故曰相火以位

五六相合而七百二十氣爲一紀

凡三十歲，千四百四十氣，凡六十歲而爲一周，不及太過，斯皆見矣。歷法一氣十五日，因而乘之，積七百二十氣即三十年，積千四百四十氣即六十年也。經云：有餘而往，不足隨之；不足而往，有餘從之。故六十年中不及太過，斯皆見矣。新校正云：詳六節藏象論云：五日謂之候，三候謂之氣，六氣謂之時，四時謂之歲，而各從其主治焉。五運相襲而皆治之，終期之日，周而復始，時立氣布，如環無端，候亦同法。故曰：不知年之所加，氣之盛衰，虛實之所起，不可以爲工矣。

帝曰：夫子之言，上終天氣，下畢地紀，可謂悉矣。余願聞而藏之，上以治民，下以治身，使百姓昭著，上下和親，德澤下流，子孫無憂，傳之後世，無有終時，可得聞乎？安不忘危，存不忘亡，大聖之至教也。求民之瘼，恤民之隱，大聖之深仁也。

鬼臾區曰：至數之機，迫迮以微，其來可見，其往可追。敬之者昌，慢之者亡。無道行私，必得夭殃。謂傳非其人，授於情押，及寄求名利者也。謹奉天道，請言真要。申誓戒於君主，乃明言天道至真之要旨也。

帝曰：善言始者，必會於終；善言近者，必知其遠。數術明著，應用不差，故遠近於言始終無謬。是則至數極而道不惑，所謂明矣。願夫子推而次之，令有條理，簡而不匱，久而不絕，易

斯

用難忘爲之綱紀至數之要願盡聞之簡省要也匱乏也久遠也要樞紐也鬼
臾區曰昭乎哉問明乎哉道如鼓之應桴響之應聲也桴鼓椎也
響應聲也臣聞之甲己之歲土運統之乙庚之歲金運統之丙辛
之歲水運統之丁壬之歲木運統之戊癸之歲火運統之太始
天地初分之時陰陽析位之際天分五氣地列五行五行定位布政於四方五氣分流散支於十干當是黃帝時黅氣橫於甲己
白氣橫於乙庚黑氣橫於丙辛青氣橫於丁壬赤氣橫於戊癸故甲己應土運乙庚應金運丙辛應水運丁壬應木運戊
癸應火運大古聖人望氣以書天冊賢者謹奉以紀天元下論文義備矣○新校正云詳運有太過不及平氣甲庚丙壬
戊主太過乙辛丁癸己主不及大法如此取平氣之法其說不一具如諸篇帝曰其於三陰三陽
合之奈何鬼臾區曰子午之歲上見少陰丑未之歲上見太
陰寅申之歲上見少陽卯酉之歲上見陽明辰戌之歲上見
太陽巳亥之歲上見厥陰少陰所謂標也厥陰所謂終也標謂
上首也終謂當三甲六甲之終○新校正云詳午未申酉戌亥之歲爲正化正司化令之實子丑寅卯辰巳之歲爲對化
對司化令之虛此其大法也厥陰之上風氣主之少陰之上熱氣主之太

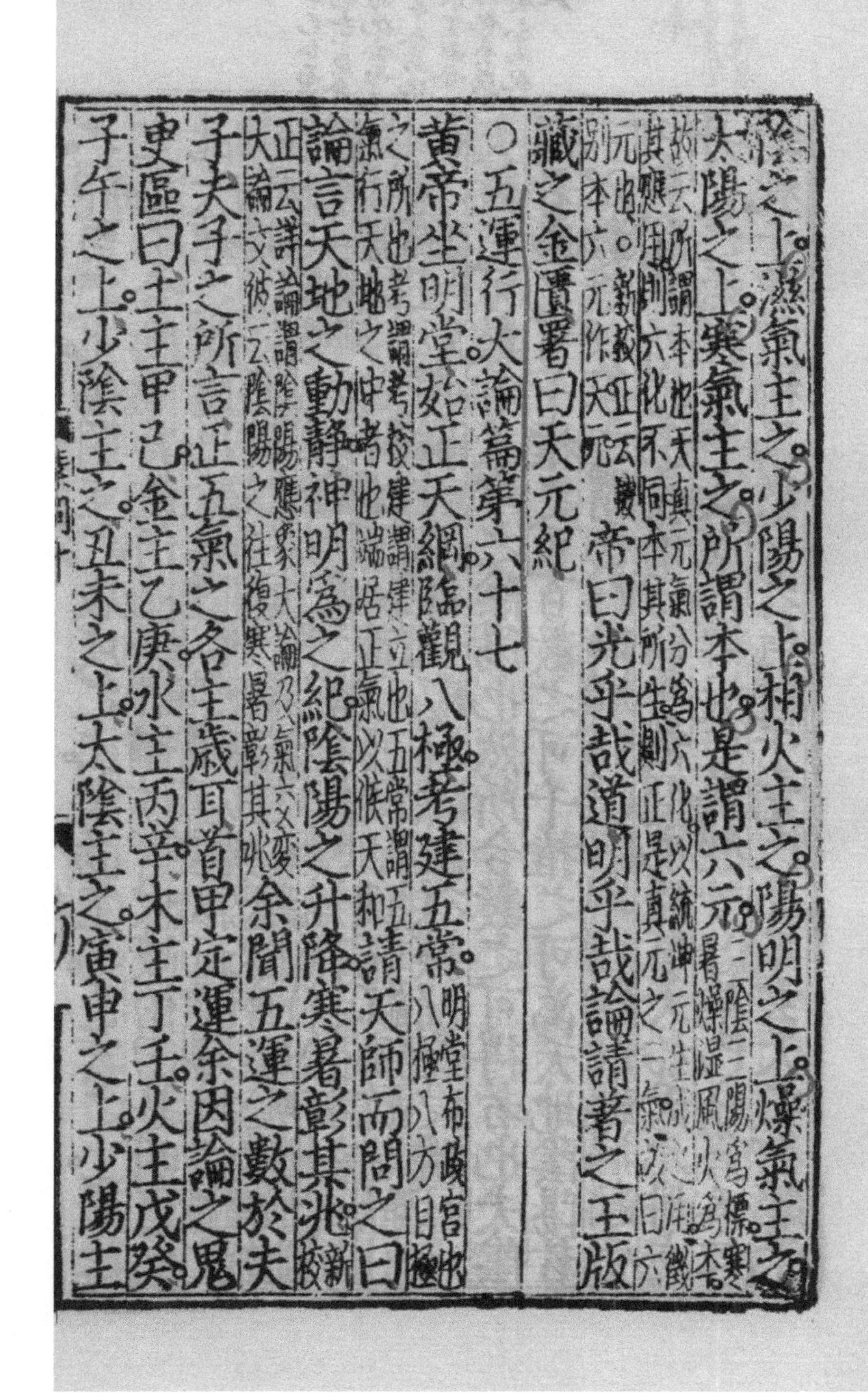

厥陰之上，風氣主之；少陽之上，相火主之；陽明之上，燥氣主之；太陽之上，寒氣主之。所謂本也，是謂六元。（三陰三陽為標，寒暑燥濕風火為本，故云所謂本也。天真元氣分為六化，以統坤元生成之用，徵其應用則六化不同，本其所生則正是真元之一氣，故曰六元也。新校正云：詳別本六元作天元也。）帝曰：光乎哉道！明乎哉論！請著之玉版，藏之金匱，署曰天元紀。

○五運行大論篇第六十七

黃帝坐明堂，始正天綱，臨觀八極，考建五常。（明堂，布政宮也。八極，八方目極之所也。考，謂考校。建，謂建立也。五常，謂五氣行天地之中者也。端居正氣以候天和。）請天師而問之曰：論言天地之動靜，神明為之紀；陰陽之升降，寒暑彰其兆。（新校正云：詳論謂陰陽應象大論及氣交變大論文，彼云：陰陽之往復，寒暑彰其兆。）余聞五運之數於夫子，夫子之所言，正五氣之各主歲耳，首甲定運，余因論之。鬼臾區曰：土主甲己，金主乙庚，水主丙辛，木主丁壬，火主戊癸。子午之上，少陰主之；丑未之上，太陰主之；寅申之上，少陽主

甲己合而化土乙庚合而化金丙辛合而化水丁壬合而化木戊癸合而化火

之。卯酉之上，陽明主之；辰戌之上，太陽主之；巳亥之上，厥陰主之。不合陰陽，其故何也？岐伯曰：是明道也，此天地之陰陽也。上古聖人仰觀天象以正陰陽夫陰陽之道非不昭然而人昧宗元迷其本始則百端疑議從是而生黃帝恐至理真宗便因誣廢愍念黎庶故啓問曰天師知道出從真必非謬述故對上曰是明道也此天地之陰陽中陰陽法曰甲己合乙庚合丙辛合丁壬合戊癸合蓋取聖人仰觀天象之義不然則十干之位各在一方徵其離合事亦象闕嗚呼哀哉百姓日用而不知故大上立言曰吾言甚易知甚易行天下莫能知莫能行此其類也○新校正云詳金主乙庚者乙者庚之柔庚者乙之剛大而言之陰與陽小而言之夫與婦是剛柔之事也餘並如此

夫數之可數者，人中之陰陽也，然所合數之可得者也。夫陰陽者，數之可十，推之可百，數之可千，推之可萬，天地陰陽者，不以數推以象之謂也。言智識褊淺不見源由雖所指彌遠其知彌近得其元始桴鼓非遙帝曰：願聞其所始也。岐伯曰：昭乎哉問也！臣覽太始天元冊文，丹天之氣經于牛女戊分，黅天之氣經于心尾己分，蒼天之氣經于危室柳鬼，素天之氣經于亢氐昴畢，玄天之氣經于

角軫東南
奎壁西北

張翼婁胃。所謂戊己分者。奎壁角軫。則天地之門戶也。戊土屬乾。己土屬巽。遁甲經曰。六戊為天門。六己為地戶。晨暮占雨。以西北東南。義取此。雨為土用。濕氣生之。故此占焉。夫候之所始。道之所生。不可不通也。帝曰。善。論言天地者。萬物之上下。左右者。陰陽之道路。未知其所謂也。論謂天元紀及陰陽應象論也。岐伯曰。所謂上下者。歲上下見陰陽之所在也。左右者。諸上見厥陰。左少陰右大陽。見少陰。左大陰右厥陰。見大陰。左少陽右少陰。見少陽。左陽明右大陰。見陽明。左太陽右少陽。見大陽。左厥陰右陽明。所謂面北而命其位。言其見也。面向北而言之也。上南也。下北也。左西也。右東也。帝曰。何謂下。岐伯曰。厥陰在上則少陽在下。左陽明右大陰。少陰在上則陽明在下。左大陽右少陽。大陰在上則大陽在下。左厥陰右陽明。少陽在上則厥陰在下。左少陰右大陽。陽明在上則少陰在下。左大陰右厥陰。大陽在上則大陰在下。左少陽右少陰。所謂面南而命其位。言其見也。主歲者位在南，故面北而言其左右；在下者位在北，故面南而言其左右也。上，天位也；下，地位也。面南，左東也，右西也；上下異而左右殊也。上下相遘，寒暑相臨，氣相得則和，不相得則病。木火相臨，金水相臨，水木相臨，火土相臨，土金相臨，為相得也。木土相臨，土水相臨，水火相臨，火金相臨，金木相臨，為不相得也。上臨下為順，下臨上為逆，逆亦鬱抑而病生，土臨相火君火之類者也。帝曰：氣相得而病者何也？岐伯曰：以下臨上，不當位也。六位相臨，假令土臨火，火臨木，木臨水，水臨金，金臨土，皆為以下臨上，不當位也。父子之義，子為下，父為上，以子臨父，不亦逆乎。帝曰：動靜何如？岐伯曰：上者右行，下者左行，左右周天，餘而復會也。上，天也。下，地也。周天，謂天周地五行之位也。天垂六氣，地布五行，天順地而左迴，地承天而東轉，木運之後，天氣常餘，餘氣不加，君火卻退一步，加臨相火之上，是以每五歲已，退一位而右遷，故曰左右周天，餘而復會。會，遇也，合也。言天地之道，常五歲畢，則以餘氣遷加，復與五行座位再相會合，而為歲法也。周天，謂天周地位，非周天之六氣也。帝曰：余聞鬼臾區曰：應地者靜。今夫子乃言下者左行，不知其所謂也，願聞何以生之乎？詰異也。岐伯曰：天地動靜，五行遷復，雖鬼臾區其上候而已，猶不能徧明。

西法本於此自漢至明殊憒憒也

[illegible]夫變化之用，天垂象，地成形，七曜緯虛，五行麗地。地者，所以載生成之形類也。虛者，所以列應天之精氣也。形精之動，猶根本之與枝葉也。仰觀其象，雖遠可知也。[illegible]帝曰：地之為下否乎？[illegible]岐伯曰：地為人之下，太虛之中者也。[illegible]帝曰：馮乎？[illegible]岐伯曰：大氣舉之也。[illegible]燥以乾之，暑以蒸之，風以動之，濕以潤之，寒以堅之，火以溫之。故風寒在下，燥熱在上，濕氣在中，火遊行其間，寒暑六入，故令虛而化生也。[illegible]

故燥勝則地乾。暑勝則地熱。風勝則地動。濕勝則地泥。寒勝則地裂。火勝則地固矣。六氣之用。帝曰：天地之氣，何以候之？岐伯曰：天地之氣，勝復之作，不形於診也。言平氣及勝復皆以形證觀察，不以診知也。脉法曰：天地之變，無以脉診。此之謂也。天地以氣不以位，故不當以脉知之。帝曰：間氣何如？岐伯曰：隨氣所在，期於左右。於左右尺寸四部，分位承之，以知應與不應，過與不過。帝曰：期之奈何？岐伯曰：從其氣則和，違其氣則病。謂當沈不沈，當浮不浮，當濇不濇，當鉤不鉤，當弦不弦，當大不大之類也。新校正云：按至真要大論云：厥陰之至其脉弦，少陰之至其脉鉤，太陰之至其脉沈，少陽之至大而浮，陽明之至短而濇，太陽之至大而長。至而和則平，至而甚則病，至而反者病，至而不至者病，未至而至者病，陰陽易者危。不當其位者病，見於他位也。迭移其位者病，謂左見右脉，右見左脉，氣差錯故爾。失守其位者危。已見於他鄉，本宮見賊殺之氣，故病危。尺寸反者死。子午卯酉四歲有之。反謂歲當陰在寸而脉反見於尺，歲當陽在尺而脉反見於寸，尺寸俱乃謂反也。若尺獨然，或寸獨然，是不應氣，非反也。陰陽交者死。寅申巳亥丑未辰戌八年有之。交謂歲當陰在右脉反見左，歲當陽在左脉反見右，左右交見，是謂交。若左獨然，或右獨然，是不應氣，非交也。先立其年。

以知其氣，左右應見，然後乃可以言死生之逆順。經言歲氣備矣。○新校正云：詳此備六元正紀大論中。帝曰：寒暑燥濕風火，在人合之奈何？其於萬物何以生化？合，謂中外相應。生，謂承化而生。化，謂成立眾象也。岐伯曰：東方生風，東者日之初，風者教之始，天之使也，所以發號施令，故生自東方也。景霽山昏，蒼埃際合，崖谷若一，巖岫之風也。黃白昏埃，晚空如堵，獨見天垂，川澤之風也。加以黃黑白埃，承下，山澤之猛風也。風生木，陽升風鼓，草木敷榮，故曰風生木也。此和氣之生化也。若風氣施化，則飄揚敷拆，其為變極，則木拔草除也。運乘丁卯、丁丑、丁亥、丁酉、丁未、丁巳之歲，則風化不足；若乘壬申、壬午、壬辰、壬寅、壬子、壬戌之歲，則風化有餘於萬物也。○新校正云：詳王注以丁壬分運之有餘不足，或者以丁卯、丁亥、丁巳、壬寅為天符、同天符、歲會，有餘不足之不定。○為平木運，以王注為是，不知大論之說必欲細分之，非此不可。下文火土金水運等並同此。木生酸，凡萬物味酸者，皆始發自木氣之生化也。酸生肝，酸味入胃，以生養於肝藏。肝生筋，酸味入肝，自肝藏布化，生成於筋膜也。筋生心，酸氣榮養筋膜畢已，自筋流化，乃入於心。其在天為玄，玄，謂玄冥也。丑之終，東方白；寅之初，天色反黑。太虛皆闇，在天為玄象可見。○新校正云：詳在天為玄至化生氣七句，通言六氣五行生化之大法，非東方獨有之也，而王注玄謂丑之終、寅之時，則專言東方，此注未通。在人為道，正理之道，道生養之政化也。在地為化化化生物也有生化而後有萬物萬物無非化氣以生成者化生五味金玉土石草木菜果根莖枝葉花殼實核無識之類皆地化生也道生智智正知也慮遠也知正則不疑於事慮遠則不涉於危以道處之理符於智聖人[illegible]故經曰因慮而處物謂之智玄生神神用無方深微莫測迹見形隱物鮮能期由是則玄冥之中神明棲據隱而不見玄生神明也[illegible]化生氣飛走蚑行鱗介毛倮羽五類變化內屬五行所謂[illegible]又曰化生氣[illegible]東方有之一也新校正云[illegible]陰陽應象大論及天元紀大論[illegible]

神在天為風[illegible]在地為木[illegible]在體為筋[illegible]束絡[illegible]在氣為柔[illegible]在藏為肝[illegible]其性為暄[illegible]其德為和[illegible]萬物[illegible]其用為動[illegible]其色為蒼[illegible]其化為榮[illegible]

華榮鮮色鮮麗者皆木化之所生也。其蟲毛萬物發生如毛在皮。其

新校正云按氣交變大論云其化生榮新校正云按氣交變大論云其

政為散發散生氣於萬物。新校正云按五常政大論云其政散布木之政散

土不及之氣則殺金之用散布木之容物以散為散之義有六而散之義屬二一散發生散之散早木主氣也二謂散落之

散是金之殺氣所為也。其令宣發陽和之氣舒而散也。其變摧拉摧拔成者也。新校正云按氣交變大論云其變振發

大論云其眚為隕隕墜也大風暴起草泯木墜。新校正云按氣交變大論云其災散落

變振發。其味為酸夫物之化之變而有酸味者皆木氣之所成敗也今東方之野生味多酸。其志為怒

怒直聲也怒所以威物。怒傷肝怒發於肝而反傷肝藏怒物之偏極者自傷也。悲勝怒悲發而怒止勝

之旨也。新校正云詳五志云悲勝怒當為憂。風傷肝亦猶風之折木風生於木而反傷肝自本生也。燥勝風金化

憂蓋憂悲傷意悲傷魂。新校正云按陰陽應象大論云風傷筋。燥勝風則風

反折之用也。燥勝風以燥勝風則寫肝之以

按陰陽應象大論云風傷筋。酸傷筋酸寫肝氣寫甚則傷筋多食酸則筋

盛則怒之於寫酸傷筋寫

肝之用也。新校正云按五常政大論云酸

請所以金之氣也酸走筋筋病無多食酸以此。新校正云詳注云甲乙經云以此為

走筋筋骨氣血肉骨間。新校正云按宣明五氣篇云酸走筋

靈樞經云乙經云。辛勝酸辛金味故勝木之酸辛勝酸也以辛。南方生熱陽盛所生相火

素問陰陽應象大論云

靈樞經云辛勝酸以辛之

其在天為熱大暑之氣若雲明

不散其色氣若熱之氣積雲景下

[illegible]地氣生火。熱甚之氣，火運盛明，故曰熱生火。火者盛陽之生化也。熱氣施化，則炎暑鬱燠，其為變也[illegible]。則熱[illegible]滿[illegible]溫暑[illegible]運秉癸酉、癸未、癸巳、癸卯、癸丑、癸亥歲，則熱化不足；[illegible]秉戊辰、戊寅、戊子、戊午、戊申、戊戌年歲，則熱化有餘。火有君火、相火，故曰火生苦。甘物遇火，體焦則苦，苦從火化，其可徵也。凡物之味苦者，皆始自火之生化也。熱生火，又云火生苦[illegible]以物[illegible]。苦生心。苦物入胃，化入於心，故諸[illegible]歲則苦化多。心生血。苦味自心化已，則布化生血脈。血生脾。苦味營血已，自血流化，生養脾也。其在天為熱，[illegible]化也。炎熱，[illegible]之用也。在上則熱，在下則熱行於地。陽在上則熱化，炎天[illegible]。在地為火，[illegible]明，火之[illegible]。在體為脈，流行血氣，脈之用也。在氣為息，[illegible]火之用也。在藏為心。心形如未敷蓮花，中有九空，以導引天真之氣，神之宇也。其性為暑，暑熱之氣[illegible]。其德為顯，明顯見象[illegible]。其用為躁，火性躁動，不專定也。其色為赤。則心[illegible]受邪[illegible]病[illegible]小腸府亦熱。[illegible]同[illegible]氣交變大論云其德彰顯[illegible]。生化之物，[illegible]火化，[illegible]備[illegible]丹之色，令南方之[illegible]木之上[illegible]兼赤色，[illegible]則赤色[illegible]黑及白也。其化為茂。茂，蕃盛也。新校正云：按氣交變大論云其化蕃茂。其蟲羽。[illegible]象火之[illegible]。其政為明。明，曜也[illegible]火之政[illegible]新校正云：按[illegible]

火之明明于外水之明明于內明雖同而實異也。其令鬱蒸。鬱盛也蒸熱也言盛熱氣如炎蒸也○新校正云詳注
謂鬱為盛其義未安按王注五常政大論云鬱謂鬱燠不舒暢也當如此解也。其變炎爍。熱甚炎赫爍石
流金火之極變也○新校正云按氣交變大論云其變銷爍。其眚燔焫。燔焫山川旋及屋宇火之災也○新
校正云按氣交變大論云其災燔焫眚所景反。其味為苦。物之化之變而有苦味者皆火氣之所合散也今南
方之野生物多矣。其志為喜。喜悅樂也悅以和志。喜傷心。言其過也喜發於心而反傷心亦由風之
折木也○過則氣竭故見傷也○恐勝喜。恐至則喜樂皆泯勝喜之理目擊道存恐則水之氣也○熱傷氣。
天熱則氣伏不見人熱則氣促喘急熱之傷氣理亦可徵此皆謂大熱也小熱之氣猶生諸氣也陰陽應象大論云壯火
散氣少火生氣此其義也○寒勝熱。寒勝則熱退陰盛則陽衰制熱以寒是求勝也。苦傷氣。大凡如此亦苦
之傷氣以其燥也若加以熱則傷尤甚也何以明之飲酒氣促多則喘急此其信也苦寒之物偏服歲久以益火滋甚亦傷
氣也暫以方治乃同少火反生氣也○新校正云詳此論所傷之旨有三東方曰風傷筋酸傷筋中央曰濕傷肉甘傷脾
西方曰辛傷皮毛是自傷者也○南方曰熱傷氣苦傷氣北方曰寒傷血鹹傷血是傷己所勝也○西方曰熱傷皮毛是被勝
傷己也○凡此五方所傷之例有三若大素則俱云自傷焉○鹹勝苦。酒得鹽而解物理昭然火苦之勝制以水鹹
中央生濕。中央土也高山土濕泉出地中水源山隈雲生岩谷則其象也夫性內蘊動而為用則雨降雲騰中

央生濕[illegible]不遠信矣故歷候記土潤溽暑於六月謂是也[illegible]音辱濕生土。濕氣內蘊土体乃全濕則土生乾則土死
死則庶類凋喪生則万物滋榮此濕氣之化尔濕氣施化則土宅而雲騰雨降其爲變極則驟注土崩也運乘己巳己卯
己丑己亥己酉己未之歲則濕化不足乘甲子甲戌甲申甲午甲辰甲寅之歲則濕化有餘也土生甘物之味甘
者皆始自土之生化也甘生脾甘物入胃先入於脾故諸己歲則甘少化諸甲歲甘多化脾生肉甘味
入脾自脾藏布化長生肌肉肉生肺甘氣營肉已自肉流此乃生養肺藏也其在天爲濕言神
化也柔潤重澤濕之化也埃霧雲雨濕之用也歲[illegible]屬太陰在上則濕化於天太陰在下則濕化於地在地爲土
敦靜安鎮聚散復形群品以生土之体也含[illegible]光暨[illegible]靜而下民爲變化母土之德也。新校正云詳注云靜而下民爲上
之德下民之義然字誤也在體爲肉覆裹筋骨氣發其間肉之用也脉密不時中外否閉肉之動也在氣
爲充土氣施化則万象盈在藏爲脾形象馬蹄内包胃脘象土形也經絡之氣交歸於中以營運眞靈之
氣意之舍也爲倉廩之官化物出焉乘己歲則脾及經絡受邪而爲病。新校正云詳肝心肺腎四藏注各言府同獨此
注不言胃府同者闕文也其性靜兼兼諸四氣寒熱暄凉之氣也白虎通[illegible]之爲言并也謂四氣并之也其
德爲濡[illegible][illegible]澤土之德也。新校正云按氣交變大論云其德溽蒸其用爲化化謂兼諸四化并已
爲五化所謂風化熱化燥化濕化寒化因万物而爲生長化成收藏也其色爲黃物乘土化則表見於黃之色也

中央之地草木之上皆兼黄色秉己藏則黄色之物兼[illegible]玄黑[illegible]音令其化為盈盈滿也土化所及則万物盈滿〇新校正云按氣交變大論云其化豐備其蟲倮倮露皮革无毛介也其政為謐謐靜也土性安靜〇新校正云按氣交變大論云其政安靜詳土之政謐水大過其政謐者蓋水大過而土下承之故其政亦謐其令雲雨濕氣布化之所成其變動注動反靜也地之動則土失性風搖不安注雨久下也久則垣岸復為土矣〇新校正云按氣交變大論云其變驟注其眚淫潰淫久雨也潰土崩潰也〇新校正云按氣交變大論云其災霖潰其味為甘物之化之變而有甘味者皆土化之所[illegible]生也今中原之地故物味多甘淡其志為思思以成務〇新校正云按靈樞經曰因志而存變謂之思思傷脾思勞於智過則傷脾怒勝思怒則不思忿而忘禍則勝可知矣思甚不解以怒制之調性之道也濕傷肉濕甚為水水盈則腫水下去已形肉已消[illegible]肉之驗近可知矣風勝濕風木氣故勝土濕濕甚則制之以風甘傷脾過節也〇新校正云按陰陽應象大論云甘傷肉酸勝甘甘餘則制之以酸所以救脾氣也西方生燥陽氣已降陰氣復升氣爽風勁故生燥也夫岩谷青埃川源蒼翠煙浮草木遠望氤氳此金氣所生燥之化也夜起白朦輕如微霧遐邇一色星月皎如此万物陰成亦金氣所生白露之氣也太虛埃昏氣鬱黄黑視不見遠无風自行從陰之陽如雲如霧此殺氣也亦金氣所生霜之氣也山谷川澤濁昏如霧氣鬱蓬勃慘然戚然咫尺不分此殺氣將用亦金氣所生運之

氣也大雨大霽和氣西起雲卷陽曜大霽郊清燥生西方義
可徵也若西風大起木偃雲騰是為燥與溼爭氣不勝也故
當復雨然西方雨晴天之常氣假有東風雨止必有西風復
雨因雨而乃自晴觀是之為則氣有往復動有燥溼變化之
象不同其用矣由此則天地之氣以和為燥生金鳴聲遠燥生
為驟暴發奔驟氣所不勝則多為復也燥氣勁風切金
之信視所可知此則燥化能令萬物堅定也燥之施化於物
如是其為變極則天地悽慘肅殺氣行人悉畏之草木凋落
運乘乙丑乙卯乙巳乙未乙酉乙亥之歲則燥化不足乘庚
子庚寅庚辰庚午庚申庚戌歲則燥化有餘歲氣不同生化
異也金生辛物之有辛味者皆始自金化之所成辛生肺辛物入胃先入於肺故諸乙
歲則辛少化諸庚歲則辛多化。辛生皮毛辛味入肺自肺藏布化生養皮毛也皮毛生腎辛氣自入皮毛乃流化生
氣入腎其在天為燥燥化也霧露清勁燥之化也肅殺凋零燥之用也歲屬陽明在上則燥化於天
藏也陽明在下則燥行於地在地為金從革堅剛金之體也鋒刃銛利金之用也
在體為皮毛柔韌包裹皮毛之體也滋潤津液皮毛之用也在氣為成物乘金化則堅成
藏為肺肺之形似人肩二布葉數小葉中有二十四空行列以分布諸藏清濁之氣主藏魄也為相傳之官治節
出焉乘乙歲則肺與大腸氣不足其性為涼涼清也肺
邪而為病也大腸亦然其德為清
金以清宗為德化○新校正云其用為固固堅定也
燥氣交變大論云其德清潔其色為白

物乘金化則表彰縞素之色今西方之野草木之上色皆兼白乙庚之歲則白色之物兼赤及蒼也 其化為斂 金化流行則物體堅斂○新校正云按氣交變大論云其化緊斂詳金之化為斂而木不及之年所勝者盛故斂也 其蟲介 介甲也外被介甲金堅之象也 其政為勁 勁前銳也○新校正云按氣交變大論云其政勁切 其令霧露 涼氣化生 其變肅殺 天地慘悽人所不喜則其氣也 其眚蒼落 青乾而凋落 其味為辛 夫物之化之變而有辛味者皆金氣之所離合也今西方之野草木多辛 其志為憂 憂深慮也○新校正云詳王注以憂為思有害於義本論思為脾之志憂為肺之志是憂非思明矣又靈樞經曰愁憂則閉塞而不行又云愁憂而不解則傷意若是則憂者愁也非思也 憂傷肺 愁憂則氣閉塞而不行肺藏氣故憂傷肺 喜勝憂 神發則喜故喜勝憂 熱傷皮毛 火有二別故此再舉熱傷之形證也火氣薄爍則物焦乾故熱氣盛則皮毛傷也 寒勝熱 以陰消陽故寒勝熱○新校正云按太素作燥傷皮毛熱勝燥 辛傷皮毛 過而招損 苦勝辛 苦火味故勝金之辛 北方生寒 陽氣伏陰氣升政布而大行故寒生也太虛澄淨黑氣浮空天色黯然高空之寒氣也若氣似散麻本末皆黑微見川澤之寒氣也太虛清白空猶雪映遐邇一色山谷之寒氣也太虛白昏火明不翳如霧雨氣遐邇肅然北望色玄凝霧夜落此水氣所生寒之化也太虛凝陰白埃昏翳天地一色遠視不分此寒濕凝結雪之將至也 寒生水 陰氣凝結太虛盛寒故寒生水水數一成數六…

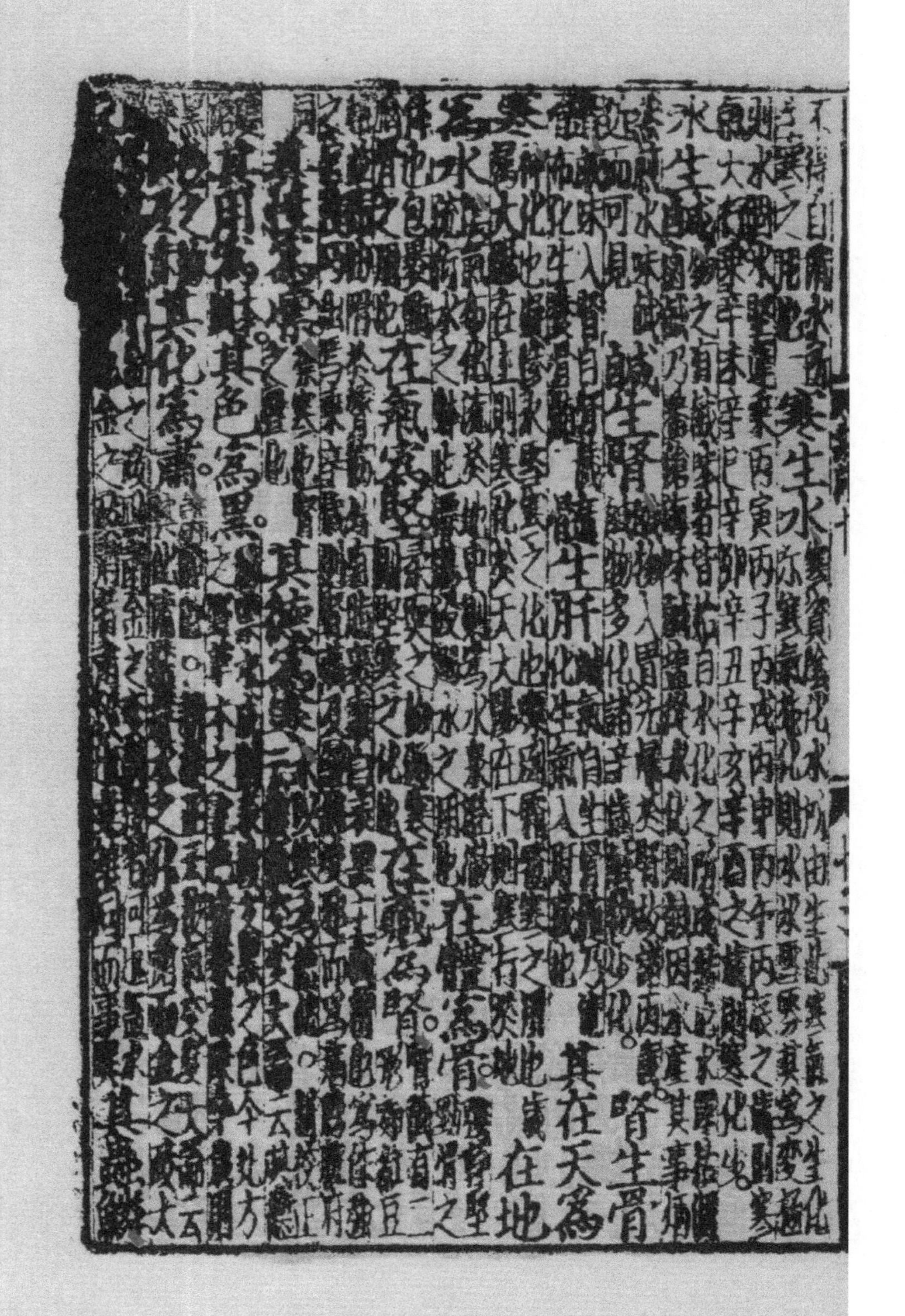

則

鱗謂魚蛇之族類。**其政為靜**水性澄澈而清淨。新校正云：按土之政安靜，土太過之政亦為靜，土不及之政亦為靜定。水土異而靜同者，非同也。水之靜清淨也，土之靜安靜也。**其令**本闕。**其變凝冽**寒甚，故致是。新校正云：按氣交變大論云：其變凓冽。**其眚冰雹**非時而有，及暴過也。新校正云：按氣交變大論云：其眚冰雪霜雹。**其味為鹹**鹹，味之化也。**其志為恐**恐以遠禍。**恐傷腎**恐甚動中，則傷腎。靈樞經曰：恐懼而不解則傷精，精傷則腎藏精，故恐傷腎也。**思勝恐**思見禍機，故無憂恐。思一作憂，非也。**寒傷血**寒則血凝，故傷血也。**燥勝寒**燥熱則勝寒，燥用則物堅，燥與寒兼。天地之化，物理之常也。**鹹傷血**味過於鹹，則咽乾引飲，傷血之義斷可知乎。**甘勝鹹**甘為土味，故勝水鹹。新校正云：詳自上岐伯曰至此，與陰陽應象大論同，小有增損，而注頗異。**五氣更立，各有所先，**當其歲時，氣乃先也。**非其位則邪，當其位則正。**先立運，然後知非位與當位者也。**帝曰：病之生變何如？岐伯曰：氣相得則微，不相得則甚。**木居火位，火居土位，土居金位，金居水位，水居木位，木居君位，如是者為相得。又木居水位，水居金位，金居土位，土居火位，火居木位，如是者雖為相得，終以子僭居父母之位，下陵其上，猶為小逆也。木居金位，金居火位，火居水位，水居土位，土居木位，如是者為不相得。故[illegible]也。臣[illegible]先立其[illegible]氣，[illegible]司天之則氣[illegible]之，所在[illegible]得，得[illegible]得何如矣。氣。帝曰：主歲何如？岐伯曰：氣有餘，則制己所勝而侮所不勝；其不及，則己所不勝侮而乘之，己所勝輕而侮之。木餘則制土，輕忽於金，以金氣不爭，故木恃其餘而欺侮也。又木少金勝，土反侮木，以木不及，故土妄凌之也。四氣率同。侮，謂侮慢而凌忽之也。侮反受邪，或以己強盛，或遇彼衰微，不度卑弱，妄行凌忽，雖侮而求勝，故終必受邪。侮而受邪，寡於畏也。受邪各謂受己不勝之邪也。然舍己宮觀，適他鄉邦，外強中乾，邪盛真弱，寡於敬畏，由是納邪，故曰寡於畏也。新校正云：按六微旨大論云：未至而至，此謂太過，則薄所不勝而乘所勝也，命曰氣淫；至而不至，此謂不及，則所勝妄行，而所生受病，所不勝薄之也，命曰氣迫。即此之義也。帝曰：善。

○六微旨大論篇第六十八

黃帝問曰：嗚呼遠哉！天之道也，如迎浮雲，若視深淵，深淵靜瑩而澄澈，故視之可測其深淺；浮雲飄泊而合散，故迎之莫詣其邊際。視深淵尚可測，迎浮雲莫知其極。謂其[illegible]言蒼天之象，如淵可觀，[illegible]分[illegible]化之道，如雲莫[illegible]其法[illegible]六氣[illegible]其於遷化，當[illegible]矣。新校正云：詳[illegible]文與[illegible]論重。夫子數言謹奉天道，余聞而藏之，心私異之，不知其所謂也？願夫子溢志盡言其事，令終不滅，久而不絕，天之道可得聞乎？（運化生成之道也。）岐伯稽首再拜對曰：明乎哉問天之道也！此因天之序，盛衰之時也。帝曰：願聞天道六六之節盛衰何也？（六六之節，經已啓問，天師未敷其旨，故重問之。）岐伯曰：上下有位，左右有紀。（上下，謂司天地之氣二也。餘左右四氣，在歲之左右也。）故少陽之右，陽明治之；陽明之右，太陽治之；太陽之右，厥陰治之；厥陰之右，少陰治之；少陰之右，太陰治之；太陰之右，少陽治之。此所謂氣之標，蓋南面而待之也。（標，末也。聖人南面而立，以閱氣之至也。）故曰：因天之序，盛衰之時，移光定位，正立而待之。此之謂也。（移光，謂日移光。定位，謂面南觀氣，正立觀歲，數氣之至，則氣可待之也。）少陽之上，火氣治之，中見厥陰；（少陽南方火，故上見火氣治之。與厥陰合，故中見厥陰也。）陽明之上，燥氣治之，中見太陰；（陽明西方金，故上燥氣治之。與太陰合，故燥氣之下，中見太陰也。）太陽之上，寒氣治之，中見少陰；（太陽北方水，故上寒氣治之。與少陰合，故寒氣之下，中見少陰也。六元正紀大論云：太陽所至為寒生，中為溫。與此義同。）厥陰之

風氣治之中見少陽少陰之上熱氣治之中見太陽太陰之上濕氣治之中見陽明所謂本也本之下中之見也見之下氣之標也本標不同氣應異象帝曰其有至而至有至而不至有至而太過何也岐伯曰至而至者和至而不至來氣不及也未至而至來氣有餘也

[illegible]時後至，後時先至，各差十三日而應也。新校正云：按金匱要略云：有未至而至，有至而不至，有至而不去，有至而太過。冬至之後得甲子，夜半少陽起，少陰之時陽始生，天得溫和。以未得甲子，天因溫和，此為未至而至也。以得甲子而天未溫和，此為至而不至也。以得甲子而天大寒不解，此為至而不去也。以得甲子而天溫如盛夏時，此為至而太過。此亦論氣應之一端也。

帝曰：至而不至，未至而至何如？言大過不及歲，當至晚至早之時應也。

岐伯曰：應則順，否則逆，逆則變生，變則病。當期為應，愆時為否。天地之氣，生化不息，無止礙也。不應有而有，應有而不有，是造化之氣失常，失常則氣變，變常則氣血紛撓而為病也。天地變而失常，則萬物皆病。

帝曰：善。請言其應。岐伯曰：物生其應也，氣脉其應也。物之生榮有常時，脉之至有常期，有餘歲早，不及歲晚，皆依時至也。

帝曰：善。願聞地理之應六節氣位何如？岐伯曰：顯明之右，君火之位也。君火之右，退行一步，相火治之。日出謂之顯明，則卯地氣分春也。自春分後六十日有奇，斗建卯正至于巳正，君火位也。自斗建巳正至未之中，三之氣分，相火治之，所謂少陽也。君火之位，所謂少陰熱之分也。天度至此，暄淑大行，居熱之分，不行炎暑，君之德也。少陽居之為僭逆，大熱早行，疫癘乃生。陽明居之為溫涼不時。太陽居之為寒雨間熱。厥陰居之為風濕，雨生羽蟲。少陰居之為天下疵疫，以其得位，君令宣行故也。太陰居之為時雨。火有二位，故以君火為六氣之始也。

火關夏至日前後各三十日。自小滿之分。火之位。至大暑之分至此炎熱大行。少陽居之。為熱暑至草萎河乾。炎亢濕化晚布。陽明居之。為寒氣間發。大陽居之。為寒氣間至。熱爭冰雹。厥陰居之。為風熱大行。雨生羽蟲。少陰居之。為大暑炎亢。大陰居之。為雲雨雷雹。晨雷南面視之。在北之右。○凡一步六十日八十七刻半。餘氣同法。復行一步。土氣治之。○雨之分也。即秋分前六十日而有奇。斗建未正至酉之中。四之氣也。天度至此。雲雨大行。濕蒸乃作。少陽居之。為炎熱沸騰。雲雨雷雹。陽明居之。為清雨霧露。大陽居之。為寒風雨害物。厥陰居之。為暴風雨摧拉。雨生倮蟲。少陰居之。為寒熱氣反用。山澤浮雲。暴雨溽蒸。大陰居之。為大雨霪注。雷雹。復行一步。金氣治之。○燥之分也。即秋分後六十日而有奇。自斗建酉正至亥之中。五之氣也。天度至此。萬物皆燥。少陽居之。為溫清更正。萬物乃榮。陽明居之。為大涼燥疾。大陽居之。為早寒。厥陰居之。為涼風大行。雨生介蟲。少陰居之。為秋濕熱病時行。大陰居之。為時雨寒霧。復行一步。水氣治之。○寒之分也。即冬至日前後各三十日。自斗建亥正至丑之中。六之氣也。天度至此。寒氣大行。少陽居之。為冬溫蟄蟲不藏。流水不冰。陽明居之。為燥寒勁切。大陽居之。為大寒凝冽。厥陰居之。為寒風飄揚。雨生鱗蟲。少陰居之。為蟄蟲出見。流水不冰。大陰居之。為凝陰寒雪。地氣濕潤。復行一步。木氣治之。○風之分也。即春分前六十日而有奇。自斗建丑正至卯之中。初之氣也。天度至此。風氣乃行。天地神明號令之始也。天之使也。少陽居之。為溫疫至。陽明居之。為清風霧露朦昧。大陽居之。為寒風切冽。霜雪水冰。厥陰居之。為大風發榮

火氣承金
為草卦

[illegible]也少陰居之為熱風傷人時氣流行太陰居之為風雨凝陰不散

復行一步君火治之

[illegible]分也即春分始也自斗建卯正至巳之中二之氣也凡此六位終統一年六六三百六十日六八四百八十刻六七四十二刻其餘半刻分而為三約終三百六十五日度也餘奇細分率之可也

相火之下水氣承之

熱盛水承條蔓柔弱湊潤衍溢水象可見○新校正云按六元正紀大論云少陽所至為火生終為蒸溽則水承之義可見又云少陽所至為飄風燔燎霜凝亦下承之水氣也

水位之下土氣承之

寒甚物堅水冰流溢土象斯見承下明矣○新校正云按六元正紀大論云太陽所至為寒雪冰雹白埃則土氣承之之義也

土位之下風氣承之

疾風之後時雨乃零是則濕為風吹化而為雨○新校正云按六元正紀大論云太陰所至為濕生終為注雨則土位之下風氣承之而為雨也又云太陰所至為雷霆驟注烈風則風承之之義也

風位之下金氣承之

風動氣清萬物皆燥金承木下其象昭然○新校正云按六元正紀大論云厥陰所至為風生終為肅則金承之義可見又云厥陰所至為飄怒大涼亦金承之義也

金位之下火氣承之

鍛金生熱則火流金乘火之上理無違也○新校正云按六元正紀大論云陽明所至為散落溫則火乘之義也

君火之下陰精承之

君火之位大熱不行蓋為陰精制承其下也諸以所勝之氣乘於下者皆折其標盛此天地造化之大體爾○新校正云按六元正紀大論云少陰所至為熱生中為寒則陰承之義可知又云少陰所至為大暄寒亦其義

也。又六元正紀大論云：水發而雹雪，土發而飄驟，木發而毀折，金發而清明，火發而曛昧，何氣使然？曰：氣有多少，發有微甚，微者當其氣，甚者兼其下，徵其下氣而見可知也。又所謂徵其下者，即六承氣也。帝曰：何也？岐伯曰：亢則害，承乃制，制則生化，外列盛衰，害則敗亂，生化大病。亢，過極也。物惡其極。帝曰：盛衰何如？岐伯曰：非其位則邪，當其位則正，邪則變甚，正則微。帝曰：何謂當位？岐伯曰：木運臨卯，火運臨午，土運臨四季，金運臨酉，水運臨子，所謂歲會，氣之平也。非太過，非不及，是謂平運主歲也。平歲之氣，物生脈應，皆必合期，無先後也。新校正云：詳木運臨卯，丁卯歲也；火運臨午，戊午歲也；土運臨四季，甲辰、甲戌、己丑、己未歲也；金運臨酉，乙酉歲也；水運臨子，丙子歲也。内戊午、己丑、己未、乙酉，又為太一天符。帝曰：非位何如？岐伯曰：歲不與會也。不與本辰相逢會也。帝曰：土運之歲，上見太陰；火運之歲，上見少陽、少陰；少陰少陽皆火氣。金運之歲，上見陽明；木運之歲，上見厥陰；水運之歲，上見太陽，奈何？岐伯曰：天之與會也。天氣與運氣相逢會也。新校正云：詳土運之歲，上見太陰，己丑、己未也；火運之歲，上見少陽，戊寅、戊申也；上見少陰，戊子、戊午也；金運之歲，上見陽明，乙卯、乙酉也；木運之歲，上見厥陰，丁巳、丁亥也；

水運之歲上見太陽。丙辰丙戌也。內己酉己未戊午乙酉又為太一天符。按六元正紀大論云太過而同天化者三。不及而同天化者亦三。戊子戊午太徵上臨少陰。戊寅戊申太徵上臨少陽。丙辰丙戌太羽上臨太陽。如是者三。丁巳丁亥少角上臨厥陰。乙卯乙酉少商上臨陽明。己丑己未少宮上臨太陰。如是者三。臨者太過不及皆曰天符也。故天元冊曰天符。天符歲會何如。岐伯曰。大一天符之會也。是謂三合。一者天會。二者歲會。三者運會也。天元紀大論曰三合為治。此之謂也。新校正云。按大一天符之詳具天元紀大論注中。

帝曰。其貴賤何如。岐伯曰。天符為執法。歲位為行令。大一天符為貴人。執法猶相輔。行令猶方伯。貴人猶君主。帝曰。邪之中也奈何。岐伯曰。中執法者。其病速而危。執法官人之繩准。自為邪僻。故病速而危。中行令者。其病徐而持。方伯無執法之權。故無速害。病但執持而已。中貴人者。其病暴而死。義無凌犯。故病則暴而死。帝曰。位之易也何如。岐伯曰。君位臣則順。臣位君則逆。逆則其病近。其害速。順則其病遠。其害微。所謂二火也。相火居君火。是臣居君位。故逆也。君火居相火。是君居臣位。君臨臣位。故順也。遠謂里遠。近謂里近也。帝曰善。願聞其步何如。岐伯曰。所謂步者。六十度而有奇。奇謂八十七刻又十

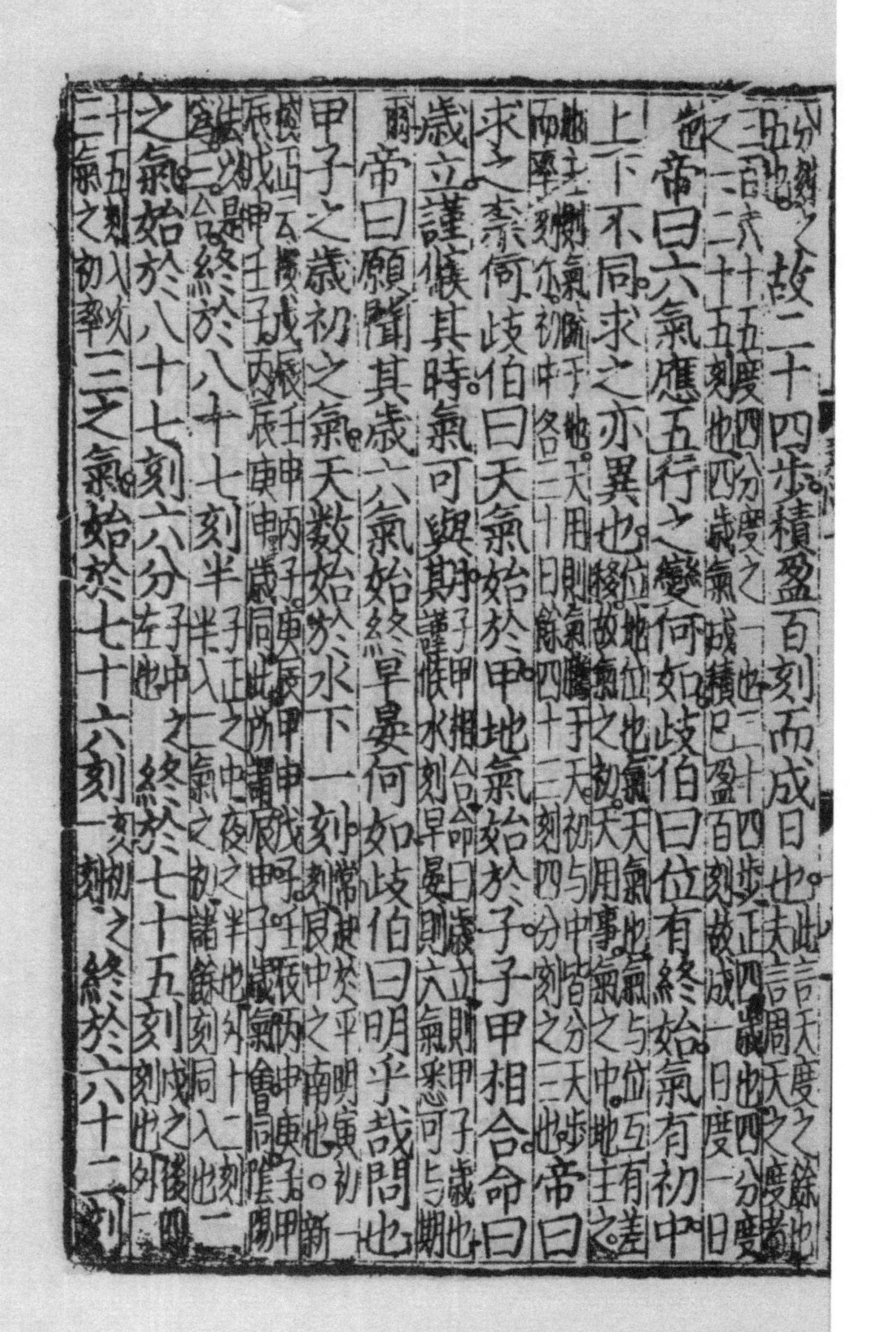

六分刻之五也。故二十四步積盈百刻而成日也。此言天度之餘也。夫言周天之度者，三百六十五度四分度之一也。二十四步，正四歲也。四分度之一，二十五刻也。四歲氣乘積已盈百刻，故成一日。度，一日也。

[illegible]帝曰：六氣應五行之變何如？岐伯曰：位有終始，氣有初中，上下不同，求之亦異也。位，地位也。氣，天氣也。氣與位互有差移，故氣之初，天用事；氣之中，地主之。地主之則氣流於地也，天用則氣騰於天。初與中皆分天步而率刻尔。初中各三十日餘四十三刻四分刻之三也。

帝曰：求之奈何？岐伯曰：天氣始於甲，地氣始於子，子甲相合，命曰歲立，謹候其時，氣可與期。子甲相合，命曰歲立，則甲子歲也。謹候水刻早晏，則六氣悉可與期。

[illegible]帝曰：願聞其歲，六氣始終，早晏何如？岐伯曰：明乎哉問也！甲子之歲，初之氣，天數始於水下一刻，常起於平明寅初一刻，艮中之南也。新校正云[illegible]戊辰、壬申、丙子、庚辰、甲申、戊子、壬辰、丙申、庚子、甲辰、戊申、壬子、丙辰、庚申歲同，此所謂辰申子歲氣會同，陰陽法[illegible]以是為三合。終於八十七刻半。子正之中，夜之半也。外十二刻半，入二氣之初，諸餘刻同入也。

二之氣，始於八十七刻六分，子中之左也。終於七十五刻。戌之後四刻也。外一十五刻入三氣之初率。

三之氣，始於七十六刻，刻一刻初之終於六十二刻

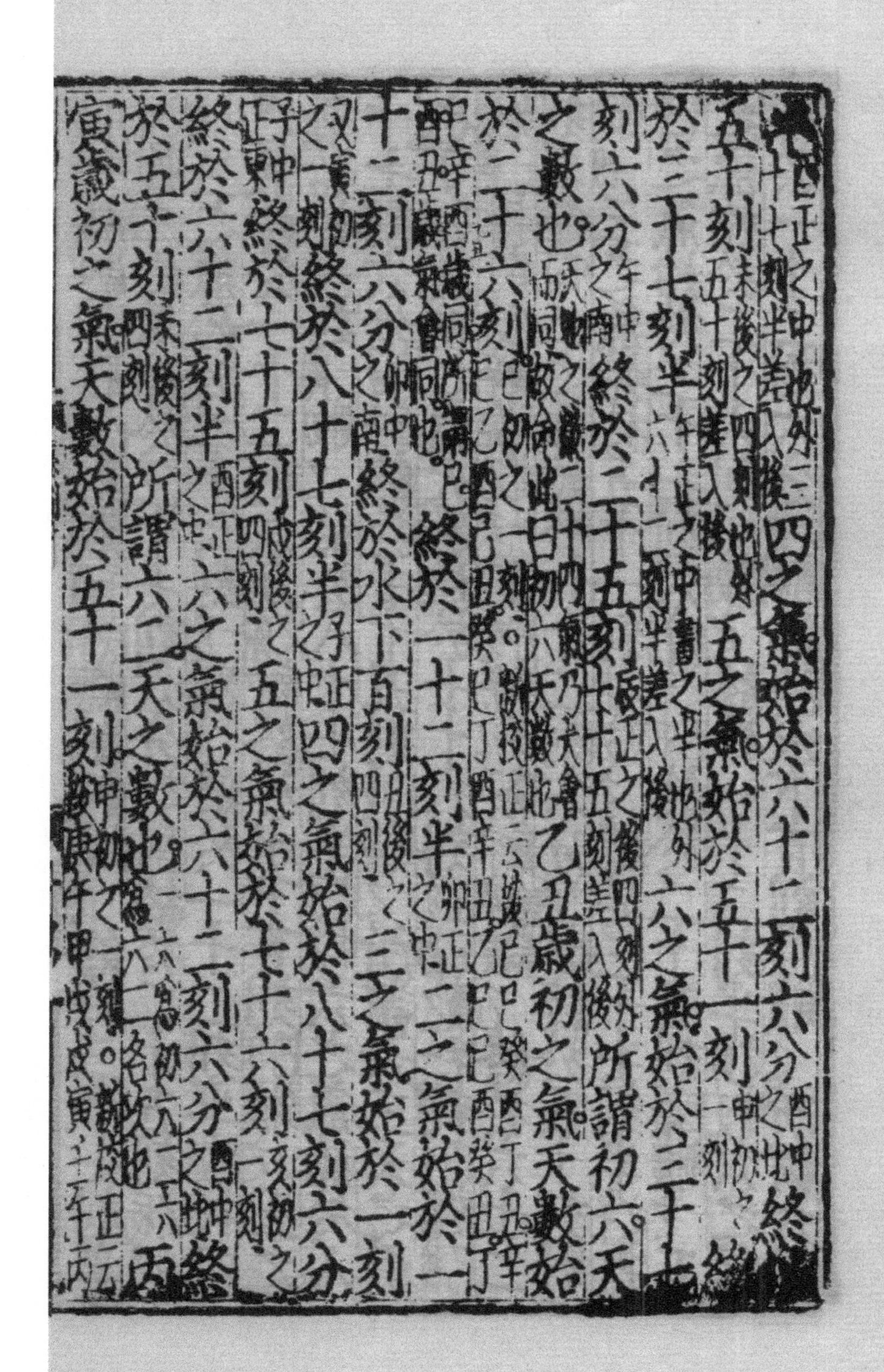

（酉正之中也外三十七刻半差入後）四之氣始於六十二刻六分（酉中之北）終於五十刻（未後之四刻也外五十刻差入後）五之氣始於五十一刻（申初之一刻）終於三十七刻半（午正之中也外六十二刻半差入後）六之氣始於三十七刻六分（午中之南）終於二十五刻（辰正之後四刻外七十五刻差入後）所謂初六天之數也（天地之數二十四氣乃大會而同故命此曰初六天數也）乙丑歲初之氣天數始於二十六刻（巳初之一刻。數起正二云…乙丑己巳癸酉丁丑辛巳乙酉己丑癸巳丁酉辛丑乙巳己酉癸丑丁巳辛酉歲氣會同所謂已）終於一十二刻半（卯正之中）二之氣始於一十二刻六分（卯中之南）終於水下百刻（丑後之四刻）三之氣始於一刻（寅初之一刻）終於八十七刻半（子正之中）四之氣始於八十七刻六分（子中之南）終於七十五刻（戌後之四刻）五之氣始於七十六刻（亥初之一刻）終於六十二刻半（酉正之中）六之氣始於六十二刻六分（酉中之北）終於五十刻（未後之四刻）所謂六二天之數也（…六二…各也此）丙寅歲初之氣天數始於五十一刻（申初之一刻。數起丑正二云…丙寅庚午甲戌戊寅壬午丙…）

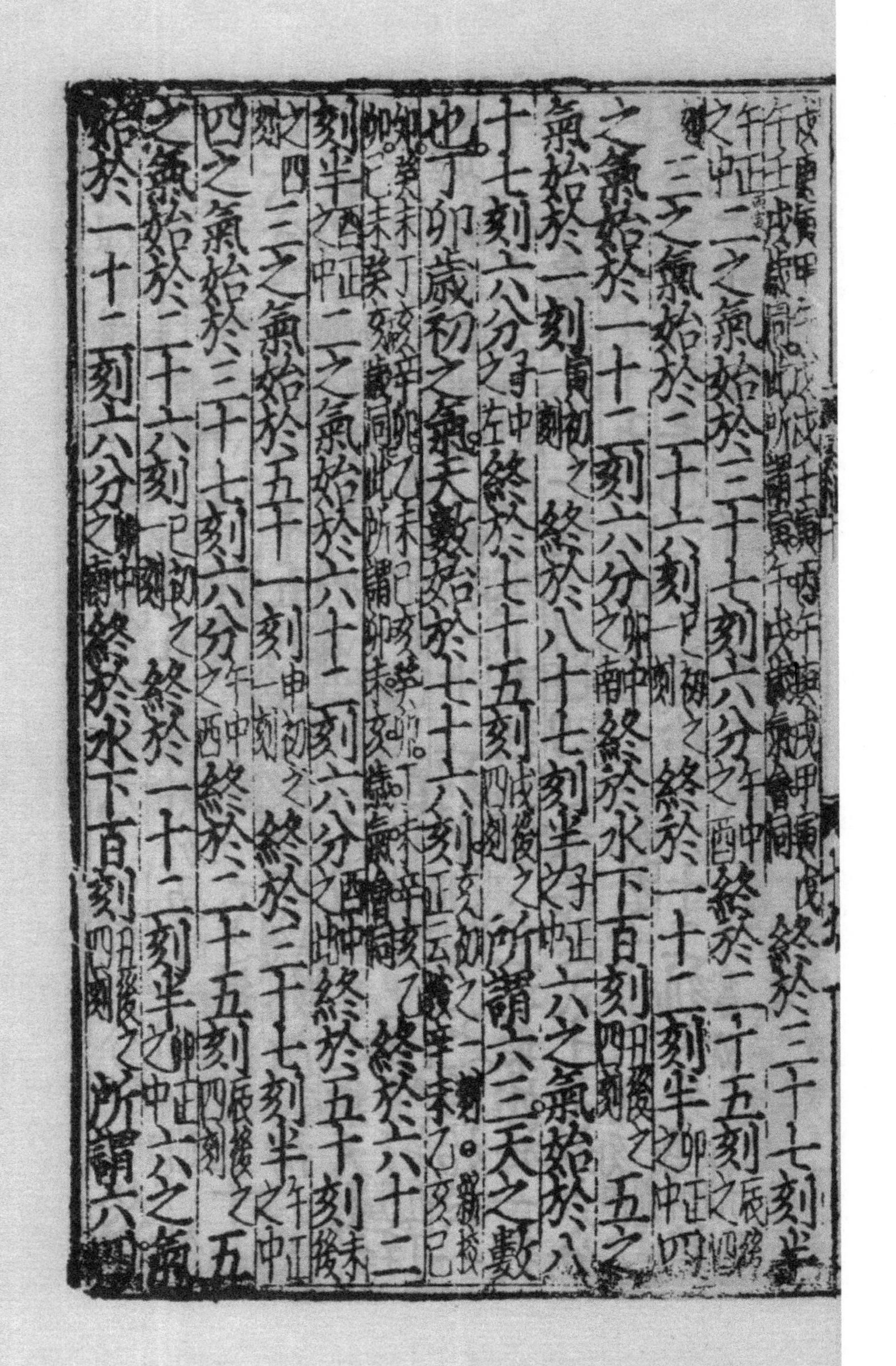

戊寅壬午丙戌庚寅甲午戊戌壬寅丙午庚戌甲寅戊午壬戌歲同此所謂寅午戌歲氣會同終於三十七刻半午正之中二之氣始於三十七刻六分午中之酉終於二十五刻辰後之四刻三之氣始於二十六刻巳初之一刻終於一十二刻半卯正之中四之氣始於一十二刻六分卯中之南終於水下百刻丑後之四刻五之氣始於一刻寅初之一刻終於八十七刻半子正之中六之氣始於八十七刻六分子中之左終於七十五刻戌後之四刻所謂六三天之數也。丁卯歲初之氣，天數始於七十六刻亥初之一刻。新校正云：詳辛未乙亥己卯癸未丁亥辛卯乙未己亥癸卯丁未辛亥乙卯己未癸亥歲同此所謂卯未亥歲氣會同終於六十二刻半酉正之中二之氣始於六十二刻六分酉中之北終於五十刻未後之四刻三之氣始於五十一刻申初之一刻終於三十七刻半午正之中四之氣始於三十七刻六分午中之酉終於二十五刻辰後之四刻五之氣始於二十六刻巳初之一刻終於一十二刻半卯正之中六之氣始於一十二刻六分卯中之南終於水下百刻丑後之四刻所謂六四

天之數也。次戊辰歲，初之氣復始於一刻，常如是無已，周而復始。（始自甲子年，終於癸亥歲，常以四歲為一小周，一十五周為一大周，以辰命歲，則氣可與期。）帝曰：願聞其歲候何如？岐伯曰：悉乎哉問也！日行一周，天氣始於一刻，（甲子歲也。）日行再周，天氣始於二十六刻，（乙丑歲也。）日行三周，天氣始於五十一刻，（丙寅歲也。）日行四周，天氣始於七十六刻，（丁卯歲也。）日行五周，天氣復始於一刻，（戊辰歲也。[illegible]循環，周而復始也。）所謂一紀也。（法以四年為一紀，循環不已。餘三歲一會同，故有三合也。）是故寅午戌歲氣會同，卯未亥歲氣會同，辰申子歲氣會同，巳酉丑歲氣會同，終而復始。（[illegible]以是為三合，是[illegible]氣會同也。不爾則各在一方，義無由合。）帝曰：願聞其用也。岐伯曰：言天者求之本，言地者求之位，言人者求之氣交。（本謂天六氣，寒暑燥濕風火也。三陰三陽由是生化，故云本，所謂六元者也。位謂金木火土水君火也。天地之氣，上下相交，人之所處也。）帝曰：何謂氣交？岐伯曰：上下之位，氣交之中，人之居也。（自天之下，地之上，則二氣交合之分也。人居地上，故氣交之中，人之居也。是以化生變易，皆在氣交之中也。）故曰：天樞之上，天

氣主之。天樞之下，地氣主之。氣交之分，人氣從之，萬物由之。此之謂也。（天樞當齊之兩傍也，所謂身半矣，伸臂指天，則天樞正當身之半也。三分折之，上分應天，下分應地，中分應氣交。天地之氣交合之際，所遇寒暑燥濕風火勝復之變之化，故人氣從之，萬物生化悉由而合散也。）帝曰：何謂初中？岐伯曰：初凡三十度而有奇，中氣同法。（奇謂三十日餘四十三刻又四十分刻之三十也。初中相合，則六十日餘八十七刻半也。以各餘四十三刻四十分刻之三十，故云中氣同法也。）帝曰：初中何也？岐伯曰：所以分天地也。（以是知氣高下，生人病主之也。）帝曰：願卒聞之。岐伯曰：初者地氣也，中者天氣也。（氣之初，天用事，天用事則地氣上騰于太虛之內；氣之中，地氣主之，地氣主則天氣下降于有質之中。）帝曰：其升降何如？岐伯曰：氣之升降，天地之更用也。（升謂上升，降謂下降。升極則降，降極則升，升降不已，故彰天地之更用也。）帝曰：願聞其用何如？岐伯曰：升已而降，降者謂天；降已而升，升者謂地。（氣之初，地氣升；氣之中，天氣降。升已而降以下，彰天氣之下流；降已而升以上，表地氣之上應。天氣下降，地氣上騰，天地交合，泰之象也。易曰：天地交泰。是以天地之氣升降，常以三十日半下上，上下不已，故萬物生化，無有休息，而各得其所也。）天氣下降，氣流于地；地氣上升，氣騰于天。故上下相召。升降相因。而變作矣。變謂勝復故變生也。新校正云按六元正紀大論云天地之氣盈虛何如曰天氣不足地氣隨之地氣不足天氣從之運居其中而常先也惡所不勝歸所和同隨運歸從而生其病也故上勝則天氣降而下下勝則地氣遷而上多少而差其分微者小差甚者大差甚則位易氣交易則大變生而病作矣

帝曰。善。寒濕相遘。燥熱相臨。風火相值。其有間乎。岐伯曰。氣有勝復。勝復之作。有德有化。有用有變。變則邪氣居之。夫撫掌成聲沃火生沸物之交合象出其間萬類交合亦由是矣天地交合則八風鼓坼六氣交馳於其間故氣不能正者反成邪氣

帝曰。何謂邪乎。邪者不正之目也天地勝復則寒暑燥濕風火六氣互為邪也

岐伯曰。夫物之生從於化。物之極由乎變。變化之相薄。成敗之所由也。夫氣之有生化也不見其形不知其情莫測其所起莫究其所止而萬物自生自化近成無極是謂天和見其象彰其動震烈剛暴飄泊驟卒拉堅摧殘摺拆鼓慄是謂邪氣故物之生也靜而化成其毀也躁而變革是以生從於化極由乎變變化不息則成敗之由常在生有涯分者言有終始爾新校正云按天元紀大論云物生謂之化物極謂之變

故氣有往復。用有遲速。四者之有。而化而變。風之來也。天地易位寒暑移方水火易處當動用時氣之遲速往復故不常在雖不可究識意端然微甚之用而為化為變風所由來也

人氣不勝因而感之故病生焉同類求著於人也帝曰遲速往復風所由生而化而變故因盛衰之變耳成敗倚伏遊乎中何也夫倚伏者禍福之萌也有禍者福之所倚也有福者禍之所伏也由是故禍福互爲倚伏物盛則衰樂極則哀是福之極故爲禍所伏否極之泰未濟之濟是禍之極故爲福所倚然吉凶成敗目擊道存不可以終自然之理故无尤也岐伯曰成敗倚伏生乎動動而不已則變作矣動靜之理氣有常運其微也爲物之化其甚也爲物之變化流於物故物得之以生變行於物故物得之以死由是成敗倚伏生於動之微甚遲速爾豈唯氣獨有是哉人在氣中養生之道進退之用當皆然也新校正云按全真要大論云陰陽之氣清靜則生化治動則苛疾起此之謂也帝曰有期乎岐伯曰不生不化靜之期也人之期可見者二也天地之期不可見也夫二可見者一曰生之終也其二曰變易与土同体然後捨小生化歸於大化以死後猶化變未已故數可見者二也天地終極人壽有分長短不相及故以人見之者鮮矣帝曰不生化乎言亦有不生不化者乎岐伯曰出入廢則神機化滅升降息則氣立孤危出入謂喘息也升降謂化氣也夫毛羽倮鱗介及飛走蚑行皆生氣根於身中以神爲動靜之主故曰神機也然金玉土石鎔埏草木皆生氣根於外假氣以成立主持也故曰氣立也五常政大論曰根于中者命曰神機神去則機息根于外者命曰氣立氣止則化絶此之謂也故无是

四者則神機与氣立者生死皆絕。〇新校正云：按《易》云：本乎天者親上，本乎地者親下。《周禮·大宗伯》有天產地產，《大司徒》云動物植物，即此神機氣立之謂也。蚑音祁。

故非出入，則無以生長壯老已；非升降，則無以生長化收藏。夫自東自西自南自北者，假出入息以為化主。因物以全質者，承陰陽升降之氣以作生源。若非此道，則无能致是十者也。

是以升降出入，無器不有。包藏生氣者，皆謂生化之器，觸物然矣。夫竅橫者，皆有出入去來之氣；竅豎者，皆有陰陽升降之氣往復於中。何以明之？則壁窗戶牖兩面伺之，皆承來氣沖擊於人，是則出入氣也。夫陽升則井寒，陰升則水暖，以物投井，及葉墜空中，翩翩不疾，皆升降氣所礙也。虛管溉滿，捻上懸之，水固不泄，為无升氣而不能降也；空瓶小口，頓溉不入，為氣不出而不能入也。由是觀之，升无所不降，降无所不升，无出則不入，无入則不出。夫群品之中，皆出入升降不失常守，而云非化者，未之有也。有識无識，有情无情，去出入，已升降，而云存者，未之有也。故曰：升降出入，无器不有。

故器者生化之宇，器散則分之，生化息矣。器，謂天地及諸身也。宇，謂屋宇也。以其身形包藏府藏，受納神靈，与天地同，故皆名器也。諸身者小生化之器宇，太虛者廣生化之器宇也。生化之器，自有小大，无不散也。夫小大器，皆生有涯，分有遠近者也。

故無不出入，無不升降。真生假立，形器者无不有此二者。

化有小大，期有近遠。近，自不見遠，謂遠者无常；遠者无常，見近而嘆有其遷矣。既近遠不同，期則合散晦明節即有无之交，或異見常，乘及至

分散之時則近遠同歸於一變

四者之有，而貴常守。

四者謂出入升降也。有出入升降則為常守，有出無入，有入無出，有升無降，有降無升，則非生之氣也。若非胎息道成，居常而生，則未之有屏出入息、泯升降氣而能存其生化者，故貴常守。

反常則災害至矣。

出入升降，生化之元主，故不可無之。反常之道，則神去其室，生化微絕，非災害而何哉！

故曰無形無患，此之謂也。

夫喜於遂，悅於色，畏於難，懼於禍，外惡風寒暑濕，內繫飢飽愛欲，皆以形無所隱，故常嬰患累於人間也。若便想慕滋蔓，嗜欲無厭，外附權門，內豐情偽，則動以牢網，坐招燔焫，欲思釋縛，其可得乎！是以身為患階，老子曰：吾所以有大患者，為吾有身，及吾無身，吾有何患？此之謂也。夫身形與大虛釋然消散，復未知生化之氣，為有而聚耶，為無而滅乎？

帝曰：善。有不生不化乎？

言人有逃陰陽，免生化，而不生不化，無始無終，洞大虛自然者乎？

岐伯曰：悉乎哉問也！與道合同，惟真人也。

真人之身，隱見莫測，出入天地內外，順道至真以生，其為小也入於無間，其為大也過虛空界，不與道如一，其孰能爾乎！

帝曰：善。

○氣交變大論篇第六十九

新校正云：詳此論專明氣交之變，乃五運太過不及，德化政令，災變勝復，為病之事。

黃帝問曰：五運更治，上應天朞，陰陽往復，寒暑迎隨，真邪相薄。內。外。分離。六經。波蕩。五氣。傾移。太過。不及。專勝。兼并。願言其始。而有常名。可得聞乎。朞二百六十五日四分日之一也。專勝謂五運主歲太過也。兼并謂主歲之不及也。常名謂布化於太虛人身參應病之形診也。新校正云：按天元紀大論云：五運相襲而皆治之，終朞之日，周而復始。又云：五氣運行，各終朞日。太始天元冊文曰：万物資始，五運終天。即五運更治上應天朞之義也。岐伯稽首再拜對曰。昭乎哉問也。是明道也。此上帝所貴。先師傳之。臣雖不敏。往聞其旨。言非己心之生知，備聞先人往古受傳之遺旨也。帝曰。余聞得其人不教。是謂失道。傳非其人。慢泄天寶。余誠菲德。未足以受至道。然而眾子哀其不終。願夫子保於無窮。流於無極。余司其事。則而行之。奈何。至道者，非傳之難，非知之艱，行之難。聖人愍念蒼生，同居永壽，故屈身降志，請受於天師。太上貴德，故後己先人。苟非其人，則道無虛授。黃帝欲仁慈惠遠，傳授流行，故請道下身，拯乎黎庶，乃曰余司其事，則而行之也。岐伯曰。請遂言之也。上經曰。夫道者。上知天文。下知地理。中知人事。可以長久。此之謂也。夫道者，大無不包，細無不入，故天文地理人事咸通。新校正云：詳夫道者一節，與著至教論文重。帝曰。何謂也。岐伯曰。本氣位也。位天者，天文也。位地者，地理也。通於人氣之變化者，人事也。故大過者先天，不及者後天，所謂治化而人應之也。三陰三陽司天司地，以表定陰陽生化之紀，是謂位天位地也。五運居中，司人氣之變化，故曰通於人氣也。先天後天，謂生化氣之變化所主時也。大過歲化先時至，不及歲化後時至。帝曰：五運之化，大過何如？大過，謂歲氣有餘也。○新校正云：詳大過五化，具《五常政大論》中。岐伯曰：歲木大過，風氣流行，脾土受邪。木餘故土氣卑屈。民病飧泄食減，體重煩冤，腸鳴腹支滿，上應歲星。飧泄，謂食不化而下出也。脾虛故食減，体重，煩冤，腸鳴，腹支滿也。歲木氣大盛，歲星光明，逆守星屬分，皆災也。○新校正云：按《藏氣法時論》云：脾虛則腹滿腸鳴，飧泄食不化。甚則忽忽善怒，眩冒巔疾。夌犯大甚，則遇於金，故自病。○新校正云：按《玉機真藏論》云：肝脈大過，則令人善怒，忽忽眩冒巔疾，爲肝實而然，則此病不獨木大過遇金自病，肝實亦自病也。化氣不政，生氣獨治，雲物飛動，草木不寧，甚而搖落，反脇痛而吐甚。衝陽絕者，死不治。上應大白星。諸陽歲也。木餘土抑，故不能布政於万物也。生氣，木氣也。大過故獨治而生化也。風不務德，非分而動，則大屋之中雲物飛動，草木不寧，動而不止，金則勝之，故甚則草木搖落也。脇反痛，木乘土也。衝陽，胃脈也。木氣勝而土氣乃絕，故死也。金

肝虛則耳無所聞聽厥則耳鳴二者不同

涸澤生魚。風雨大至。土崩潰。鱗見于陸。病腹滿溏泄腸鳴。反下甚而太谿絶者。死不治。上應歲星。諸甲歲也。得位謂季月也。藏水氣也。化土氣也。土化大過。故水藏伏匿。而化氣獨治之。土勝木復。故風雨大至。水泉涌。河衍涸澤生魚。濕之爲也。風又暴之。故土崩潰。土崩潰謂山崩岸潰也。[illegible]河溢泉涌。鱗見于陸。[illegible]大腹腸鳴。[illegible]飧泄。[illegible]死不治。[illegible]象隨應加其宿屬。正可憂也。新校正云。按藏氣法時論云。脾虛則腹滿腸鳴。飧泄食不化。

歲金太過。燥氣流行。肝木受邪。金勝故。民病兩脇下少腹痛。目赤痛眥瘍。耳無所聞。兩脇謂兩乳之下脇之下也。少腹謂齊下兩傍髎骨內也。目赤謂白睛色赤也。痛謂瘡也。眥謂四際瞼睫之本[illegible]音聲。肅殺而甚。則體重煩冤。胸痛引背。兩脇滿且痛引少腹。上應太白星。金氣已過。肅殺又甚。木氣內畏。感而病生。金盛應天。太白明大。加臨宿屬。心受災害。新校正云。按藏氣法時論云。肝病者兩脇下痛引少腹。肝虛則目䀮䀮無所見。耳無所聞。又玉機真藏論云。肝脈不及則令人胸痛引背。下則兩脇胠滿。[illegible]甚則喘欬逆氣。肩背痛。尻陰股膝髀腨䯒足皆病。上應熒惑星。火氣復之。自生病也。天象示應在熒惑。逆守宿屬。則可憂也。新校正云。按藏氣法時論云。肺病者喘欬逆氣。肩背痛。汗出。尻陰股膝髀腨䯒足皆痛。收氣峻。生氣下。草木斂。

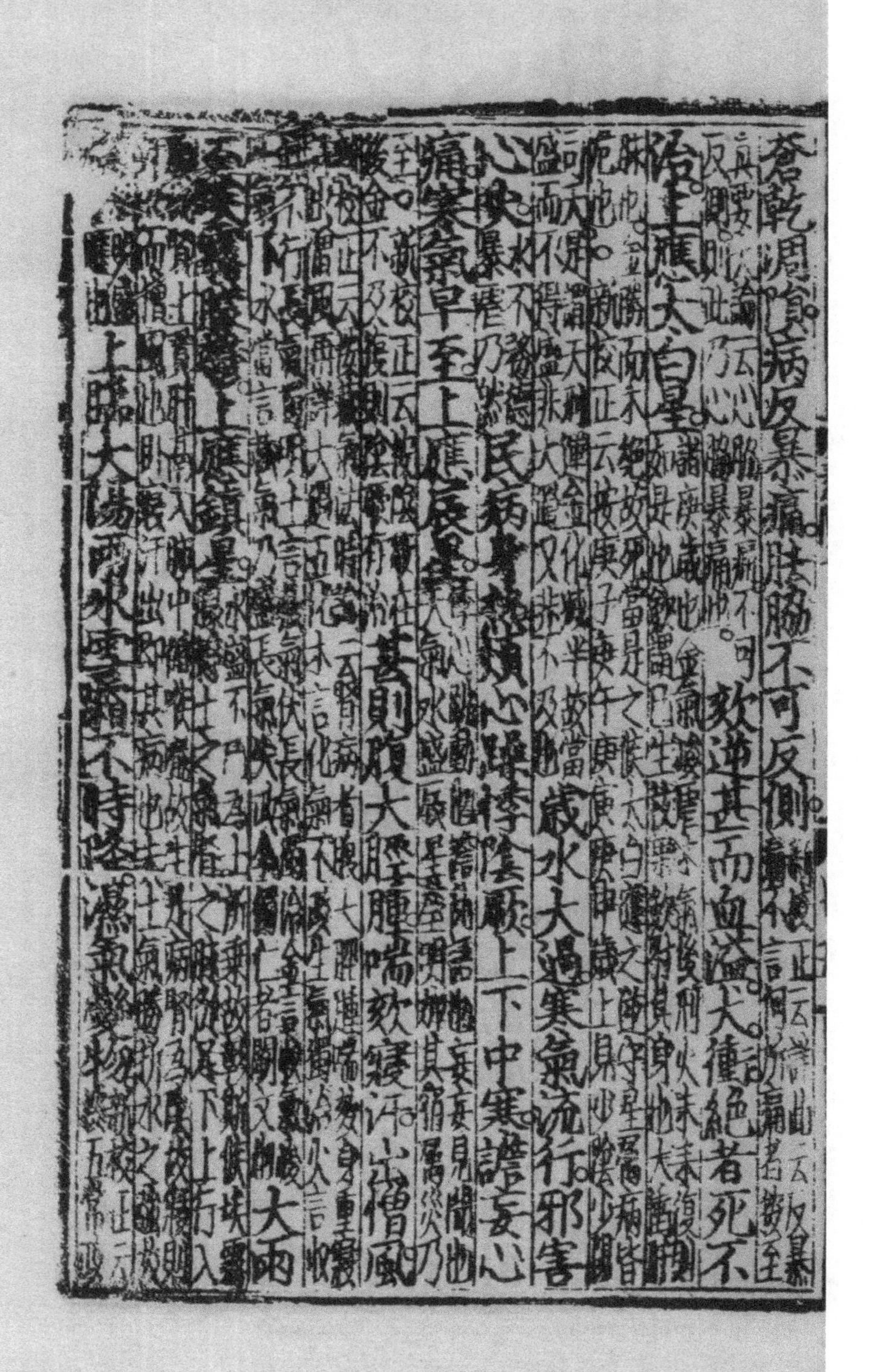

蒼乾凋隕。病反暴痛。胠脇不可反側。[illegible] 欬逆甚而血溢。太衝絕者死不治。上應太白星。[illegible]

歲水太過。寒氣流行。邪害心火。[illegible] 民病身熱煩心躁悸。陰厥上下中寒。譫妄心痛。寒氣早至。上應辰星。[illegible] 甚則腹大脛腫。喘欬。寢汗出。憎風。[illegible] 大雨至。埃霧朦鬱。上應鎮星。[illegible] 上臨太陽。雨冰雪霜不時降。濕氣變物。[illegible]

新校正云流衍之紀上羽而長氣不化又六元正紀大論云丙辰丙戌太羽上臨太陽臨者太過不及皆曰天符病反

腹滿。腸鳴溏泄。食不化。新校正云按藏氣法時論云脾虛則腹滿腸鳴飧泄食不化渴而

妄冒。神門絕者死不治。上應熒惑辰星。皆丙歲也丙辰丙戌減也太陽上臨是謂天

符之歲也寒氣大甚故雨化為冰雪雨水則雹也霜不時降[illegible]其異也土復其水則大雨霖霪濕氣內淫故物皆從變也

門心脈也水盛而火絕故死水盛大甚則熒惑減曜辰星明瑩加以守宿屬則危亡也○新校正云詳太過五化獨見

火水之上臨者火臨火水臨水為天符故也火臨水為逆水臨火為順火臨土為順水臨土為運勝天火臨金為天刑運

不水臨金為逆更不詳出也又此獨言上熒惑盛云火星辛此一例餘從而可知也帝曰。善。其不及何如。

謂政化少也。○新校正云詳不及五化具五常政大論中岐伯曰。悉乎哉問也。歲木不及。

燥迺大行。清冷時至加之薄寒是謂燥氣燥金之氣也生氣失應。草木晚榮。後時之謂失大應

也肅殺而甚。則剛木辟著。柔萎蒼乾。上應太白星。天氣[illegible][illegible]日見[illegible][illegible]

霧雨非雨晴非晴人意慘然氣象凝斂是為肅殺甚也剛[illegible]變也辟著謂辟著枝莖乾而不落也柔耎也蒼青也柔木

之葉青色不變而乾卷也木氣不及金氣乘之太白之明光芒而照其空也民病中清。胠脇痛。少

腹痛。腸鳴溏泄。涼雨時至。上應太白星。新校正云按不及五化民病證中上應之

星。言運星失色而畏星加臨，宿屬為災。此猶言畏星。不言運星者，經文闕也。當云上應太白星、歲星。其穀蒼。金氣乘木，肝之病也。秉此氣者，腸中自鳴而溏泄也。即禾虫脇少腹之痛甚也。此職者善之長者止之，遇夏之氣亦自止也。遇秋之氣而復有之。涼雨時至，謂應時而至也。金土齊化，故涼雨俱行。火氣來復，則夏雨少。金氣勝木，太白臨之，加其宿屬，分皆災也。金勝畢歲，火氣不復，則蒼色之穀不成實也。○新校正云：詳中清胠脇痛少腹痛，為金乘木，肝病之狀。腸鳴溏泄，乃脾病之證，蓋以木少脾土無畏，侮反受邪之故也。上臨陽明，生氣失政，草木再榮，化氣迺急。上應太白、鎮星，其主蒼早。諸丁歲也。丁卯、丁酉歲，陽明上臨，是謂天刑之歲也。金歲承天，下勝於木，故生氣失政，草木再榮。生氣失政，故木華晚啓。金氣抑木，故秋夏始榮，結實成熟，以化氣急速，故晚榮成就也。金氣勝木，天應同之，故太白之見，光芒明盛。木氣既少，土氣無制，故化氣生長急速。木少金勝，天氣應之，故鎮星大白潤而明也。蒼色之物，又早彫落，木少金乘故也。○新校正云：按不及五化，獨紀木上臨陽明，土上臨厥陰，水上臨太陰。不紀木上臨厥陰，土上臨太陰，金上臨陽明，皆經之旨各紀其甚者也。故於大過運中只言火臨火，水臨水，此不及運中只言木臨金，土臨木，水臨木，故又不言厥陰臨木，太陰臨土，陽明臨金也。復則炎暑流火，濕性燥，柔脆草木焦槁，下體再生，華實齊化。病寒熱瘡瘍痱胗癰痤。上應熒惑、太白，其穀白堅。火氣復金，夏生大熱，故萬物濕性時變為燥，流火爍物，故柔脆

[illegible]木不及蔓延之類皆上乾死而下体再生其辛熱之草死不生也小熱者死少大熱者死多火大復已土氣間至則凉濕陰其酸苦甘鹹性寒之物乃再發生新開之与先結者齊承化而成熟火復其金太白減曜熒惑上應則益光芒加其宿屬則皆災也以火反復故白堅之穀秀而不實白露早降。收殺氣行。寒雨害物。蟲食甘黃。脾土受邪。赤氣後化。心氣晚治。上勝肺金。白氣迺屈。其穀不成。欬而鼽。上應熒惑太白星。陽明上臨金自用事故白露早降寒凉大至則收殺氣行以太陽居土濕之位寒濕相合故寒雨害物少於成實金行伐木假途於土子居母內虫之象也故甘物黃物虫蠹食之清氣先勝熱氣後復復已乃勝故火赤之氣後生化也赤後化謂草木赤華及赤實者皆後時而再榮秀也其五藏則心氣晚王勝於肺心勝於肺則金之白氣乃屈退也金穀稻也欬鼽中水出也金為火勝天象應同故太白芒減熒惑益明

歲火不及。寒迺大行。長政不用。物榮而下。凝慘而甚。則陽氣不化。迺折榮美。上應辰星。火少水勝故寒乃大行長政不用則物容卑下火氣既少水氣獨盛天象出見辰星益明民病胷中痛。脇支滿。兩脇痛。膺背肩胛間及兩臂內痛。新校正云詳此證與火太過甚則反病之狀同與見藏氣法時論鬱冒朦昧。心痛暴瘖。胷腹大。脇下與腰背相引而痛。新校正云按藏氣法時論云心虛則胷腹大脇

下上二腰脊相引而痛。甚則屈不能伸，髖髀如別，上應熒惑辰星，其穀丹。

諸疑笑歲也。患以其脈行於是地，火氣不行，寒氣禁固，髖髀如別。至不得伸，水行乘火，故藏身之其藏不成，辰星臨其宿

屬之分則皆災也。復則埃鬱，大雨且至，黑氣乃辱，病鶩溏腹滿，食飲

不下，寒中腸鳴，泄注腹痛，暴攣痿痹，足不任身，上應鎮星辰

星，玄穀不成。火氣復之，故埃鬱雲雨，土之用也。復寒之氣，必以濕，濕氣內淫則生腹疾身重，故如是也。黑氣，水氣也。辱，卑惡也。

辰星也。鎮星當之，上復火水，故鎮星明，辰星臨犯宿屬則民受病災也。鶩音木。歲土不及，風乃大行，化

氣不令，草木茂榮，飄揚而甚，秀而不實，上應歲星。木無德也。木氣專行。

土氣不令，生土氣，故草木茂榮，飄揚而甚。是木不勝土也，土不及，木乘之，故歲化氣不令。土氣薄少，故物實不成，不實也。

星之見明而明也。民病飧泄霍亂，體重腹痛，筋骨繇復，肌肉瞤酸，善

怒，藏氣舉事，蟄蟲早附，咸病寒中，上應歲星鎮星，其穀黅。

歲也。風客於胃，故病如是。土氣不及，水與齊化，故藏氣舉事，

蟄蟲早附於陽氣之所，人皆病中寒之疾也。繇，搖也。筋骨繇動。

動也。復常則已。繇復謂土不伸，若鎮星臨宿屬則皆災。

新校正云：按一云詳此文云筋骨繇復，王氏注義不可解，按

甲乙經：大論云筋骨繇併，復則收政嚴峻，名木蒼凋，胸脅暴痛，

引少腹。善大息。蟲食甘黃。氣客於脾。黅穀乃減。民食少，失味。蒼穀乃損。[illegible]上應太白歲星。[illegible]上臨厥陰。流水不冰。蟄蟲來見。藏氣不用。白乃不復。上應歲星。民乃康。[illegible]

歲金不及。炎火乃行。生氣乃用。長氣專勝。庶物以茂。燥爍以行。上應熒惑星。[illegible]民病肩背瞀重。鼽嚏。血便注下。收氣乃後。上應太白星。其穀堅芒。[illegible]復則寒雨暴至。乃零冰雹霜雪殺物。陰厥且格。

陽反上行。頭腦戶痛。延及腦頂發熱。上應辰星。
丹穀不成。民病口瘡。甚則心痛。
歲水不及。濕乃大行。長氣反用。其化迺速。暑雨數至。上應鎮星。
民病腹滿身重。濡泄寒瘍流水。腰股痛發。膕腨股膝不便。煩冤足痿清厥。腳下痛。甚則跗腫。藏氣不政。腎氣不衡。上應辰星。其穀秬。
上臨太陰。則大寒數舉。蟄蟲早藏。地積堅冰。陽光不治。民病寒疾於下。甚則腹滿浮腫。上應鎮星。

䀮音荒

[illegible]則黅[illegible]長而明大。其主黅穀。[illegible]辛[illegible]大[illegible]在泉[illegible]寒數[illegible]辛[illegible][illegible]鎮星益明[illegible]天歲成也。復則大風暴發，[illegible]草偃木零，生長不鮮，面色時變，筋骨併辟，肉瞤瘛，目視䀮䀮，物踈璺，肌肉胗發，氣并鬲中，痛於心腹，黃氣迺損，其穀不登，上應歲星。木復其土，故黃氣反損，而黅穀不登也。[illegible]木氣暴復，上應歲星[illegible]。新校正云：詳此當云上應歲星、鎮星。[illegible]音閏。

帝曰：善。願聞其時也。岐伯曰：悉乎哉問也！木不及，春有鳴條律暢之化，則秋有霧露清涼之政。春有慘淒殘賊之勝，則夏有炎暑燔爍之復。其眚東。化，和氣也。勝，金氣也。復，火氣也。[illegible]於金，[illegible]因其木，故火復之作，皆在東方。餘皆同。新校正云：詳木火不及，先言春夏之化，次言秋冬之政者，先言木火之政化，次言勝復之變也。其藏肝，其病內舍胠脅，外在關節。東方肝之主也。

火不及，夏有炳明光顯之化，則冬有嚴肅霜寒之政。夏有慘淒凝冽之勝，則不時有埃昏大雨之復。其眚南。化，火德也。勝，水寒也。復，土變也。南，方火也。其藏心，其病內舍膺脅，外在經絡。南方心之主也。

土不及，四維有埃雲潤澤之化，則春

有鳴條鼓拆之政。四維發振拉飄騰之變，則秋有肅殺霖霪之復。其眚四維，東南東北西南西北方也。維，隅也。謂日在四隅月也。新校正云：詳土不及亦當先言其化，次言其勝復也。其藏脾，其病內舍心腹，外在肌肉四支。四維中央脾之主也。金不及，夏有光顯鬱蒸之令，則冬有嚴凝整肅之應；夏有炎爍燔燎之變，則秋有冰雹霜雪之復。其眚西，其藏肺，其病內舍膺脅肩背，外在皮毛。西方肺之主也。水不及，四維有湍潤埃雲之化，則不時有和風生發之應；四維發埃昏驟注之變，則不時有飄蕩振拉之復。其眚北，飄蕩振拉，大風所作。新校正云：詳金水不及先言其化，次言其令與應，故不當先言冬而言四維，後言者火土勝復之互文也，與木火土之例不同者，互文也。其藏腎，其病內舍腰脊骨髓，外在谿谷踹膝。踹膝，肉之大會為谷，肉之小會為谿，肉分之間，谿谷之會，以行榮衛，以會大氣。夫五運之政，猶權衡也。高者抑之，下者舉之，化者應之，變者復之。此生長化成收藏之理，氣之常也。失常則天地四塞矣。失常之理，則天地四時之氣閉塞而無所運行，故動必有靜，勝必有復，乃天地陰陽之道。故曰：天地之動曰神明為之紀陰陽之往復寒暑彰其兆此之謂也新校正云按此段與五運行大論同上兩句又與陰陽應象大論文重彼云陰陽之升降寒暑彰其兆也帝曰夫子之言五氣之變四時之應可謂悉矣夫氣之動亂觸遇而作發無常會卒然災合何以期之岐伯曰夫氣之動變固不常在而德化政令災變不同其候也帝曰何謂也岐伯曰東方生風風生木其德敷和其化生榮其政舒啓其令風其變振發其災散落敷布也和和氣也榮榮美也舒展也啓開也振怒也發出也散謂物飄零而散落也新校正云按五運行大論云其德為和其化為榮其政為散其令宣發其變摧拉其眚為隕義與此通南方生熱熱生火其德彰顯其化蕃茂其政明曜其令熱其變銷爍其災燔焫新校正云詳五運行大論云其德為顯其化為茂其政為明其令鬱蒸其變炎爍其眚燔焫中央生濕濕生土其德溽蒸其化豐備其政安靜其令濕其變驟注其災霖潰溽濕也蒸熱也驟注急雨也霖霖以久雨也潰爛泥也新校正云按五運行大論云其德為濡其化為盈其政為謐其令雲雨其變動注其眚淫潰謐音蜜西方生燥燥生金其德清潔其化緊

斂。其政勁切，其令燥，其變肅殺，其災蒼隕。緊斂，收斂也。勁，銳也。切，急也。燥，乾也。肅殺，謂風動草樹聲若乾也。殺氣大甚，則木青乾而落也。○新校正云：按《五運行大論》云：其德為清，其化為斂，其政為勁，其令霧露，其變肅殺，其眚蒼落。

北方生寒，寒生水，其德淒滄，其化清謐，其政凝肅，其令寒，其變凓冽，其災冰雪霜雹。淒滄，薄寒也。謐，靜也。肅，中外嚴整也。凓冽，甚寒也。冰雪霜雹，寒氣凝結所成，水復火則非時而有也。○新校正云：按《五運行大論》云：其德為寒，其化為肅，其政為靜，其變凝冽，其眚冰雹。是以察其動也，有德有化，有政有令，有變有災，而物由之，而人應之也。夫德化政令，和氣也，其動靜勝復施化，於萬物皆為生成。變與災，殺氣也，其用暴速，其動驟急，其行損傷，雖皆天地自為動靜之用，然物有不勝其動者，且損且病且死焉。

帝曰：夫子之言歲候，不及其太過，而上應五星。今夫德化政令，災眚變易，非常而有也，卒然而動，其亦為之變乎？岐伯曰：承天而行之，故無妄動，無不應也。卒然而動者，氣之交變也，其不應焉。故曰：應常不應卒，此之謂也。德化政令，氣之常也。災眚變易，氣卒交會而有勝負者也。常，謂歲四時之氣，不差晷刻者。不常，謂不久也。

帝曰：其應奈何？岐伯曰：各從其氣化也。

歲化以風應之熒惑之化以熱應之鎮星之化以濕應之太白之化以燥應之辰星之化以寒應之氣變則應故各從其類氣化也上文言復勝皆上應之今經言常不應者大變易而不應然其勝復當色有枯燥潤澤之異無見小大以應之

帝曰：其行之徐疾逆順何如？岐伯曰：以道留久，逆守而小，是謂省下。以道謂順行留久謂過應留之日數也省下謂察天下人君之有德有過者也以道而去，去而速來，曲而過之，是謂省遺過也。行而速去已去[illegible]是謂責其過而與其善者察之也行急行[illegible]謂省罪之有大有小[illegible]久留而環，或離或附，是謂議災與其德也。環謂如環周而不去也火議罪金議殺土木水議德應近則小，應遠則大。以近遠謂化星常在[illegible]大小謂喜慶及罰罪事芒而大倍常之一，其化甚；大常之二，其眚即也。甚謂政令大行也即至也至於金火有之小常之一，其化減；小常之二，是謂臨視，省下之過與其德也。省謂省察萬國人吏侯王有德有過者也故侯王人吏安可不深思誡慎耶德者福之，過者伐之。有德則天降福以應之有過者天降禍以淫之則知禍福無門惟人所召耳是以象之見也，高而遠則小，下而近則大。[illegible]見大也故大則喜怒邇，小則禍福遠。象見高而[illegible]

見高而小，既未即禍，亦未即福。象見下而大，福既不遠，禍亦未遙。但當修德省過，以敬歲戒。若未能慎禍而務求福祐，豈有是者也。歲運太過，則運星北越，火運火星，木運木星之類也。北越，謂北而行也。運氣相得，則各行以道。无克伐之嫌，故守常道而各行於中道。故歲運太過，畏星失色而兼其母，木失色而兼玄，火失色而兼蒼，土失色而兼赤，金失色而兼黃，水失色而兼白，是謂兼其母也。不及則色兼其所不勝。木兼白色，火兼玄色，土兼青色，金兼赤色，水兼黃色，是謂兼不勝也。肖者瞿瞿，莫知其妙，閔閔之當，孰者為良，新校正云：詳肖者至為良，與《靈蘭秘典論》重，彼有注。妄行無徵，示畏侯王。不識天意，心私度之，妄言災咎，卒无徵驗，適足以示畏之兆於侯王，熒惑於庶民矣。

帝曰：其災應何如？岐伯曰：亦各從其化也，故時至有盛衰，凌犯有逆順，留守有多少，形見有善惡，宿屬有勝負，徵應有吉凶矣。五星之至，相王為盛，囚死為衰。東行凌犯為順，災輕；西行凌犯為逆，災重。留守日多則災深，留守日少則災淺。星喜潤則為見善，星怒燥憂喪則為見惡。宿屬，謂所生月之屬二十八宿及十二辰相分所屬之位也。命勝星不災不害，不勝星為災小重，命與星相得，雖災無害。災者，獄訟疾病之謂也。雖五星凌犯之事，時遇星之囚死時月，雖災不成。然火犯留守逆臨，則有誣譖獄訟之憂；金犯則有刑殺氣鬱之憂；木犯則有震驚風鼓之憂；土犯則有中滿下利胕腫之憂；

[illegible]則有災於鳥獸之[illegible]事多。[illegible]曰戰應有吉凶也。帝曰：其善惡何謂也。岐伯曰：有喜有怒，有憂有喪，有澤有燥。此象之常也。必謹察之。夫五星之見也，從夜深見之。人見之喜，星之喜也；見之畏，星之怒也；光色微曜，乍明乍暗，星之憂也；光色迥然，不彰不瑩，不與衆同，星之喪也；光色圓明，不盈不縮，怡然瑩然，星之喜也；光色勃然臨人，芒彩滿溢，其象懍然，星之怒也。澤，明潤也。燥，乾枯也。帝曰：六者高下異乎。岐伯曰：象見高下，其應一也。故人亦應之。觀象覩色，則中外之應，人天咸一矣。帝曰：善。其德化政令之動靜損益皆何如。岐伯曰：夫德化政令災變，不能相加也。天地動靜，陰陽往復，以德報德，以化報化，政令災眚，及動復亦然，故曰不能相加也。勝復盛衰，不能相多也。勝盛復盛，勝微復微，不應以盛報微，以化報變，故曰不能相多也。往來小大，不能相過也。勝復日數多少皆同，故曰不能相過也。用之升降，不能相無也。木之勝，金必報；火土金水皆然，未有勝而無報者，故氣不能相使無也。各從其動而復之耳。動必有復，察動以言復也。易曰：吉凶悔吝者，生乎動。此之謂歟。天雖高不可度，地雖廣不可量，以氣動復言之，其猶視其掌矣。帝曰：其病生何如。岐伯曰：德化者氣之祥，政令者氣之章，變易者復之紀，災眚者傷之始，氣相勝者和，

不相勝者，病重感於邪，則甚也。祥，善應也。章，程也。式，法也。謂報復之綱紀也。重感，謂年氣已不及，天氣又見剋殺之氣，是為重感。重，謂重累也。帝曰：善。所謂精光之論，大聖之業，宣明大道，通於無窮，究於無極也。余聞之，善言天者，必應於人；善言古者，必驗於今；善言氣者，必彰於物；善言應者，同天地之化；善言化言變者，通神明之理，非夫子孰能言至道歟。太過不及，歲化无窮，氣交遷變，流於无極，然天垂象，聖人則之，以知吉凶。何者？歲太過而星大或明瑩，歲不及而星小或失色，故吉凶可指而見也。吉凶者，何謂？物禀五常之氣以生成，莫不上參應之，有否有宜，故曰吉凶。斯至矣，故曰善言天者必應於人也。言古之道，而今必應之，故曰善言古者必驗於今也。化氣生成，萬物皆禀，故言氣應者，以物明之，故曰善言應者必彰於物也。彰，明也。言氣化之應，如四時行，萬物備，故善言應者，必同天地之造化也。物生謂之化，物極謂之變，言萬物化變終始，必契於神明運為，故言化變者，通於神明之理。聖人智周萬物，无所不通，故言必有發動，无不應之也。迺擇良兆而藏之靈室，每旦讀之，命曰氣交變，非齋戒不敢發，慎傳也。靈室，謂靈蘭室，黃帝之書府也。○新校正云：詳此文與六元正紀大論末同。

○五常政大論篇第七十新校正云：詳此篇統論五運有平氣、不及、太過之事，次言地理有四者高下陰陽之異，又言歲有不病而藏氣不應，為天氣制之而氣有所從之說，仍言六氣五類相制勝而歲有胎孕不育之理，而後明在泉六化，五味有薄厚之異，而以治法終之。此篇之大概如此，而專名五常政大論者，舉其所先者言也。

黃帝問曰：太虛寥廓，五運迴薄，衰盛不同，損益相從，願聞平氣何如而名？何如而紀也？岐伯對曰：昭乎哉問也！木曰敷和，敷布和氣，物以生榮。火曰升明，火氣高明。土曰備化，廣被化氣於群品。金曰審平，金氣清，審平而定。水曰靜順。水體清靜，順於物也。帝曰：其不及奈何？岐伯曰：木曰委和，陽和之氣，委屈而少用也。火曰伏明，明曜之氣，屈伏不伸。土曰卑監，土雖卑少，猶監萬物之生化也。金曰從革，從順革易，堅成萬物。水曰涸流。水少，故流注乾涸。帝曰：大過何謂？岐伯曰：木曰發生，宣發生氣，萬物以榮。火曰赫曦，[illegible]盛明。土曰敦阜，敦，厚也；阜，高也。土餘，故高而厚。金曰堅成，氣爽風勁，堅成庶物。水曰流衍。衍，溢也[illegible]。帝曰：三氣之紀，願聞其候。岐伯曰：悉乎哉問也！五運[illegible]行[illegible]大論及陰陽[illegible]。新校正云：詳[illegible]論上與[illegible]。敷和之紀，木德周行，陽舒陰布，五化宣平，自當[illegible]

治字訛。五行皆先叙四句有韻，獨此不叶，係寫誤耳。

化，生長化收藏之化，各布政令於四方，無相干犯。新校正云：按王注太過不及各紀年辰，此平氣之歲不可以定紀也。或者欲補注云：謂丁巳、丁亥、丁卯、壬寅、壬申歲者，是未達也。

其氣端。端，直也。其性隨。順於物化。其用曲直。曲直材幹，皆應用也。其化生榮。木化宣行，則物生榮而美。其類草木。木體堅高，草形卑下，然各有堅脆剛柔，蔓結條屈者。其政發散。發散生氣於萬物。其候溫和。和春之候也。其令風。木之令行，以和風。其藏肝。五藏之氣與肝同。肝其畏清。清，金令也。木性暴，金制之。其主目。陽升明見，目與同也。其穀麻。色蒼也。新校正云：按金匱真言論云其穀麥，與此不同。其果李。味酸也。其實核。中有堅核。其應春。四時之中，春化同。其蟲毛。木化宣行，則毛蟲生。其畜犬。如草木之生也。新校正云：按金匱真言論云其畜雞。其色蒼。木化宣行，則物蒼。其養筋。酸入筋。其病裏急支滿。新校正云：按金匱真言論云病在肝。其味酸。木化敷和，則物酸味厚。其音角。調而直也。其物中堅。象土中之有木也。其數八。成數也。

升明之紀，正陽而治，德施周普，五化均衡。其氣高。其性速。其用燔灼。其化蕃茂。其類火。

五行之氣，與火類同。其政明曜，德合高明，火之政也。其候炎暑，氣之至也。其令熱，熱至乃令行。其藏心，心應之。心其畏寒，寒，水令也，心性暑熱，故畏寒。又五運行大論云：心其性暑，又曰：其主舌。舌，火以生也。其穀麥，麥色赤也。新校正云：按金匱真言論云其穀黍，又藏氣法時論云……其果杏，杏味苦也。其實絡，中有支絡也。其應夏，四時之氣同。其蟲羽，……其畜馬，……新校正云：按金匱真言論云其畜羊。其色赤。其養血。其病瞤瘛，火之性動也。新校正云：按金匱真言論云……其味苦。其音徵，和而美。其物脈，中多支脈。其數七，成數也。

備化之紀，氣協天休，德流四政，五化齊修，土之德靜，分助四方，贊成金木水火之政……其氣平，土之生也。其性順。其用高下。其化豐滿。其類土，五行之化，土類同。其政安靜。其候溽蒸。其令濕。其藏脾，……脾其畏風，風，木令也。其主口，口主受納。其

穀稷。色黃也。新校正云：按金匱真言論作稷，藏氣法時論作粳。其果棗。味甘也。其實肉。中有
肌肉也。其應長夏。長夏，謂長養之夏也，六月氣同。新校正云：按王注六節藏象論云：夏為土母，土長於中，
以長而治，故云長夏。又注六節藏象論云：所謂長夏者，六月也，土生于火，長在夏中，既長而王，故云長夏也。其蟲倮。
无毛羽鱗甲，土形同。其畜牛。牛之應用，其類主之用也。其色黃。土色也。其養肉。
所養者。其病否。土性擁礙。新校正云：按金匱真言論云：病在舌本，是以知病之在肉也。其味甘。
厚而靜。其音宮。大而重。其物膚。物體豐備，土之化也。其數五。生數也。新校正云：按金匱真言云：其數五。
備化氣豐。
物味甘厚。
土不虛加，故也。審平之紀，收而不爭，殺而無犯，五化宣明。犯，謂刑犯也。收氣不爭，殺而無犯，五化宣明，物得收
而不爭，殺而無犯，雖匪審平，其氣潔。金氣以潔白瑩明為事。其性剛。性剛，故能斷割。
平之德，何以能為是哉。
物其用散落。金用則萬物散落。其化堅斂。金之化也。其類金。審平之化也。
同其政勁肅。勁肅，強勁而整肅也。其候清切。清，大涼也；切，急也，風聲也。其令燥。燥，乾也。
其藏肺。肺氣之用，金化也。肺其畏熱。熱，火也。新校正云：按五運行大論曰：肺其畏熱。其
其主鼻。肺藏氣，鼻通息也。其穀稻。色白也。新校正云：按藏氣法時論作黃黍。其
果桃。味辛也。其實殼。外有堅殼者。其應秋。四時之化，秋氣同。其蟲介。甲堅而

其畜雞。性善鬬傷，象金用也。新校正云：按金匱真言論云其畜馬。其色白。色同。其養皮毛。堅同也。其病欬。有聲之病，金之應也。新校正云：按金匱真言論云病在背，是以知病之在皮毛。其味辛。審平之化治，則物辛味正。其音商。和利而揚。其物外堅。金化宣行，則物體外堅。其數九。成數也。

靜順之紀，藏而勿害，治而善下，五化咸整。治化也，水之下所以德。江海所以為百谷王者，以其善下之也。其氣明。清淨明照，水氣所生。其性下。歸流就下。其用沃衍。用非勢事，故濟生而流溢沃衍也。衍，溢也。其化凝堅。寒氣布化，則水物凝堅。其類水。靜順之化，水屬類。其政流演。井泉不竭，河流不息，則流演之義也。其候凝肅。凝，寒氣也。肅，靜也。寒來之氣藏。其令寒。水令宣行，寒冬司勸化。其藏腎。腎藏之用，同水化也。腎其畏濕。濕，土氣也。腎性凜故也。畏以土濕。五運行大論曰：腎其畏濕。其主二陰。流注應同。新校正云：按金匱真言論曰：北方黑色，入通於腎，開竅於二陰。其穀豆。色黑也。新校正云：按金匱真言論。其果栗。味鹹也。其實濡。中有津也。其應冬。四時之化，冬氣同。其蟲鱗。化生。其畜彘。善下也。彘，豕也。其色黑。色同。其養骨髓。氣入也。其病厥。厥氣上逆也。新校正云：按金匱真言論云病在谿，是以知病之在骨也。其味鹹。味同也。其音羽。深而和。其物濡。水化

[illegible]物濡潤。其數六。成數也。故生而勿殺，長而勿罰，化而勿制，收而勿害，藏而勿抑，是謂平氣。生氣主歲，收氣不能縱其殺；長氣主歲，藏氣不能縱其罰；化氣主歲，生氣不能縱其制；收氣主歲，長氣不能縱其害；藏氣主歲，化氣不能縱其抑。夫如是者，皆天氣平，地氣正，五化之氣不以勝剋爲用，故謂曰平和氣也。委和之紀，是謂勝生。丁卯、丁丑、丁亥、丁未、丁酉、丁巳之歲也。生氣不政，化氣迺揚。木少，故生氣不政；土寬，故化氣迺揚。長氣自平，收令迺早。火无忤犯，故長氣自平；木氣既少，故收令乃早。涼雨時降，風雲並興。涼，金化也。雨，濕氣也。風，木化也。雲，濕氣也。草木晚榮，蒼乾凋落。金氣有餘，木不能勝故也。○新校正云：詳委和之紀，木不及而金氣乘之，故蒼乾凋落，非金氣有餘，木不能勝也，蓋木不足而金勝之也。物秀而實，膚肉內充。歲生雖晚，成者滿實，土化氣速，故如是。其氣斂，收斂，兼金氣故也。其用聚，不布散也。其動緛戾拘緩，緛，縮短也。戾，了戾也。拘，拘急也。緩，不收也。其發驚駭，木受金邪，故發驚駭也。其藏肝，內應肝也。其果棗李，棗，土；李，木；實也。○新校正云：詳[illegible]火生金，水不及之，果李當作桃[illegible]。其實核殼，核，木；殼，金；實也。其穀稷稻，稷，土；稻，金；穀也。其味酸辛，[illegible]。其色白蒼，蒼色之物，熟兼白也。其畜犬雞，[illegible]。其蟲毛介，毛從介。其主霧露淒滄，金之[illegible]。其聲角商

[illegible]。角從[illegible]其病搖動注恐。木受邪也。從金化也。木不自政，故化從金。少角與判商同。少角木不及，故半與商金化同。判，半也。新校正云：按火土金水之文，判作少，則此當云少角與少商同。不云少商者，蓋少角之運共有六年，而丁巳、丁亥上角與正角同，丁卯、丁酉上商與正商同，丁未、丁丑上宮與正宮同，是六年者各有所同，與火土金水之少運不同，故不云同少商，只大約而言半從商化也。上角與正角同。上見厥陰，與敷和歲化同，謂丁亥、丁巳歲上之所見者也。上商與正商同。上見陽明，則與平金歲化同，丁卯、丁酉歲。上見陽明。其病支廢癰腫瘡瘍。金刑木也。其甘蟲，子在母中。邪傷肝也。雖化悉與金同，然其所傷則歸於肝木也。上宮與正宮同。土蓋其木，與未出等也。木未出土，與無木同，土自用事，故與正土運歲化同也。上見太陰，是謂上宮，丁丑、丁未歲上見太陰司天之化也。蕭飋肅殺，則炎赫沸騰。蕭飋肅殺，金無德也。炎赫沸騰，火之復也。飋音瑟。眚於三，火為木復，故其眚在東。三，東方也。此言金之物勝也。新校正云：按六元正紀大論云：災三宮。所謂復也。復，報復也。其主飛蠹蛆雉，飛，羽蟲也。蠹，內生蟲也。蛆，蠅之生者，此則物內自化爾。雉，鳥耗也。廼為雷霆。雷，謂大聲生於太虛雲暗之中也。霆，謂迅雷卒如火之爆者，即霹靂也。

伏明之紀，是謂勝長。藏氣勝長也。謂癸酉、癸未、癸巳、癸卯、癸丑、癸亥之歲也。長氣不宣，藏氣反布，火之長氣不能施化，故水之藏氣反布於時。收氣自政化令迺衡。金土之義，與歲氣素无干犯，故金自行其政，土自平其氣。寒清數舉，暑令迺薄。火氣不令。承化物生，生而不長。火令不政，故承化之物，皆不長也。成實而稚，遇化已老。物實成熟，苗尚稚短，及遇化氣已老矣。陽氣屈伏，蟄蟲早藏。陽不用而陰勝也。若上臨癸卯癸酉歲，則蟄反不藏。新校正云：詳癸巳癸亥之歲，蟄蟲亦不藏。其氣鬱，鬱燠不舒暢。其用暴，[illegible]。其動彰伏變易，彰明也，伏隱也，變易謂不常其象見也。其發痛，痛由心所。其藏心，藏伏之氣[illegible]。其果栗桃，栗水果，桃金果也。其實絡濡，絡支脉也，濡有汁也。其穀豆稻，豆水，稻金穀也。其味苦鹹，苦火，鹹水味也。其色玄丹，色丹之物，其兼玄也。其畜馬彘，馬火畜，彘水畜。其蟲羽鱗，羽火蟲，鱗水蟲。其主冰雪霜寒，水之氣也。其聲徵羽，[illegible]。其病昏惑悲忘，火之躁動，不拘常律，陰冒陽火，故昏惑。心氣不足，故喜悲善忘也。從水化也。火弱水強，故伏明之紀，從水之化。少徵與少羽同。火少，故半從水化。新校正云：詳少徵運六年，內癸卯癸酉同正商，癸巳癸亥同歲會，外癸未癸丑二年，少徵與少羽同，故不云判羽也。上商與正商同。歲上見陽明，則與平金歲化同也。新校正云：按此不云上宮與正宮同者，蓋以癸卯及癸酉歲，上見[illegible]。邪傷心也。受病者心。凝慘凜冽，則暴雨霖霪。凝慘凜冽，水[illegible]

雨霖，上文復也。眚於七。七，南方也。新校正云：按六元正紀大論云災七宮。其主驟注雷霆震驚。天地氣爭而生是變，氣交之內，害及粢盛，及傷鱗類。沉黔淫雨。沉黔淫雨變所生也。黔音陰。

卑監之紀，是謂減化。謂己丑、己亥、己酉、己未、己卯、己巳之歲也。化氣不令，生政獨彰。土少而木專其用。長氣整，雨乃愆，收氣平。不相干犯，則平整。化氣減。風寒並興，草木榮美。風，木也；寒，水也。土少，故寒氣得行。生氣[illegible]，故草木繁榮而端美。秀而不實，成而秕也。榮秀而美，氣生於木，化氣不[illegible]，故物實中空，是以秕惡。其氣散，[illegible]。其用靜定，[illegible]。其動瘍涌分潰癰腫。瘍，瘡也；涌，[illegible]也；分，裂也；潰，爛也；[illegible]。其發濡滯。土性也。濡，濕也。其藏脾。[illegible]。其果李栗。李，木果；栗，水果也。其實濡核。[illegible]者。新校正云：詳前[illegible]。其穀豆麻。豆，水穀；麻，木穀也。其味酸甘。甘，[illegible]之物[illegible]。其色蒼黃。[illegible]。其畜牛犬。土從木，木畜[illegible]。其蟲倮毛。[illegible]。其主飄怒振發。木之[illegible]。其聲宮角。宮從[illegible]。其病留滿否塞。土[illegible]。從木化也。[illegible]。少宮與少角同。土少，故半從木化也。新校正云：詳少宮之運六年，內除己丑[illegible]

己未与正宮同，己巳、己亥与正角同，外有己卯、己酉二年，少宮与少角同，故不二云與角[?]也。上宮與正宮同，上見太陰，則與平土運生化同，己丑、己未其歲見也。上角與正角同，上見厥陰，則与敷和之紀同，己亥、己巳其歲見也。其病飧泄，風之勝也。邪傷脾也。木縱諸氣，金病卻自傷脾。○新校正云：詳此不言上商，若土為金无相制，後勝經不紀之也。金字疑誤。又振拉飄揚，則蒼乾散落，振拉飄揚，木无德也。散落，金之復也。其眚四維，東南、西南、西北、東北，土之位也。○新校正云：按六元正紀大論云：災五宮。其主敗折虎狼，虎狼猴豹鹿馬獐麂諸四足之獸，害於粢盛及生命也。清氣乃用，生政乃辱。金氣行則木氣辱。從革之紀，是謂折收。火折金收之氣也。謂乙丑、乙亥、乙酉、乙未、乙巳、乙卯之歲也。收氣乃後，生氣乃揚，後，不及時。收氣不能以時而行，則生氣自應布揚而用之也。長化合德，火政乃宣，庶類以蕃。火土之氣同生化也。宣，行也。其氣揚，順火也。其用躁切，少[?]急隨火躁也。其動鏗禁瞀厥，鏗，咳聲也。禁，謂二陰禁止也。瞀，悶也。厥，謂氣上逆也。○新校正云：詳王注[?]其發咳喘，金之有[?]。其藏肺，主藏。其果李杏，李，木果；杏，火果也。其實殼絡，外有殼，內有絡也。其穀麻麥，麻，木；麥，火穀也。其味苦辛，苦，火味；辛，金味也。其色白丹，白，金；丹，火色也。其畜

□羊言毛。○金從火土之兼化也。○新校正云：徵火土之兼化為羊也。○新校正云：詳火畜馬，土畜牛，今[illegible]或者當去土作[illegible]之土字。其蟲介羽（介金羽火）。其主明曜炎爍（火之勝也）。其聲商徵（商從徵）。

其病嚏咳鼽衄（[illegible]），從火化也（火氣來勝，故屈己以從之）。少商與少徵同（金少故半同火化也。○新校正云：詳少商運六年，內除乙卯、乙酉同正商，乙巳、乙亥[illegible]，乙丑、乙未二年為少商同[illegible]）。上商與正商同（上見陽明，則與平金運生化同。乙卯、乙酉其歲上見也）。上角與正角同（上見厥陰，則與平木運生化同。乙巳、乙亥其歲上見也。○新校正云：詳金土无相勝剋，故經不言上宮與正宮同）。邪傷肺也（有邪之勝，則歸肺也）。

炎光赫烈，則冰雪霜雹（炎光赫烈，火无德也。冰雪霜雹，水之復也。水復之作，雹形如半珠[illegible]）。眚於九（九，西方也）。○新校正云：按《六元正紀大論》云：災七宮。其主鱗伏彘鼠（突戾潛伏，歲主縱之，以傷赤實及羽類也）。歲氣早至，迺生大寒（水之[illegible]）。

涸流之紀，是謂反陽（陰氣不及，反為陽氣代之，故謂反陽。辛未、辛巳、辛卯、辛酉、辛亥、辛丑之歲也）。藏令不舉，化氣迺昌（少水而土盛）。長氣宣布，蟄蟲不藏（大陽在泉，[illegible]陽明司天，乃[illegible]）。土潤水泉減，草木條茂，榮秀滿盛（長化之氣豐而厚也）。其氣滯（從土化也）。其用滲泄（[illegible]不能[illegible]）。其動堅止（[illegible]）。

寫也水少不濡則乾而堅止藏氣不能固則注下而奔速其發燥槁。陰少而陽多故秀木榮盛故爾其藏腎。主藏病其果棗杏。棗土杏火果也其實濡肉。濡水肉土化也其穀黍稷。黍火稷土[illegible]新校正云按本論上文麥為火之穀今言黍者疑麥字誤也按金匱真言論作黍然本論作麥當從本論作麥[illegible]文[illegible]為其味甘鹹。甘土鹹水味也其色黅玄。黃加黑也其畜彘牛。水土畜其蟲鱗倮。水土蟲也從其主埃鬱昏翳。土之氣也其聲羽宮。羽水宮土其病痿厥堅下。水土病也并從是故從土化也。不勝於土故從土化少羽與少宮同。水土各半化也新校正云詳少羽之運六年內除辛丑辛未與正宮同外辛卯辛酉辛巳辛亥四歲為同少宮也上宮與正宮同。上見太陰則與正土運歲同辛丑辛未歲上見之新校正云詳此不言上角上商者蓋水於金木無相剋罰故也其病癃閟邪傷腎也。[illegible]埃昏驟雨則振拉摧拔。[illegible]眚於一。一北方也[illegible]寬之方也新校正云按六元正紀大論云災一宮其主毛顯狐狢變化不藏。[illegible]不藏也故乘危而行不速而至暴虐無德災反及之微者[illegible]

微。其著復甚，氣之常也。通言五行氣少而有勝復之大凡也。乘彼孤危，恃乎強盛，不召而往，專肆威刑，怨禍自招，又誰咎也。假令木弱，金氣來乘，暴虐蒼卒，是無德也。火令救木，金受火災，則災及也。夫如是者，刑甚則怨甚，[illegible]氣動之常，固其宜也。五行之理，或然乎。○新校正云：按五運不及之詳，具《氣交變大論》中。

發生之紀，是謂啓敶，宣發生氣，[illegible]六壬歲化也，謂壬申、壬午、壬寅、壬子、壬辰、壬戌之歲也。敶，古陳字。土踈泄，蒼氣達，生氣上達，故土體踈泄，木之專政，故蒼氣上達。達，通也，出也。陽和布化，陰氣乃隨，少陽先生，發於萬物之表；厥陰隨之，營運於萬物之中也。生氣淳化，萬物以榮。歲木有餘，金不來勝，生令布化，故物以舒榮。其化生，其氣美，木化宣行，則物容端美。其政散，布散生榮，無所不至。其令條舒，條，直也，理也；舒，啓也。陽之發生之化，無非順理者也。其動掉眩巔疾，掉，搖動也；眩，旋轉也；巔，上首也；疾，病氣也。○新校正云：按王注《氣交變大論》云，其動暴折[illegible]，王注云：動以生病也。則木火土水金之動，義皆同也。又按王注《五常政大論》云：巔，上巔疾也。又注《奇病論》云：巔，謂上巔，則頭首也。《六元正紀大論》云：其病上巔。上巔，謂頭也。素問為頭首也。其德鳴靡啓坼，六元正紀大論云：其化鳴紊啓坼。○新校正云：按《六元正紀大論》同。其變振拉摧拔。振，謂振怒；拉，謂中折；摧，謂仆落；拔，謂出本。○新校正云：按《六元正紀大論》同。其穀麻稻，其畜雞犬。大字也。其果李桃。李齊桃實也。其色青黃白。青加於黃白，自正也。其味酸甘辛。酸入於甘，辛齊化也。其象春。如春之氣，布散陽和。其經足厥陰少陽。厥陰肝脈，少陽膽脈。其藏肝脾。肝勝脾。其蟲毛介。木餘，故毛齊介育。其物中堅外堅。中堅有核之物，齊等於皮殼之類也。其病怒。木餘故。太角與上商同。太過之木氣，與金化齊等。新校正云：按太過五運，獨太角言與上商同，餘四運並不言者，疑此文衍。上徵則其氣逆。其病吐利。上見少陰少陽，則其氣逆行。壬子壬午歲上見少陰，壬寅壬申歲上見少陽，木餘遇火，故氣不順。新校正云：按五運行大論云：氣相得而病者，以下臨上，不當位也。下一云上羽者，水臨木為相得故也。不務其德，則收氣復，秋氣勁切，甚則肅殺，清氣大至，草木凋零，邪迺傷肝。恃己太過，凌犯於土，土氣屈伏，金為復讎，金行殺令，故邪傷肝木也。赫曦之紀，是謂蕃茂。物遇太陽，則蕃而茂，是謂戊辰戊寅戊子戊申戊午之歲也。新校正云：按戊辰戊戌二歲，中大陽當作大徵。木土金水之大過，運俱不言角商宮羽，等運而水大過。二陰氣大行，此火大過遇大陽，物當過大，得謂之大徵。陰氣內化，陽氣外榮，陰陽之氣，得其序也。炎暑施化，物得以昌。長氣多，故爾。其化長，長化行，則物容大。其氣高，高氣暑，則物色明。其政動，不常靜。其令鳴顯。

火之用而有声火之燔而有焰鬱先所遷則其信也顯露也其動炎灼妄擾妄謬也擾撓也其德暄暑鬱蒸。熱化所生長於物也。新校正云按六元正紀大論云其化暄囂鬱燠又作暄曜其變炎烈沸騰。騰復之有極於是也其穀麥豆。火齊水其畜羊彘。[illegible]新校正云按本論上文馬為火之畜今言羊者疑[illegible]誤[illegible]為羊金匱真言論及藏氣法時論俱作[illegible]然本論作馬當從本論之文也其果杏栗。等實也其色赤白玄。赤色加白也黑自正也其味苦辛鹹。辛物兼鹹苦与鹹化齊成也其象夏。象夏氣之熱也其經手少陰太陽。少陰心脉太陽小腸脉手厥陰少陽。厥陰心包脉少陽三焦脉。其藏心肺。心勝肺其蟲羽鱗。火餘故鱗羽齊化其物脉濡。脉火物濡水物水火齊也。新校正云詳脉濡[illegible]脉絡也文雖殊而義同其病笑瘧瘡瘍血流。狂妄目赤。火盛故上羽與正徵同。其收齊。其病痓。上見太陽則天氣且制故大過之火反与平火運生化同也。戊辰戊戌歲上見之。若平火運同則五常之氣無相凌犯故金收之氣生化同等。上徵而收氣後也。上見少陰少陽則其生化自政金氣不能与之齊化。戊子戊午歲上見少陰。戊寅戊申歲上見少陽。火盛故收氣後化。新校正云按氣交變大論云歲火太過上臨少陰少陽火燔焫水泉涸物焦槁。暴烈其政。藏氣迺復。時見凝慘。甚則雨水霜雹切寒。邪傷心也。不務土德豐厚所致之也。新校正云：按《氣交變大論》云：雨冰霜寒，與此互文也。敦阜之紀，是謂廣化。土餘，故化氣豐廣，施於物也。是謂甲子、甲戌、甲申、甲午、甲辰、甲寅之歲也。厚德清靜，順長以盈。土性用厚，德清靜，順火之長育，使萬物化氣盈滿也。至陰內實，物化充成。至陰，土精氣也。夫萬物所以化成者，皆以至陰之靈氣生化於中也。煙埃朦鬱，見於厚土。厚土，山也。煙埃，土氣也。大雨時行，濕氣乃用，燥政乃辟。濕氣用，則燥政辟，自然之理爾。其化圓，其氣豐。化氣豐圓，以其清靜故也。其政靜。靜而能久，故政常存。其令周備。氣緩，故周備。其動濡積并稸。動，謂多動。其德柔潤重淖。靜而柔潤，故厚德常存。新校正云：按《六元正紀大論》云：其化柔潤重淖。其變震驚飄驟崩潰。震驚，雷霆之作也。飄驟，暴風雨至也。大雨暴注，則山崩土潰，隨水流注也。其穀稷麻。土木齊化。其畜牛犬。齊孕育也。其果棗李。土木齊化。其色黅玄蒼。黃色加黑，蒼色自正也。其味甘鹹酸。甘入於鹹，酸齊化也。其象長夏。六月之氣，生化同。其經足太陰陽明。太陰脾脈，陽明胃脈。其藏脾腎。脾勝腎。其蟲倮毛。土餘，故毛倮齊化。其物肌核。肌，土；核，木化也。其病腹滿，四支不舉。土性溢，故病如是。新校正云：詳此不云上羽上徵者，徵羽不當，上宮不云上徵者，土無上徵故也。大風迅至，邪傷脾也。木盛怒，故土脾傷。堅

成之紀。是謂收引。引斂也。陽氣收，陰氣用，故萬物收斂。謂庚午、庚辰、庚寅、庚子、庚戌、庚申之歲也。天
氣潔。地氣明。秋氣高潔，金氣同。陽氣隨[illegible]治化。陽順金而生化。燥行其政。物
以司成。燥氣行化，万物專司，其成熟无遺畧也。收氣繁布。化洽不終。收殺氣早，土之化不
得終其用也。新校正云：詳繁字疑誤。其化成。其氣削。減削也。其政肅。肅清也，靜也。其
令銳切。氣用不屈，勁而急。其動暴折瘍疰。動以生病。其德霧露蕭飋。燥之化也。
蕭飋，風声也。靜為霧露，用則風生。新校正云：按六元正紀大論德作化。其變肅殺凋零。隕墜於物。其
穀稻黍。金火齊化也。新校正云：按本論上文麥為火之穀，當言其穀稻麥。其畜雞馬。齊孕育也。其
果桃杏。金火齊實。其色白青丹。白加於青，丹自正也。其味辛酸苦。辛入酸，苦齊化。其
象秋。氣爽清潔，如秋之化。其經手太陰陽明。太陰肺脉，陽明大腸脉。其藏肺肝。肺勝
肝。其蟲介羽。金餘故介，羽齊育。其物殼絡。殼金，絡火化也。其病喘喝胸憑仰
息。金氣餘故。上徵與正商同。其生齊。其病欬。上見少陰少陽，則天氣且抑，故其生化与天
平，金歲同。庚子、庚午歲上見少陰，庚寅、庚申歲上見少陽，上火制金，故生氣与之齊化。火乘金肺，故病欬。新校正云：詳
此不言上羽者，水与金非相勝剋故。政暴變，則名木不榮，柔脆焦首，長氣斯救。

大火流，炎爍且至，蔓將槁，邪傷肺也。變謂太甚也。政太甚則生氣抑，故木不榮，草首焦死。政暴不已，則火氣發怒，故火流炎爍。至柔蔓草脆之類皆乾死也。火乘金氣，故肺傷也。

流衍之紀，是謂封藏，陰氣大行，則天地封藏之化也。謂丙寅、丙子、丙戌、丙申、丙午、丙辰之歲也。寒司物化，天地嚴凝，陰之氣也。藏政以布，長令不揚。藏氣用則長化止，故令不發揚。其化凜，其氣堅，寒氣及物，則堅定。其政謐，謐，靜也。其令流注，水之象也。其動漂泄沃涌，沃，沫也。涌，溢也。其德凝慘寒雰，寒之化也。新校正云：按《六元正紀大論》作「其化凝慘凓冽」。其變冰雪霜雹，非時而有。其穀豆稷，水齊土化。其畜彘牛，齊孕育也。其果栗棗，水土齊實。其色黑丹䵍，黑加於丹，䵍黃自正也。其味鹹苦甘，鹹入於苦，甘化齊焉。其象冬，氣序凝肅者，冬之化。其經足少陰太陽，少陰腎脈，太陽膀胱脈。其藏腎心，腎勝心。其蟲鱗倮，水餘故鱗，倮齊育。其物濡滿，濡水滿土化也。新校正云：按上不及作肉，土也；過作脈，此作天下戊也拘也。其病脹，水餘也。上羽而長氣不化也。上見太陽，則天氣不能布化以長養也。丙辰、丙戌之歲，上見天符水運也。新校正云：按《氣交變大論》云：上臨太陽，則雨冰雪霜不時降，溫氣變物。不云上徵者，運所勝也。政過則化氣大舉，而埃昏氣交，大雨時降，邪傷腎也。[illegible]

脹之之字之衍 猶適也非衍屬下句

[illegible]政過，火被水凌，上天施復，故天地[illegible]北水氣交，大雨斯降，而邪傷腎也。故曰：不恒其德，則所勝來復；政恒其理，則所勝同化。此之謂也。不恒，謂恃己有餘，凌犯不勝。恒，謂守常之化，不肆威刑，如是則克己之氣，歲同治化也。○新校正云：詳五運太過之說，具氣交變大論中。帝曰：天不足西北，左寒而右涼；地不滿東南，右熱而左溫，其故何也？面巽言也。岐伯曰：陰陽之氣，高下之理，大小之異也。高下，謂地形；大小，謂陰陽之氣盛衰之異。今中原地形，西北方高，東南方下，西方涼，北方寒，東方溫，南方熱，氣化猶然矣。東南方，陽也，陽者其精降於下，故右熱而左溫。陽精下降，故地氣以溫而知之於下矣。陽氣生於東而盛於南，故東方溫而南方熱，氣之多少明矣。西北方，陰也，陰者其精奉於上，故左寒而右涼。陰精奉上，故地氣以寒而知之於上矣。陰氣生於西而盛於北，故西方涼而北方寒。君面巽而言，臣面乾而對也。○新校正云：詳天地不足陰陽之說，亦具陰陽應象大論中。是以地有高下，氣有溫涼，高者氣寒，下者氣熱。新校正云：按六元正紀大論云：至高之地，冬氣常在；至下之地，春氣常在。故適寒涼者脹，之溫熱者瘡，下之則脹已，汗之則瘡已，此腠理開閉之常，大小之異耳。西北東南，言其大也。夫以氣候驗之，中原地形所居者，悉以居高則寒，處

下則熱嘗試觀之高山多雪平川多雨高山多寒平川多熱則高下寒熱可徵見矣中華之地凡有高下之大者東西南北各三分也其一者自漢蜀江南至海也二者自漢江北至平遥縣也三者自平遥北山北至蕃界北海也故南分大熱中分寒熱兼半北分大寒南北分外寒熱尤極大熱之分其寒微大寒之分其熱微然而登陟極高山頂則南面北面熱懸殊榮枯倍異也又東西高下之別亦三矣其一者自汧源縣西至沙洲二者自開封縣西至汧源縣三者自開封縣東至滄海也故東分大溫中分溫涼兼半西分大涼大溫之分其寒五分之二大涼之分其熱五分之二溫涼分外溫涼尤極變為大暄大寒也約其大凡如此然九分之地寒極於東北熱極於西南九分之地其中有高下不同地高處則溫下處則燥此一方之中小異也若大而言之是則高下之有二也何者中原地形西高北高東下南下今百川滿湊東之滄海則東南西北高下可知一為地形高下故寒熱不同二則陰陽之氣有少有多故表溫涼之異亦今以氣候發之乃春氣西行秋氣東行冬氣南行夏氣北行以中分挍之自開封至汧源氣候正与曆候同以東行挍之自開封至滄海每一百里秋氣至晚一日春氣發早一日西行挍之自汧源縣西至蕃界積石其以南向及西北東南者每四十里春氣發晚一日秋氣至早一日北向及東北西南者每一十五里春氣發晚一日秋氣至早一日南行挍之川形有北向東北西南者每五百里。新挍正云按別本作十五里。陽氣行晚一日陰氣行早一日南向及東南西北川每十五里熱氣至早一日寒氣至晚一日廣平之地則每五十里陽氣發早一日寒氣至晚一日北行挍之川形有南向及東南西北等二十五里陽氣行晚一日陰氣行早一日北向及東北西南川每一十五里寒氣至早一日熱氣至晚一日廣平之地則每二十里熱氣行晚一日寒氣至早一日大率如此然高處峻處冬氣常在平處下處夏氣常在觀其雪零草茂則可知矣然地土固有弓形川蛇形川月形川地勢不同生殺榮枯地同而天異凡此之類有離向丙向巽向乙向震向則春氣早至秋氣晚至早晚校十五日有丁向坤向庚向兌向辛向乾向坎向艮向則秋氣早至春氣晚至早晚亦校二十日是所謂帶山之地也審觀向背氣候可知寒涼之地腠理開少而閉多閉多則陽氣不散故適寒涼腹必脹也溫熱之地腠理開多而閉少開多則陽發散故往溫熱皮必瘡也下之則中寒故脹已汗之則陽氣外泄故瘡愈帝曰其於壽夭何如言土地居人之壽夭岐伯曰陰精所奉其人壽陽精所降其人夭陰精所奉高之地也陽精所降下之地也陰方之地陽不妄泄寒氣外持邪不數中而正氣堅守故壽延陽方之地陽氣耗散發泄無度風濕數中真氣傾竭故夭折即事驗之今中原之境西北方眾人壽東南方眾人夭其中猶各有微甚爾此壽夭之大異也方者審之乎帝曰善其病者治之奈何岐伯曰西北之氣散而寒之東南之氣收而溫之所謂同病異治也西方北方人皮膚腠理密人皆食熱故宜散宜寒東方南方人皮膚疏腠理開人皆食冷故宜收宜溫散謂溫浴使中外條達收謂溫中不解表也今土俗皆反之依而療之則反甚矣○新校正云詳分方為治亦具異法方宜論

故曰氣寒氣涼治以寒涼行水漬之氣溫氣熱治以溫熱
強其內守必同其氣可使平也假者反之寒方以寒熱方以熱溫方以溫涼方
以涼是正法也是同氣也行水漬之謂湯浸漬也平謂平調也若西方北方有冷病假熱方溫方以除之東方南方有熱
疾須涼方寒方以療者則反上正法以取之帝曰善一州之氣生化壽夭不同其
故何也岐伯曰高下之理地勢使然也崇高則陰氣治之污
下則陽氣治之陽勝者先天陰勝者後天先天謂先天時也後天謂後天時也
悉言土地生榮枯落之先後也物既有之人亦如然此地理之常生化之道也帝曰其
有壽夭乎岐伯曰高者其氣壽下者其氣夭地之小大異也
小者小異大者大異大謂東南西北相遠萬里許也小謂居所高下相近二十里三十里或百里許
也地形高下懸倍不相計者以近為小則十里二十里高下平慢氣相接者以遠為小則三百里二百里地氣不同乃異
也故治病者必明天道地理陰陽更勝氣之先後人之壽夭
生化之期乃可以知人之形氣矣不明天地之氣又昧陰陽之候則以壽為夭以夭為
壽雖盡上聖救生之道畢經脈藥石之妙猶未免世中之誣斥也帝曰善其歲有不病而藏氣

曰當田作口

氣不應不用者何也。岐伯曰。天氣制之。氣有所從也。從謂從事於彼 [illegible] 不及營於私應用之。帝曰。願卒聞之。岐伯曰。少陽司天。火氣下臨。肺氣上從。白起金用。草木眚。火見燔焫。革金且耗。大暑以行。欬嚏鼽衄鼻窒。曰瘍。寒熱胕腫。[illegible] 風行于地。塵沙飛揚。心痛胃脘痛。厥逆鬲不通。其主暴速。[illegible] 新校正云 [illegible] 一本作門 [illegible] 陽明司天。燥氣下臨。肝氣上從。蒼起木用而立。土乃眚。淒滄數至。木伐草萎。脇痛目赤。掉振鼓慄。筋痿不能久立。卯酉之歲候也 [illegible] 此病之起天氣主焉。暴熱至。土乃暑。陽氣鬱發。小便變。寒熱如瘧。甚則心痛。火行于槁。

流水不冰，蟄蟲乃見。[illegible]太陽司天，寒氣下臨，心氣上從，而火且明，（新校正云：詳火且明三字當作火用二字）丹起，金乃眚，寒清時舉，勝則水冰，火氣高明，心熱煩，嗌乾善渴，鼽嚏，喜悲數欠，熱氣妄行，寒乃復，霜不時降，善忘，甚則心痛。[illegible]土乃潤，水豐衍，寒客至，沈陰化，濕氣變物，水飲内稸，中滿不食，皮㿉肉苛，筋脉不利，甚則胕腫，身後癰。[illegible]厥陰司天，風氣下臨，脾氣上從，而土且隆，黄起，水乃眚，土用革，體重，肌肉萎，食減口爽，風行太虚，雲物摇動，目轉耳鳴。[illegible]火縱其暴，地乃暑，大熱消爍，赤沃下，蟄蟲數見，流水不冰，其發機速。[illegible]少陰司天，熱氣下臨，肺氣上從，[illegible]

起金用。草木眚。喘嘔寒熱。嚏鼽衄鼻窒。大暑流行。得時之化候也故
天氣故是病生天氣之作也。甚則瘡瘍燔灼。金爍石流。天之交也。地迺燥清。淒滄
數至。脅痛善太息。肅殺行。草木變。變謂變易容質也太息地氣生也。大陰
司天。濕氣下臨。腎氣上從。黑起水變。新校正云詳前後文此少火迺眚二字。埃
冒雲雨。胸中不利。陰痿氣大衰。而不起不用。新校正云詳不用二字當作水
用。當其時反腰脽痛。動轉不便也。泉水變鹹也埃土霧也冒不汪未之淺假水變謂甘
分寒也雲雨七作也脽謂臀肉泡病之有者天氣生焉。厥逆。新校正云詳厥逆二字疑當連上文。地迺藏
陰。大寒且至。蟄蟲早附。心下否痛。地裂冰堅。少腹痛。時害於
食。乘金則止。水增。味迺鹹。行水減也。止水井泉也行水河渠流注者也止水□長河渠
亦常甘美而為鹹苦也地氣生焉新校正云詳太陰司天之化不言甚則病之有者亦當其時又云乘金則云
云者與前條互相發明也。帝曰。歲有胎孕不育。治之不全。何氣使然。岐伯
曰。六氣五類。有相勝制也。同者盛之。異者衰之。此天地之道
生化之常也。故厥陰司天。毛蟲靜。羽蟲育。介蟲不成。諸乙巳丁巳巳

厥陰司天　少陽在泉　指厥陰　皆然寅申　非厥陰在泉　少陰司天　陽明在泉　太陰司天　太陽在泉　卯酉歲　少陰在泉　辰戌歲　太陰在泉　少陽司天　厥陰在泉　巳亥歲　少陽在泉　少陰同候　陽明司天　少陰在泉

巳辛巳癸巳乙亥丁亥己亥辛亥癸亥之歲也。謂靜退不先用事也。羽爲火蟲，氣同地也。火制金化，故介蟲不成。謂白色有甲之蟲少孕育也。在泉，毛蟲育，倮蟲耗，羽蟲不育。地氣制土，黄倮耗損。歲乘木運，其又甚也。壬寅壬申歲也。凡稱不育不成，皆謂少，非悉無也。羽蟲不育，少陽自抑之，是也。少陰司天，羽蟲靜，介蟲育，毛蟲不成。謂甲子丙子戊子庚子壬子甲午丙午戊午庚午壬午之歲也。靜謂胡越燕百舌鳥之類也。是歲黑色毛蟲孕育少成也。在泉，羽蟲育，介蟲耗不育。地氣制金，白介耗損。歲乘火運，斯復甚。是則丁卯丁酉歲也。新校正云：詳介蟲耗，以少陰在泉，火剋金也；介蟲不育，以陽明在天。太陰司天，倮蟲靜，鱗蟲育，羽蟲不成。是謂乙丑丁丑己丑辛丑癸丑乙未丁未己未辛未癸未之歲也。倮蟲謂人及蝦蟆之類。鱗蟲謂青緑色者，則翎鳥之類有羽者，歲乘金運，其復甚哉。在泉，倮蟲育，鱗蟲不成。新校正云：一本作不育。地氣制水，故黑鱗不育。歲乘土運而又甚焉。是則丙辰丙戌是也。少陽司天，羽蟲靜，毛蟲育，倮蟲不成。謂甲寅丙寅戊寅庚寅壬寅甲申丙申戊申庚申壬申之歲也。倮蟲謂青緑色者也。羽蟲謂黑色諸有羽翼者則越燕百舌鳥之類是也。在泉，羽蟲育，介蟲耗，毛蟲不育。地氣制金，白介耗損。歲乘火運，其又甚也。毛蟲不育，天氣制之。乙巳己巳乙亥己亥歲也。陽明司天，介蟲靜，羽蟲育，介蟲不成。乙

子午歲陽明在泉　大陽司天大陰在泉　丑未歲大陽在泉

丁卯己卯辛卯癸卯乙酉丁酉己酉辛酉癸酉之歲也。君火蟲，故蕃育也。介蟲，諸有赤色甲殼者也。赤介不育，天氣制之。在泉，介蟲育，毛蟲耗，羽蟲不成。地氣制木，黑毛蟲耗。金運損，復甚焉，是謂五子五午歲也。羽蟲不就，以上見少陰也。大陽司天，鱗蟲靜，倮蟲育。謂甲辰丙辰戊辰庚辰壬辰甲戌丙戌戊戌庚戌壬戌歲也。倮蟲育，地氣同也。鱗蟲靜，謂鱗不用也。是歲雷霆少舉，以天氣抑之也。新校正云：詳此當□云鱗蟲不成。在泉，鱗蟲耗，倮蟲不育。天氣制勝，黃黑鱗耗，是則五丑五未歲也。新校正云：詳此當為鱗蟲育，羽蟲耗，倮蟲不育。注中鱗字亦當作羽。諸乘所不成之運，則甚也。乘木之運，倮蟲不成；乘火之運，介蟲不成；乘七之運，鱗蟲不成；乘金之運，毛蟲不成；乘水之運，羽蟲不成。當是歲者，與上文同，悉不能孕育也。斯並運與氣同者，運乘其勝，復遇天符及歲會者，十孕不全一二也。故氣主有所制，歲立有所生，地氣制己勝，天氣制勝己，天制色，地制形，天氣隨己不勝者制之，謂制其色也；地氣隨己所勝者制之，謂制其形也。故又曰：天制色，地制形焉。是以天地之間，五類生化，互有所勝，互有所化，互有所生，互有所制。五類衰盛，各隨其氣之所宜也。宜則蕃息。故有胎孕不育，治之不全，此氣之常也。天地之間，有生之物，凡此五類。也，五謂毛羽倮鱗介也。故曰：毛蟲三百六十，麟為之長；羽蟲三百六十，鳳為之長；倮蟲三百六十，人為之長；鱗蟲三百六十，龍為之長；介蟲三百六十，龜

為之長凡諸有形蹶行飛走喘息胎息大小高下青黃赤白黑身被毛羽鱗介者通而言之皆謂之虫矣不具是四者皆

為倮虫凡此五物皆有胎生卵生濕生化生因人致問言及五類也所謂中根也。生氣之根本發自身形之

中中根也非是五類則生氣根系悉因外物以成立去之則生氣絕矣根于外者亦五。謂五味五色類

也然木火土金水之形類悉假外物色藏乃能生化外物既去則生氣離絕故皆是根於外也。新校正云詳注中色藏

二字當作已成故生化之別有五氣五味五色五類五宜也。然是二十五者

皆中根外悉有之五氣謂臊焦香腥腐也五味謂酸苦甘辛鹹也五色謂青黃赤白黑也五類有二矣其一者謂毛羽倮

鱗介其二者謂燥濕液堅耎也夫如是等於万物之中互有所宜也帝曰何謂也岐伯曰根于

中者命曰神機神去則機息根于外者命曰氣立氣止則化

絕。諸有形之類根於中者生源繫天其所動靜皆神氣為機發之主故其所為也物莫之知是以神舍去則機發動用

之道息矣根于外者生源繫地故其所生長化成收藏皆為造化之氣所成立故其所出也物亦莫之知是以氣止息則

生化結成之道絕滅矣其木火土金水燥濕液堅柔雖常性不易及乎外物去生氣離根化絕止則其常體性顏色皆必

小變移其舊也。新校正云詳六微旨大論云出入廢則神機化滅升降息則氣立孤危故非出入則无以生長壯老已

非升降則无以生長化收藏。故各有制各有勝各有生各有成。根中根外悉如是

[illegible]不知年之所加，氣之同異，不足以言生化。此之謂也。正云：按六節藏象論云：不知年之所加，氣之盛衰，虛實之所起，不可以為工矣。帝曰：氣始而生化，氣散而有形，氣布而蕃育，氣終而象變，其致一也。始，謂始發動。散，謂流散於物中。布，謂布化於結成之形。終，謂極於收藏之用也。故始動而生化，流散而有形，布化而成結，終極而萬象皆變也。即事驗之，天地之間，有形之類，其生也柔弱，其死也堅強。凡如此類，皆謂變易生死之時形質，是謂氣之終極。新校正云：按天元紀大論云：物生謂之化，物極謂之變。又六微旨大論云：物之生從於化，物之極由乎變，變化之相薄，成敗之所由也。然而五味所資，生化有薄厚，成熟有少多，終始不同，其故何也？岐伯曰：地氣制之也，非天不生，地不長也。天地雖無情於生化，而生化之氣自有異同爾。何者？以地體之中有六入故也。氣有同異，故有生有化，有不生有不化，有少生少化，有廣生廣化矣。故天地之間，無必生必化，必不生必不化，必少生少化，必廣生廣化也，各隨其氣分所好所惡所異所同也。帝曰：願聞其道。岐伯曰：寒熱燥濕，不同其化也。舉寒熱燥濕四氣不同，則溫清異化可知之矣。故少陽在泉，寒毒不生，其味辛，其治苦酸，其穀蒼丹。巳亥歲氣化也。夫毒者，皆五行標盛暴烈之氣所為也。今火在地中，其氣正熱，寒毒之物，氣與地殊，生死不同，故生少也。火制

金二火。故味辛。辛者不化也。少陽之氣上奉厥陰。故其歲化苦与酸也。六氣主歲。唯此歲通和。木火相承。故无間氣也。苦丹地氣所化。酸蒼天氣所生也。餘所生化。悉有上下勝。故皆有間氣矣。陽明在泉。濕毒不生。其味酸。其氣濕。新校正云。詳在泉六。惟陽明与太陰在泉之歲。云其氣濕。其氣熱。盖以燥濕未見寒溫之氣。故再云其氣也。其治辛苦甘。其穀丹素。子午歲氣化也。燥在地中。其氣涼清。故濕溫毒藥少生化也。金木不相制。故味酸者少化也。陽明之氣上奉少陰。故其歲化辛与苦也。辛素地氣也。苦丹天氣也。甘間氣也。所以間金火之勝。故兼治甘。太陽在泉。熱毒不生。其味苦。其治淡鹹。其穀黅秬。丑未歲氣化也。寒在地中。与熱殊化。故其歲物熱毒不生。水勝火。味故當苦也。太陽之氣上奉太陰。故其歲化生淡鹹。太陰土氣上主於天。氣遠而高。故甘之化薄而為淡也。所以淡亦屬甘。甘之類也。淡鹹二化也。鹹黑地化也。黅黃也。新校正云。詳注云味故當苦。當作故味苦者不化。傳寫誤也。厥陰在泉。清毒不生。其味甘。其治酸苦。其穀蒼赤。寅申歲氣化也。溫在地中。与清殊性。故其歲物清毒不生。木勝其土。故味甘也。厥陰之氣上合少陽。所合之氣既无乘勝。故其治化酸苦也。酸蒼地化也。苦赤天化也。氣无勝剋。故不間氣以甘化也。其氣專。其味正。厥陰少陽在泉之歲。皆氣化專一。其味純正。餘歲悉上下有勝剋之氣。故皆有間氣間味矣。少陰在泉。寒毒不生。其味辛。其治辛苦甘。其穀白丹。卯酉歲氣化也。

大陰在泉，燥毒不生，其味鹹，其氣熱，其治甘鹹，其穀黅秬。化淳則鹹守，氣專則辛化而俱治。故曰：補上下者從之，治上下者逆之，以所在寒熱盛衰而調之。故曰：上取下取，內取外取，以求其過。能毒者以厚藥，不勝毒者以薄藥，此之謂也。

氣反者，病在上，取之下；病在下，取之上；病在中，傍取之。

治熱以寒，溫而行之；治寒以熱，涼而行之；治溫以清，冷而行之；治清以溫，熱而行之。故消之削之，吐之下之，補之寫之，久新同法。

帝曰：病在中而不實不堅，且聚且散，奈何？岐伯曰：悉乎哉問也！無積者求其藏，虛則補之，藥以祛之，食以隨之，行水漬之，和其中外，可使

（中外通和，氣無流礙，則釋然消散，真氣自平。）帝曰：有毒無毒，服有約乎？岐伯曰：病有久新，方有大小，有毒無毒，固宜常制矣。大毒治病，十去其六；（下品藥毒，毒之大也。）常毒治病，十去其七；（中品藥毒，次於下也。）小毒治病，十去其八；（上品藥毒，毒之小也。）無毒治病，十去其九。（上品、中品、下品無毒藥，悉謂之平。）穀肉果菜，食養盡之，無使過之，傷其正也。（大毒之性烈，其為傷也多；小毒之性和，其為傷也少；常毒之性，減大毒之性一等，加小毒之性一等，所傷可知也。故至約必止之，以待來證爾。然無毒之藥，性雖平和，久而多之，則氣有偏勝，則有偏絕，久攻之則藏氣偏弱，既弱且困，不可長也，故十去其九而止。服至約已，則以五穀、五肉、五果、五菜，隨五藏宜者食之，已盡其餘病，藥食兼行亦通也。新校正云：按《藏氣法時論》云：毒藥攻邪，五穀為養，五果為助，五畜為益，五菜為充。）不盡，行復如法。（法，謂前四約也。餘病不盡，然再行之，毒之大小，至約而止，必無過也。）必先歲氣，無伐天和。（歲有六氣分主，有南面北面之政，先知此六氣所在，人脈至尺寸應之，太陰所在其脈沈，少陰所在其脈鉤，厥陰所在其脈弦，太陽所在其脈大而長，陽明所在其脈短而濇，少陽所在其脈大而浮。如是六脈，則謂天和。不識不知，呼為寒熱，攻寒令熱，脈不變而熱疾已生；制熱令寒，脈如故而寒病又起。欲求其適，安可得乎？夭枉之來，率由於此。）無盛盛，無虛虛，而遺人夭殃。（不察虛實，但思攻擊，而盛者轉

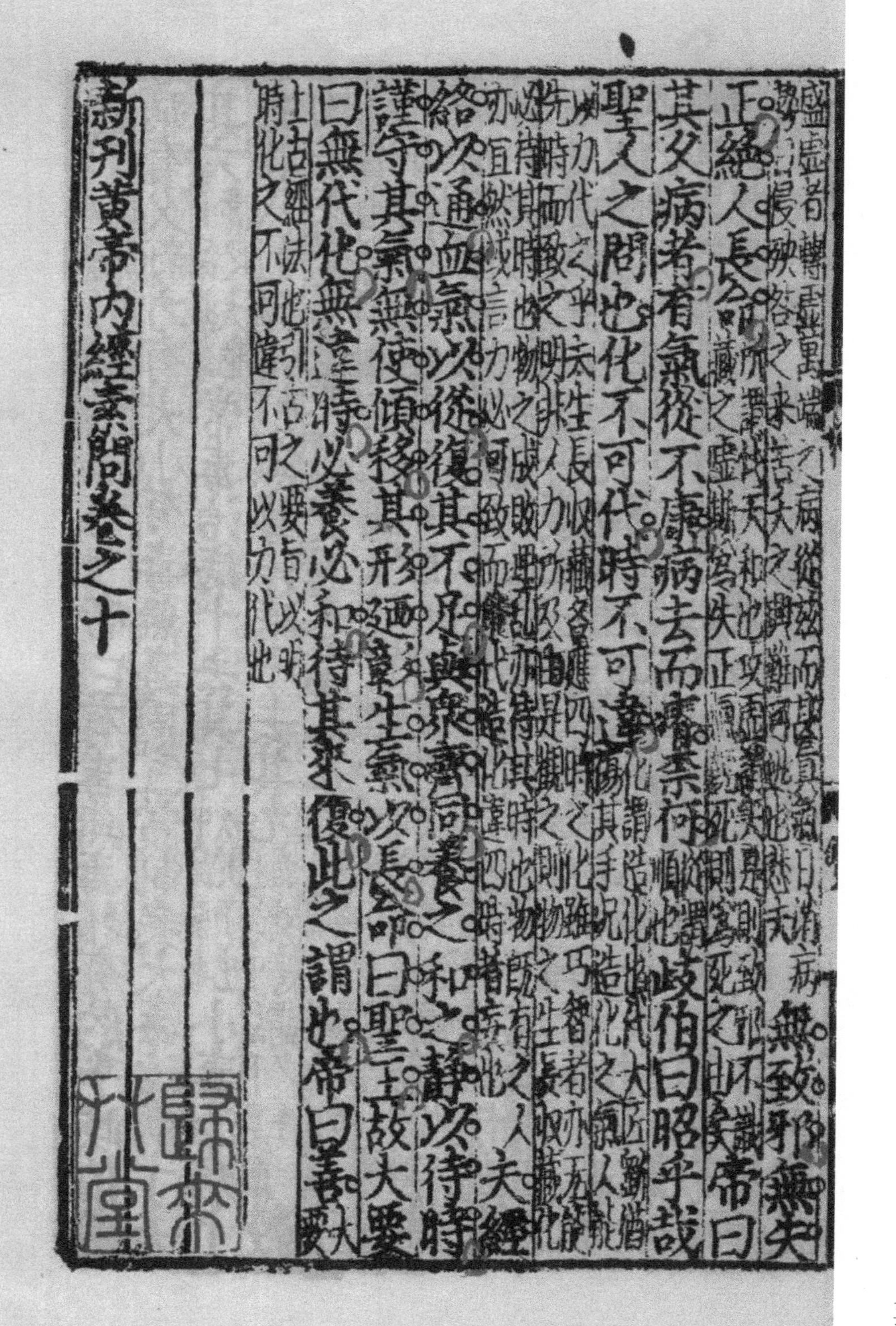

盛虛者轉盛虛萬端之病從茲而甚真氣日消病勢日侵殃咎之來苦夫之興難可逃也悲夫無致邪無失正絕人長命所謂伐天和也攻虛謂實是則致邪不識藏之虛斯爲失正氣既失則爲死之由矣帝曰其久病者有氣從不康病去而瘠奈何從謂順也岐伯曰昭乎哉聖人之問也化不可代時不可違化謂造化也代大匠斲猶傷其手况造化之氣人能以力代之乎夫生長收藏各應四時之化雖巧智者亦無能先時而致之明非人力所及由是觀之則物之生長收藏化必待其時也物之成敗理亂亦待其時也物既有之人亦宜然或言力必可致而能代造化違四時者妄也夫經絡以通血氣以從復其不足與衆齊同養之和之靜以待時謹守其氣無使傾移其形乃彰生氣以長命曰聖王故大要曰無代化無違時必養必和待其來復此之謂也帝曰善大要上古經法也引古之要旨以明時化之不可違不可以力代也

新刊黄帝内經素問卷之十

新刊補註釋文黃帝內經素問卷之十一

啓玄子次註林億孫奇高保衡等奉敕校正孫兆重改誤

六元正紀大論篇第七十一

黃帝問曰：六化六變勝復淫治甘苦辛鹹酸淡先後余知之矣。夫五運之化或從五氣（新校正云：詳五氣疑作天氣，則與下文相叶。）或逆天氣，或從天氣而逆地氣，或從地氣而逆天氣，或相得或不相得，余未能明其事。欲通天之紀，從地之理，和其運，調其化，使上下合德，無相奪倫，天地升降，不失其宜，五運宣行，勿乖其政，調之正味從逆奈何？（天地氣同謂之從，天地氣異謂之逆，勝制為不相得，相生為相得。司天地之氣更淫勝復，各有主治法則，欲令平調氣性，不違忤天地之氣，以致清靜和平也。）岐伯稽首再拜對曰：昭乎哉問也！此天地之綱紀，變化之淵源，非聖帝孰能窮其至理歟！臣雖不敏，請陳其道，令終不滅，久而不易。（氣主循環，同於天地，大過不及……）

太陽正司於戌對化於辰

辰戌之歲 太陰在泉 太陽司天

[illegible]帝曰：願夫子推而次之，從其類序，分其部主，別其宗司，昭其氣數，明其正化，可得聞乎？[illegible]岐伯曰：先立其年，以明其氣，金木水火土運行之數，寒暑燥濕風火臨御之化，則天道可見，民氣可調，陰陽卷舒，近而無惑，數之可數者，請遂言之。[illegible]帝曰：太陽之政奈何？岐伯曰：辰戌之紀也。甲辰 丙辰 戊辰 庚辰 壬辰 甲戌 丙戌 戊戌 庚戌 壬戌

太陽水 太角木運 太陰土 壬辰 壬戌 其運風，其化鳴紊啟拆，[illegible]其變振拉摧拔，[illegible]其病眩掉目瞑。[illegible]

太角初正 少徵 太宮 少商 太羽終

太陽水 太徵火運 太陰土 戊辰 戊戌 同正徵。[illegible]其運熱，其化暄暑鬱燠，[illegible]其

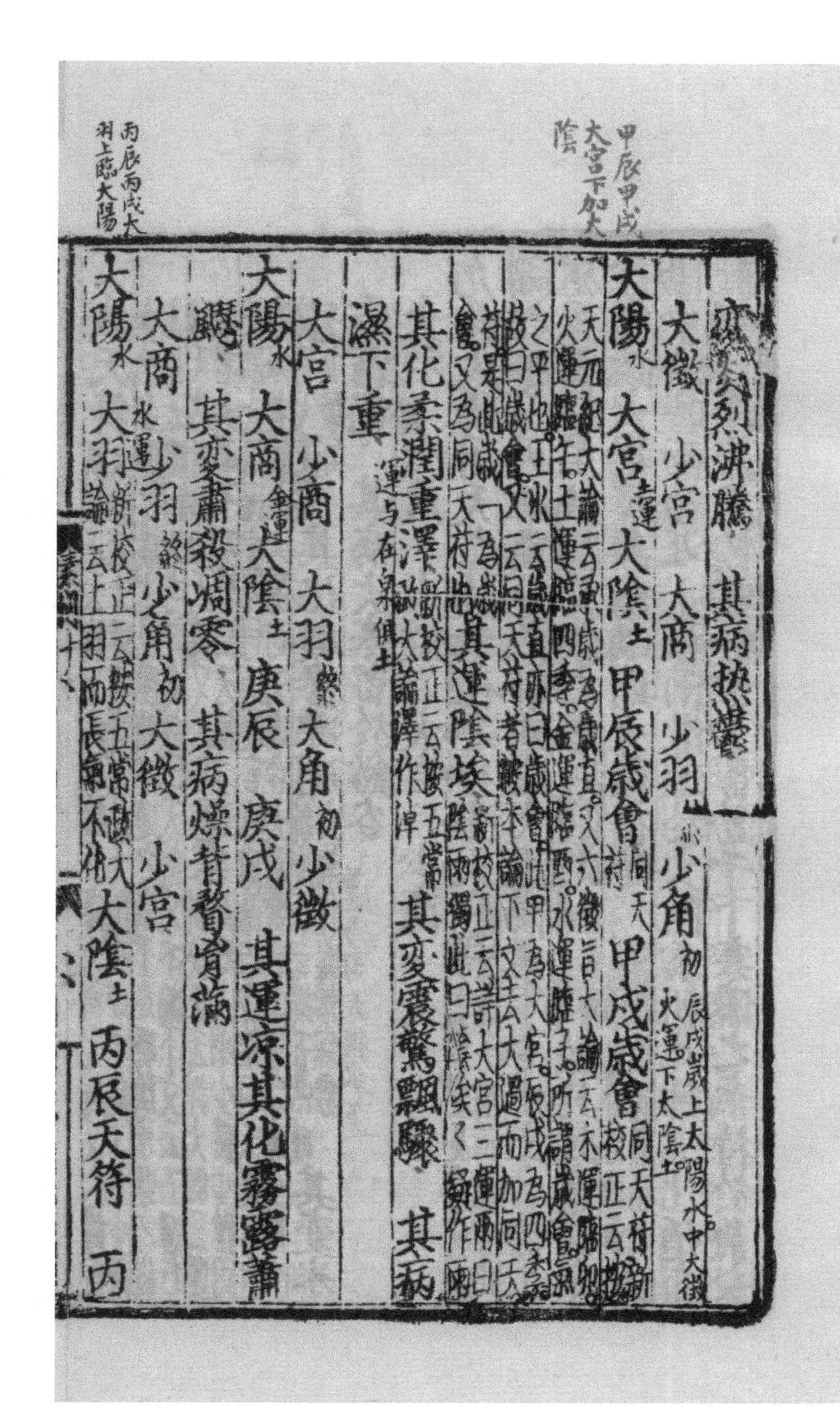

甲辰甲戍大宮下加大陰

丙辰丙戍大羽上臨大陽

其變炎烈沸騰　其病熱鬱

大徵　少宮　大商　少羽終　少角初　辰戍歲上太陽水，中大徵火運，下太陰土。

大陽水　大宮土運　大陰土　甲辰歲會同天符　甲戍歲會同天符　新校正云：按天元紀大論云：承歲為歲直。又六微旨大論云：木運臨卯，火運臨午，土運臨四季，金運臨酉，水運臨子，所謂歲會，氣之平也。王冰云：二火為歲直，亦曰歲會。甲辰、甲戍為大宮，辰戍為四季，是歲會。又本論下文云：大過而加同天符。此甲辰、甲戍為歲會，又為同天符。一為歲會，一為同天符也。

其運陰埃　新校正云：詳大宮三運兩曰陰雨，此曰陰埃，埃[illegible]作雨。

其化柔潤重澤　新校正云：按五常政大論澤作淖。

其變震驚飄驟　其病濕下重　運与在泉俱土

大宮　少商　大羽終　大角初　少徵

大陽水　大商金運　大陰土　庚辰　庚戍　其運涼　其化霧露蕭飋　其變肅殺凋零　其病燥背瞀胸滿

大商　少羽終　少角初　大徵　少宮

大陽水　大羽水運　新校正云：按五常政大論云：上羽而長氣不化。　大陰土　丙辰天符　丙

戊天符（新校正云：按天元紀大論云：應天為天符。又六微旨大論云：土運之歲，上見太陰；火運之歲，上見少陽、
少陰；金運之歲，上見陽明；木運之歲，上見厥陰；水運之歲，
上見太陽。曰天之與會也，故曰天符。又本論下文云：五運行
同天化者，命曰天符。又云：天符為執法。）其運寒（新校正云：詳大過三運
臨者大過不及皆曰天符……此為上羽少陽少陰同
天為天符……少陽司天運言宮，上與少陰司天運言
運宮者……詳此太陽司天大運合大羽，當言其運寒……少陽、少
陰司天運言宮。）其化凝慘凓冽（新校正云：按五常政大論作凝慘寒雰。）其變冰
雪霜雹，其病大寒留於谿谷。

（運与司天俱水運）

大羽（終）　大角　少徵　大宮　少商

凡此太陽司天之政，氣化運行先天（六步之氣生長化成收藏皆先天時而應至也），
（……同之也。）天氣肅，地氣靜，寒臨大虛，陽氣不令，水土合德，上
應辰星鎮星（明而大也），其穀玄黅（天地正氣之所生長化成也），其政肅，其令
徐。寒政大舉，澤無陽燄，則火發待時（……則火發待四氣……為暴熱也）。少
陽中治，時雨乃涯，止極雨散，還於太陰，雲朝北極，濕化乃布，
（止極雨……府也）澤流萬物，寒敷于上，雷動于下，寒濕之氣，持於氣交。

少陽相火為初之氣，陽明金為二之氣

辰戌之歲，厥陰為四之氣，少陰君火為五之氣

歲[illegible]之[illegible]。民病寒濕發，肌肉萎，足痿不收，濡寫血溢。[illegible]初之氣，地氣遷，氣迺大溫，[illegible]草迺早榮，民迺厲，溫病迺作，身熱頭痛嘔吐，肌腠瘡瘍。[illegible]二之氣，大凉反至，民迺慘，草迺遇寒，火氣遂抑，民病氣鬱中滿，寒迺始。[illegible]三之氣，天政布，寒氣行，雨迺降，民病寒，反熱中，癰疽注下，心熱瞀悶，不治者死。[illegible]四之氣，風濕交爭，風化為雨，迺長迺化迺成，民病大熱少氣，肌肉萎足痿，注下赤白。五之氣，陽復化，草迺長，迺化迺成，民迺舒。[illegible]終之氣，地氣正，濕令行，陰凝太虛，埃昏郊野，民迺慘悽，寒風以至，反者孕迺死。故歲宜苦以燥之溫之。[illegible]必折其鬱氣，先資其化源。[illegible]抑其

陽明正司於酉對化於卯

乙卯丁卯己卯辛卯癸卯
乙酉丁酉己酉辛酉癸酉

運氣。歲甚不勝。[illegible]

[illegible]無使暴過而生其疾。食歲穀以全

其真。避虛邪以安其正。[illegible]

[illegible]適氣同異多少制之

同寒濕者燥熱化。異寒濕者燥濕化。[illegible]

[illegible]用寒遠寒。用涼遠涼。用溫遠溫。用熱遠熱。食

宜同法。有假者反常。反是者病。所謂時也。[illegible]

[illegible]

[illegible]

[illegible]帝曰：善。陽明之政奈何？岐伯曰：卯酉之紀也。

陽明金　少角木運　少陰火　清熱勝復同，同正商。[illegible]

[illegible]

[illegible]丁卯歲會　丁酉　其運風清熱。[illegible]

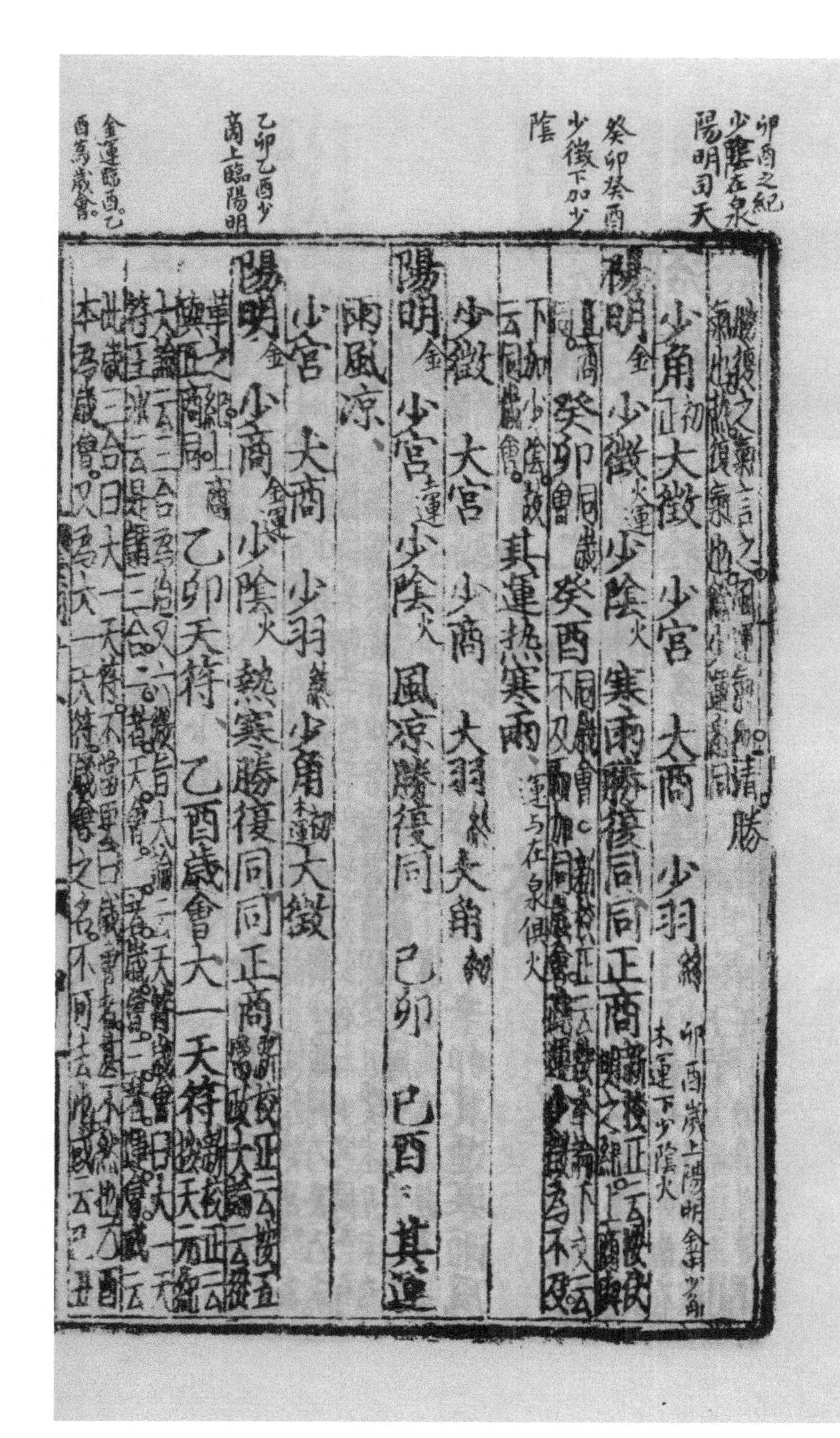

卯酉之紀
少陰在泉
陽明司天

癸卯癸酉
少徵下加少
陰

乙卯乙酉少
商上臨陽明

金運臨酉。乙
酉爲歲會。

[illegible]勝復之氣[illegible]清勝

少角初正 大徵 少宮 太商 少羽終 卯酉歲上陽明金中少角木運下少陰火

陽明金 少徵火運 少陰火 寒雨勝復同 同正商 [illegible]

上商 癸卯同歲會 癸酉同歲會 不及[illegible]

下加少陰[illegible]同歲會 其運熱寒雨 運与在泉俱火

少徵 大宮 少商 大羽終 太角初

陽明金 少宮土運 少陰火 風涼勝復同 己卯 己酉 其運

雨風涼

少宮 太商 少羽終 少角初 大徵

陽明金 少商金運 少陰火 熱寒勝復同 同正商 [illegible] 乙卯天符 乙酉歲會 太一天符 [illegible]

[illegible]

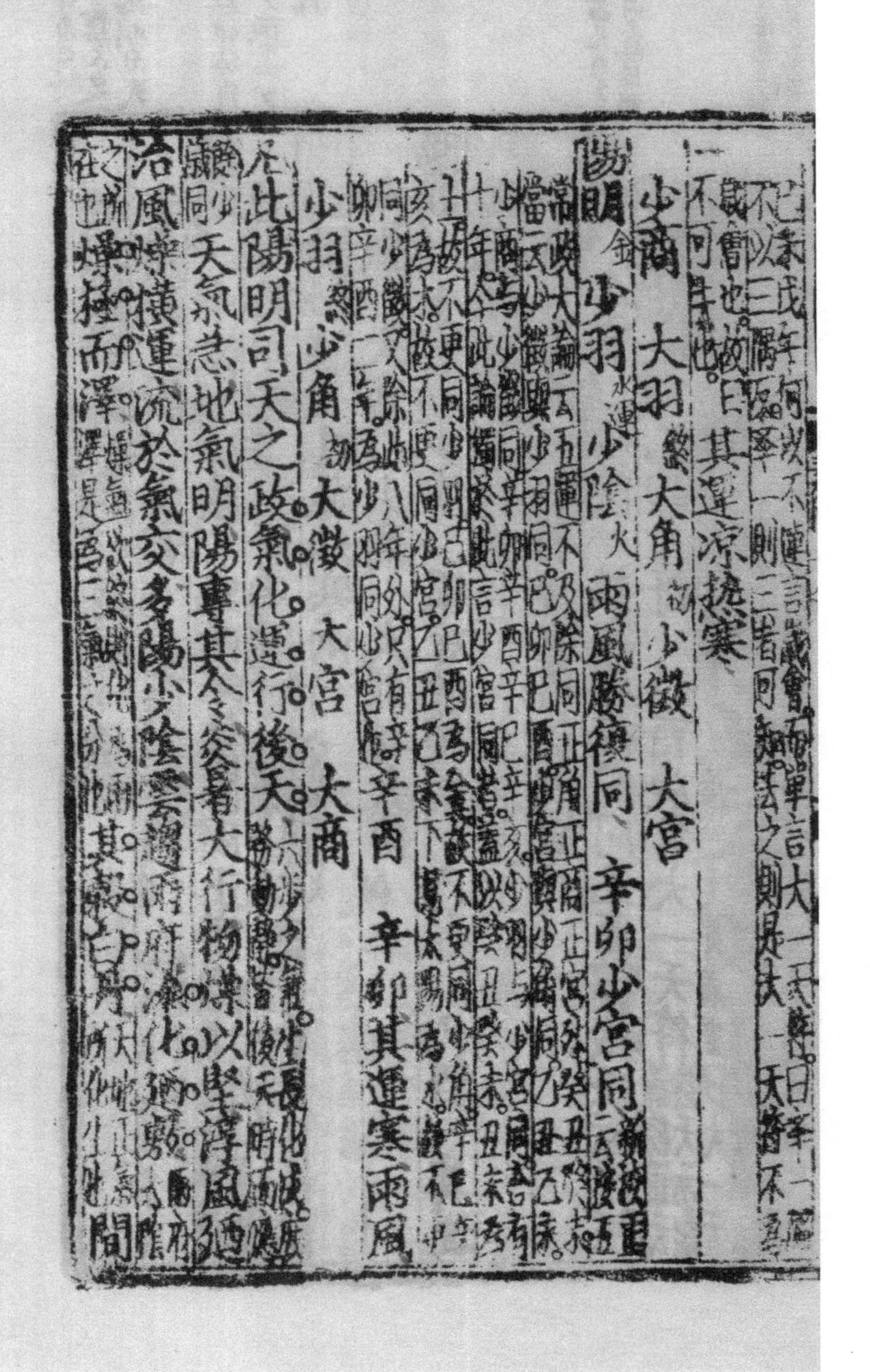

其運涼熱寒

少商　大羽終　大角初　少徵　大宮

陽明金　少羽水運　少陰火　雨風勝復同。辛卯少宮同。

辛酉　辛卯　其運寒雨風

少羽終　少角初　大徵　大宮　大商

凡此陽明司天之政，氣化運行後天，天氣急，地氣明，陽專其令，炎暑大行，物燥以堅，淳風乃治，風燥橫運，流於氣交，多陽少陰，雲趨雨府，濕化乃敷，燥極而澤。

有餘宜高，不及宜下；有餘宜晚，不及宜早。土之利，氣之化也。經言間穀甚明，新舊注皆非也。

卯酉之紀，大陰土為初之氣，少陽相火為二之氣。

太陽水為四之氣。

穀命大者。命太者，謂前文太角商等氣之化者，間氣化生，故云間穀也。○新校正云：按玄珠云：歲穀與間穀者何？即在泉為歲穀，及在泉之左右間者，皆為歲穀。其司天及運間下而化者，名間穀。又別一名間穀者，所勝下而生者，故名間穀。[illegible]之名並化之，令亦名間穀。與王注殊異。其耗白甲品羽，白色甲蟲，多品羽類，有羽翼者，耗散粢盛，蟲鳥甲兵，歲為災，以耗竭物類。金火合德，上應太白熒惑。大見明。其政切，其令暴，蟄蟲廼見，流水不冰，民病欬嗌塞，寒熱發暴，振慄癃閟，清先而勁，毛蟲廼死，熱後而暴，介蟲廼殃，其發躁，勝復之作，怒也。擾而大亂。金先勝，木已承害，故火復之。金不勝也，介蟲復殃，勝而行殺，弱者已亡，復者後來，強者又[illegible]，故非大亂，氣[illegible]其謂[illegible]。清熱之氣，持於氣交。初之氣，地氣遷，陰始凝，氣始肅，水廼冰，寒雨化。其病中熱脹，面目浮腫，善眠，鼽衄嚏欠嘔，小便黃赤，甚則淋。太陰之化。○新校正云：[illegible]太陰之化。二之氣，陽廼布，民廼舒，物廼生榮。厲大至，民善暴死。臣位君故爾。三之氣，天政布，涼廼行，燥熱交合，燥極而澤，民病寒熱。寒熱瘧也。四之氣，寒雨降，病暴仆，振慄譫妄，少氣，嗌乾引飲，及為心痛癰

卯酉之紀厥陰為五之氣
少陽正司於寅對化於申
寅申之歲厥陰在泉少陽司天
壬寅壬申大角下加厥陰壬為太角寅申為厥陰

腫瘡瘍瘧寒之疾，骨痿血便。（骨痿無力）五之氣，春令反行，草迺生榮，民氣和。終之氣，陽氣布，候反溫，蟄蟲來見，流水不冰，民迺康平，其病溫。（君火之化也）故食歲穀以安其氣，食間穀以去其邪。（[illegible]）歲宜以鹹以苦以辛，汗之清之散之，安其運氣，無使受邪，折其鬱氣，資其化源。（化源謂六月迎而取之也。○新校正云按金王七月故迎於六月瀉金氣）以寒熱輕重少多其制，同熱者多天化，同清者多地化。（少角少徵歲同熱，用方多以天清之化治之；少宮少商少羽歲同清，用方多以地熱之化治之。火在地，故同清者多地化；金在天，故同熱者多天化）用涼遠涼，用熱遠熱，用寒遠寒，用溫遠溫，食宜同法。有假者反之，此其道也。反之者，亂天地之經，擾陰陽之紀也。帝曰：善。少陽之政奈何？岐伯曰：寅申之紀也。（甲寅　丙寅　戊寅　庚寅　壬寅　甲申　丙申　戊申　庚申　壬申）

少陽（相火）　大角（木運。新校正云按五常政大論云：上徵則其氣逆）　厥陰（木）　壬寅（同天符）　壬申（同天符）

其氣風鼓，（風鼓。少陽司天，大角運亦同。新校正云[illegible]）其化鳴紊啟拆，（新校正云按五常政大論云其德鳴靡啟坼）其變振拉摧拔，其病掉眩。

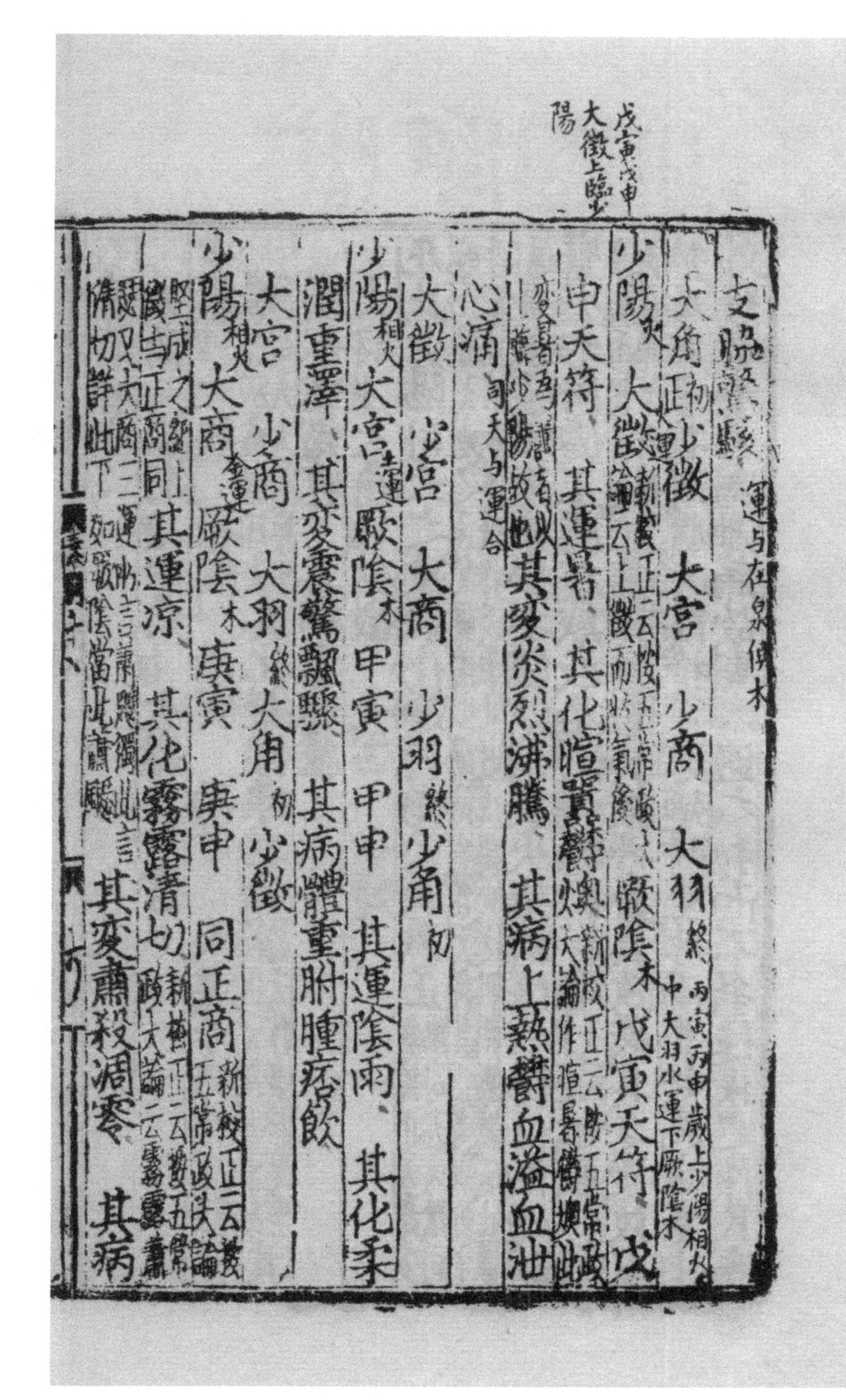

戊寅戊申大徵上臨少陽

支臨[illegible] 運与在泉俱木

太角正初 少徵 太宮 少商 太羽終（丙寅丙申歲上少陽相火中大羽水運下厥陰木）

少陽相火 大徵火運（新校正云按五常政大論云上徵而收氣後） 厥陰木 戊寅天符 戊申天符 其運暑 其化暄囂鬱燠（新校正云按五常政大論作暄暑鬱燠）（[illegible]上臨少陽故也） 其變炎烈沸騰 其病上熱鬱血溢血泄心痛（司天与運合）

大徵 少宮 大商 少羽終 少角初

少陽相火 大宮土運 厥陰木 甲寅 甲申 其運陰雨 其化柔潤重澤 其變震驚飄驟 其病體重胕腫痞飲

大宮 少商 大羽終 大角初 少徵

少陽相火 大商金運 厥陰木 庚寅 庚申 同正商（新校正云按五常政大論云堅成之紀上徵与正商同[illegible]又云大商三運[illegible]） 其運涼 其化霧露清切（新校正云按五常政大論云霧露蕭颼[illegible]此言清切詳此下如[illegible]陰當此蕭颼） 其變肅殺凋零 其病

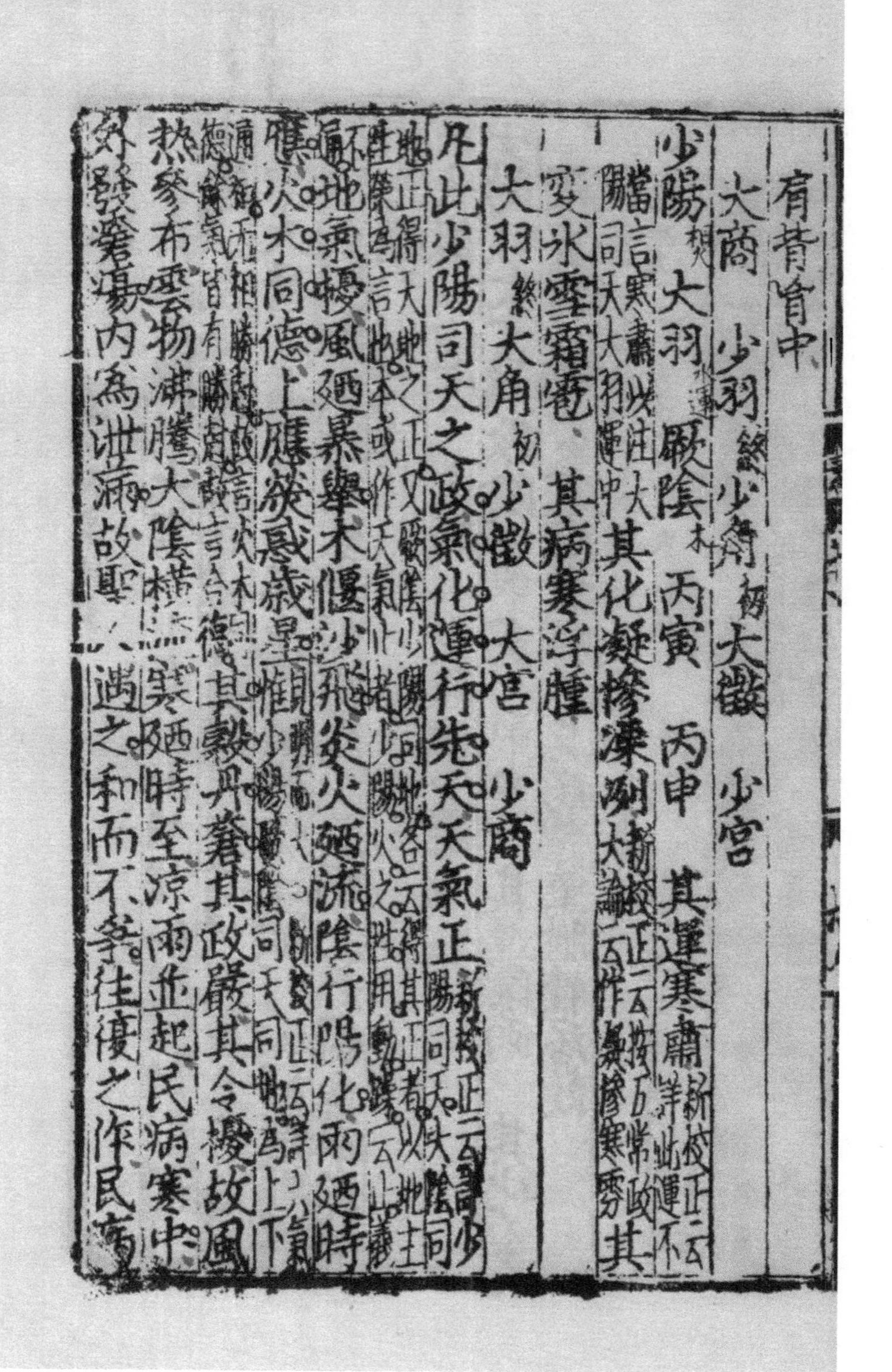

肓肯肓中

太商　少羽（終）　少角（初）　太徵　少宮

少陽（相火）　大羽（水運）　厥陰（木）　丙寅　丙申　其運寒肅（新校正云詳此運不當言寒肅此注大陽司天大羽運中）其化凝慘凓冽（新校正云按五常政大論云作凝慘寒雰）其變冰雪霜雹　其病寒浮腫

大羽（終）　大角（初）　少徵　大宮　少商

凡此少陽司天之政，氣化運行先天，天氣正（新校正云詳少陽司天以陰司地正得天地之正又厥陰少陽司地各云得其正者以地主生榮為言也本或作天氣止者少陽火之性用動躁云止義不亂），地氣擾，風廼暴舉，木偃沙飛，炎火廼流，陰行陽化，雨廼時應，火木同德，上應熒惑歲星（見明而大○新校正云詳六氣惟少陽厥陰司天司地為上下通和無相勝剋故言火木同德餘氣皆有勝剋故言合德）。其穀丹蒼，其政嚴，其令擾。故風熱參布，雲物沸騰，大陰橫流，寒廼時至，涼雨並起。民病寒中，外發瘡瘍，內為泄滿。故聖人遇之，和而不爭。往復之作，民病

寒
寅申之紀少陰君火為初之氣大陰土為二之氣少陽相火為四之氣誤四字當作三之氣炎暑者至少陽臨上三誤為四明矣陽明金為四之氣大陽水為五之氣

寒熱瘧泄聾瞑嘔吐上怫腫色變初之氣地氣遷風勝乃搖寒乃去候乃大溫草木早榮寒來不殺溫病乃起其病氣怫於上血溢目赤欬逆頭痛血崩（今詳崩字當作崩）脅滿膚腠中瘡二之氣火反鬱（[illegible]）白埃四起雲趨雨府風不勝濕雨乃零民乃康其病熱鬱於上欬逆嘔吐瘡發於中胸嗌不利頭痛身熱昏憒膿瘡三之氣天政布炎暑至少陽臨上雨乃涯民病熱中聾瞑血溢膿瘡欬嘔鼽衄渴嚏欠喉痺目赤善暴死四之氣涼乃至炎暑間化白露降民氣和平其病滿身重五之氣陽乃去寒乃來雨乃降氣門乃閉（新校正云[illegible]）剛木早凋民避寒邪君子周密終之氣地氣正風乃至萬物反生霿霧以行其病關閉不禁心痛陽氣不藏而欬抑其運氣贊所不勝必折其鬱氣先取化源（[illegible]年之前十二月迎而取之○新校正云詳王注云取其意有四等○大陽司天取九月[illegible]）

搖

太陰正司於未對化於丑

丑未之歲太陽在泉太陰司天

司天取之司氏是一者先取在天之氣也少陰司天取年前十二月太陰司氏取九月是二者乃先時取在地之氣也少陰司天取年前十二月取歲司天取四月為不可解撥亥之令則不然少陽陽明之月王在合少陽少陰俱取三月大則五月取陰陽取年前十一月珠之之義可解王註之月取有言也暴過不生苛疾不起苛重也歲正二六者此不言食歲穀間穀者蓋既歲氏閒氣正上下偏和故不言也故歲宜鹹宜辛宜酸滲之泄之漬之發之觀氣寒溫以調其過同風熱者多寒化異風熱者少寒化太角大徵歲同風熱以寒化多之太宮大商大羽歲異風熱以涼調其過也用熱遠熱用溫遠溫用寒遠寒用涼遠涼食宜同法此其道也有假者反之反是者病之階也帝曰善太陰之政奈何岐伯曰丑未之紀也乙丑丁丑己丑辛丑癸丑乙未丁未己未辛未癸未

太陰土 少角木運 太陽水 清熱勝復同 同正宮新校正云按五常政大論云 丁丑 丁未 其運風清熱

少角初正 太徵 少宮 太商 少羽終一云委和之紀上宮與正宮同

太陰土 少徵火運 太陽水 寒雨勝復同 癸丑 癸未 其運

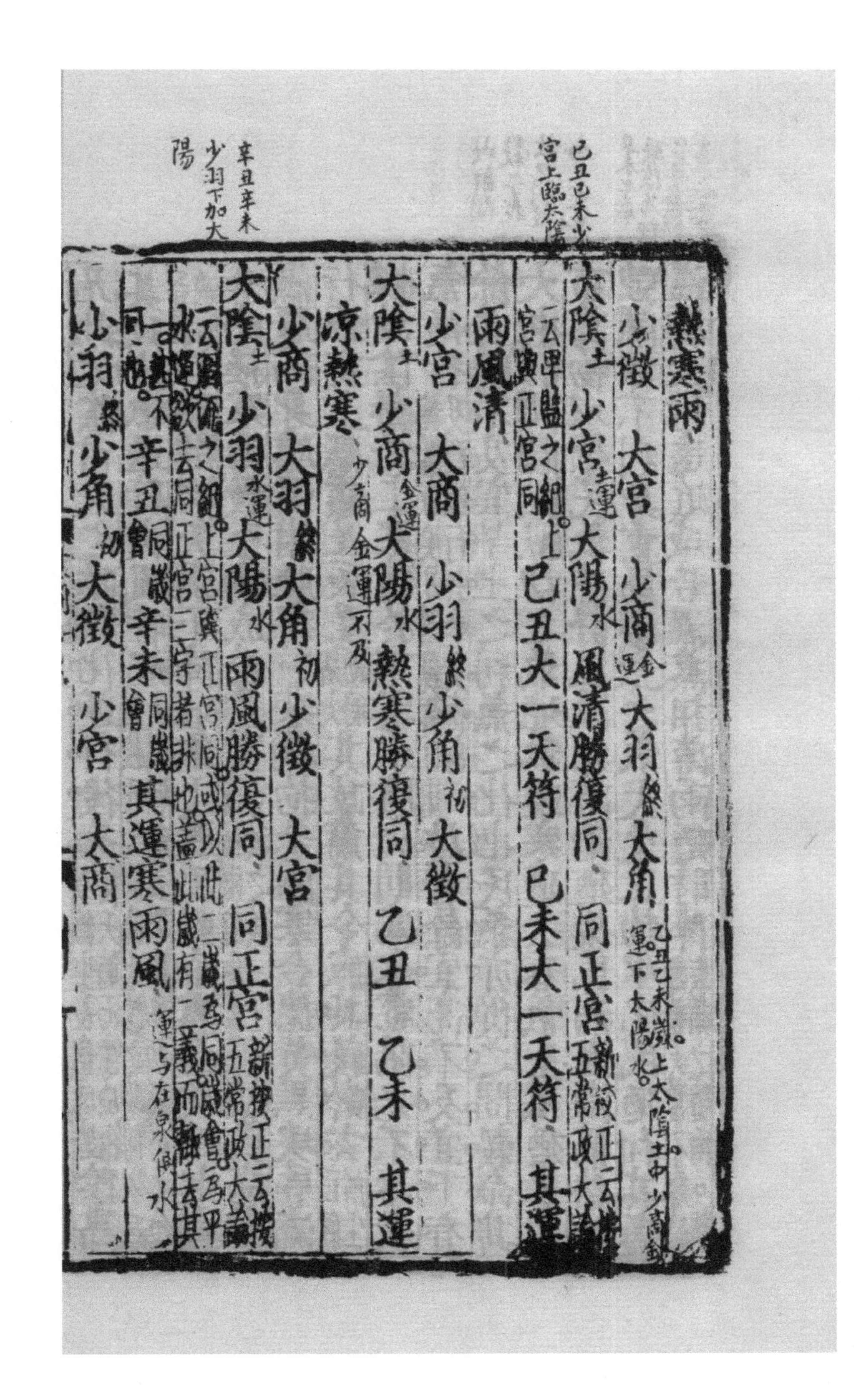

己丑己未少宫上臨太陰

辛丑辛未少羽下加太陽

熱寒雨

少徵　大宫　少商金運　大羽終　大角

乙丑乙未歲。上太陰土。中少商金運。下太陽水。

太陰土　少宫土運　太陽水　風清勝復同。同正宫。新校正云：按五常政大論云：一云甲己臨之紀。上宫與正宫同。　己丑太一天符　己未太一天符。　其運

雨風清

少宫　大商　少羽終　少角初　大徵

太陰土　少商金運　太陽水　熱寒勝復同　乙丑　乙未　其運

涼熱寒、少商金運不及

少商　大羽終　大角初　少徵　大宫

太陰土　少羽水運　太陽水　雨風勝復同。同正宫。新校正云：按五常政大論云：一云甲己臨之紀。上宫與正宫同。或以此二歲為同歲會。為平水運。欲去二字者非也。蓋此歲有二義。而輒去其一也。　辛丑同歲會　辛未同歲會　其運寒雨風　運与在泉俱水

少羽終　少角初　大徵　少宫　大商

此解間穀之義，故曰間穀命其太也。

丑未之歲，厥陰為初之氣，少陰君火為二之氣，少[illegible]為三之氣[illegible]

凡此太陰司天之政，氣化運行後天。（萬物生長化成，皆後天時而生成也。）陰專其政，陽氣退辟，大風時起。（新校正云：詳此太陰之政，何以言大風時起？蓋厥陰為初氣，居木位，春氣正，風乃來，故言大風時起。）天氣下降，地氣上騰，[illegible]原野昏霿，白埃四起，雲奔南極，寒雨數至，物成於差夏。（南極，雨府也。差夏，謂立秋之後一十日也。）民病寒濕，腹滿，身䐜憤，胕腫，痞逆，寒厥，拘急。濕寒合德，黃黑埃昏，流行氣交，上應鎮星、辰星。（鎮星、辰星明大。）其政肅，其令寂，其穀黅玄。（正氣所生也。）故陰凝於上，寒積於下，寒水勝火，則為冰雹，陽光不治，殺氣乃行。（黃黑昏埃，是謂殺氣，自北及西，流行於東及南也。）故有餘宜高，不及宜下，有餘宜晚，不及宜早，土之利，氣之化也，民氣亦從之，間穀命其太也。（太者，言其[illegible]也。）初之氣，地氣遷，寒乃去，春氣至，風乃來，生布萬物以榮，民氣條舒，風濕相薄，雨乃後，民病血溢，筋絡拘強，關節不利，身重筋痿。二之氣，大火正，物承化，民乃和，其病溫厲大行，遠近咸若，濕蒸相薄，雨乃時降。（[illegible]不[illegible]之時[illegible]）

陽相火為五之氣四之氣畏火臨四誤為五也

陽明金為五之氣

[illegible]正二云蒼[illegible]以少陰居火之位故言大火正。三之氣天政布溼氣降地氣騰雨廼時降寒廼隨之感於寒溼則民病身重胕腫胸腹滿四之氣畏火臨溽蒸化地氣騰天氣否隔寒風曉暮蒸熱相薄草木凝煙溼化不流則白露陰布以成秋令萬物得之以成民病腠理熱血暴溢瘧心腹滿熱臚脹甚則胕腫五之氣慘令已行寒露下霜廼早降草木黃落寒氣及體君子周密民病皮腠終之氣寒大舉溼大化霜廼積陰廼凝水堅冰陽光不治感於寒則病人關節禁固腰脽痛寒溼持於氣交而為疾也。必折其鬱氣。而取化源。九月化源迎而取之以補益也益其歲氣。無使邪勝。食歲穀。以全其真。食間穀。以保其精。故歲宜以苦。燥之溫之。甚者發之泄之。不發不泄。則溼氣外溢肉潰皮拆。而水血交流。必贊其陽火令禦甚寒。冬之分其用五步量氣用之也從氣異同少多其判也。謂歲運之同異也同寒者以熱化同溼者以燥化。少宮少商少羽同歲[illegible]寒少宮歲又同溼[illegible]

少陰正司於午對化於子

甲子丙子戊子庚子壬子
甲午丙午戊午庚午壬午

子午之歲陽明在泉少陰司天

戊子戊午大徵上臨少陰

[illegible]故宜溫熱。寒[illegible]故宜熱[illegible]異者少之同者多之用涼遠涼用

寒遠寒用溫遠溫用熱遠熱食宜同法假者反之此其道也

反是者病也帝曰善少陰之政奈何岐伯曰子午之紀也

少陰火 大角木運 [illegible] 陽明金 壬子 壬午

其運風鼓 其化鳴紊啓拆 [illegible] 其變

振拉摧拔 其病支滿

大角初正 少徵 大宮土運 少商 大羽終

少陰火 大徵火運 [illegible] 陽明金 戊子天符 戊

午太一天符 其運炎暑 [illegible]

曰炎暑。[illegible]司天[illegible]

之氣而言運也 其化暄[illegible]

者以上臨少陰故也 其變炎烈沸騰 其病上熱血溢

太徵 少宮 大商金運 少羽終 少角初

少陰火 太宮土運 陽明金 甲子 甲午 其運陰雨 其化柔[illegible]

庚子庚午 大商下加陽明 庚為大商 子午為少陰

潤時雨新校正云按五常政大論云柔潤重淖宮三運兩作柔潤重澤此特兩二字疑誤。又大其

震驚飄驟　其病中滿身重

大宮　少商　大羽終　大角初　少徵

少陰火　大商金運　陽明金　庚子歲同天符　庚午同天符　同正商新校正云按五常政大論云堅成之紀上徵與正商同。其運涼勁新校正云詳此以運合在涼勁下一云涼勁　其化

霧露蕭飋　其變肅殺凋零　其病下清

大商　少羽終　少角初　大徵　少宮

少陰火　大羽水運　陽明金　丙子歲會　丙午　其運寒　其化

凝慘凓冽新校正云按五常政大論作凝慘寒雰　其變冰雪霜雹　其病寒下

大羽終　大角初　少徵　大宮　少商

凡此少陰司天之政，氣化運行先天，天地氣肅，天氣明，寒交

暑。熱加燥。新校正云詳此云寒交暑者，謂前歲終之氣少陽，今歲初之氣太陽，太陽寒交前歲少陽之暑也。熱加燥者，少陰在上而陽明在下也。雲馳雨府，濕化迺行，時雨迺降，金火合德。

大陽寒化爲初之氣

子午之紀厥陰爲二之氣

大陰爲四之氣

上應熒惑太白見而明大其政明其令切其穀丹白水火寒熱持於氣交而爲病始也熱病生於上清病生於下寒熱凌犯而爭於中民病欬喘血溢血泄鼽嚏目赤眥瘍寒厥入胃心痛腰痛腹大嗌乾腫上初之氣地氣遷燥將去新校正云按陽明在泉之前歲爲少陽少陽者暑暑往而陽明在地太陽初之氣故上交寒交暑是暑去而寒始也此燥字乃是暑字之誤也寒迺始蟄復藏水迺冰霜復降風迺至新校正云按王注六紀旨大論云太陽居木位爲寒風切冽此風乃至當作風迺冽陽氣鬱民反周密關節禁固腰脽痛炎暑將起中外瘡瘍二之氣陽氣布風迺行春氣以正萬物應榮寒氣時至民迺和其病淋目瞑目赤氣鬱於上而熱三之氣天政布大火行庶類蕃鮮寒氣時至病民氣厥心痛寒熱更作欬喘目赤四之氣溽暑至大雨時行寒熱互至民病寒熱嗌乾黃癉鼽衄飲發五之氣畏火臨暑反至陽迺化萬物迺生迺長榮民迺康其病溫終之氣燥令行餘火内格腫於上欬

端

已

厥陰上正司
癸亥對癸

已亥之歲
少陽在泉
厥陰司天

乙巳丁巳己巳
乙亥丁亥己亥
辛巳癸巳
辛亥癸亥

丁巳丁亥少角
上臨厥陰

癸巳癸亥少
徵下加少陽

甚則血溢。寒氣數舉，則霧霿翳。病生皮腠，內舍於脇，下連少腹而作寒中。地將易也。土氣將終則迁，何可長也。必抑其運氣，資其歲勝，折其鬱發，先取化源。先於年前月迎而取之。無使暴過而生其病也。食歲穀以全真氣，食間穀以辟虛邪。歲宜鹹以耎之，而調其上。甚則以苦發之，以酸收之，而安其下。甚則以苦泄之。適氣同異而多少之。同天氣者以寒清化，同地氣者以溫熱化。大角、大徵歲同天氣，宜以寒清治之。大宮、大商、大羽歲同地氣，宜以溫熱治之。化治也。用熱遠熱，用涼遠涼，用溫遠溫，用寒遠寒。食宜同法。有假則反此，其道也。反是者病作矣。帝曰：善。厥陰之政奈何？岐伯曰：已亥之紀也。

厥陰木　少角木運　少陽相火　清熱勝復同　同正角新校正云詳五常政大論　丁巳天符　丁亥天符　其運風清熱

一云委和之紀上角与正角同

少角初正　大徵　少宮土運　大商　少羽終已亥歲上厥陰木中少宮土運下少陽相火

厥陰木　少徵火運　少陽相火　寒雨勝復同　癸巳同歲會　癸亥同歲會

其運熱寒雨

少徵　大宫　少商　大羽終　大角初

厥陰木　少宫土運　少陽相火　風清勝復同　同正角新校正云：按五常政大論云：卑監之紀，上角與正角同。

己巳　己亥　其運雨風清

少宫　大商　少羽終　少角初　大徵

厥陰木　少商金運　少陽相火　熱寒勝復同　同正角新校正云：按五常政大論云：從革之紀，上角與正角同。

乙巳　乙亥　其運涼熱寒

少商　大羽終　大角初　少徵　大宫

厥陰木　少羽水運　少陽相火　雨風勝復同　辛巳　辛亥　其運寒雨風

少羽終　少角初　大徵　少宫　大商

凡此厥陰司天之政，氣化運行後天。太過歲運化氣行先天時，不及歲化生成後天時，同正歲化生成與天二十四氣遲速同，無先後也。諸同正歲，氣化運行同天。新校正云：

陽明金爲初之氣大陽水爲二之氣

巳亥之紀少陰[illegible]爲四之氣大陰土爲五之氣

[illegible]云同正徵與二十四氣同[illegible]是與大寒日交司氣候同。天氣擾，地氣正，風生高遠，炎熱從之，雲趨雨府，濕化迺行。風火同德，上應歲星熒惑。其政撓，其令速，其穀蒼丹，間穀言大者，其耗文角品羽。風燥火熱，勝復更作，蟄蟲來見，流水不冰，熱病行於下，風病行於上，風燥勝復形於中。初之氣，寒始肅，殺氣方至，民病寒於右之下。二之氣，寒不去，華雪水冰，殺氣施化，霜迺降，名草上焦，寒雨數至，陽復化，民病熱於中。三之氣，天政布，風迺時舉，民病泣出耳鳴掉眩。四之氣，溽暑濕熱相薄，爭於左之上，民病黃癉而爲胕腫。五之氣，燥濕更勝，沉陰迺布，寒氣及體，風雨迺行。終之氣，畏火司令，陽迺大化，蟄蟲出見，流水不冰，地氣大發，草迺生，人迺舒，其病溫厲。必折其鬱氣，資其化源，化源[illegible]月也[illegible]贊其運氣，無使邪勝。歲宜以辛調上，以鹹調下，畏火之氣，無妄犯之。新校正云：詳此運何以不言適氣同異少多之制者？蓋厥陰之政與少陽之政同，六氣分政惟

素問十八　十二

歲厥陰少陽之歲上下無剋罰之異治化惟一天氣言同風熱者多寒化異風熱者少寒化也故用溫遠溫
用熱遠熱用涼遠涼用寒遠寒食宜同法有假反常此之道
也反是者病帝曰善夫子言可謂悉矣然何以明其應乎岐
伯曰昭乎哉問也夫六氣者行有次止有位故常以正月朔
日平旦視之覩其位而知其所在矣陰之所在天應以清淨陽之所在天應以雲雨自
然分亦可見不差運有餘其至先運不及其至後先後者寅時之先後也先則丑後後則卯
初見則此天之道氣之常也大道昭然當期必應見無差失是氣之常運非有餘非
不足是謂正歲其至當其時也當時謂當寅之正也帝曰勝復之氣其
常在也災眚時至候也奈何岐伯曰非氣化者是謂災也二十
變復災眚帝曰天地之數終始奈何岐伯曰悉乎哉問也是明道
也數之始起於上而終於下歲半之前天氣主之歲半之後
地氣主之歲半謂立秋之日也新校正云詳初氣交司在前歲大寒日歲半當在立秋前一氣之十五日不
得二十八日立秋之日也上下交互氣交主之歲紀畢矣交互互體也下體之中有二

甲為大宮辰戌為四季大陰餘似此

也曰位明氣月可知乎所謂氣也六凡一氣主六十日[illegible]有奇以立位數之位[illegible]一氣則月之節氣中氣可知也故言天地氣者以上下[illegible]勝復者以氣交言橫運者以上下互言皆以節氣準之候之[illegible]皆變復可期矣帝曰余司其事則而行之不合其數何也岐伯曰氣用有多少化洽有盛衰衰盛多少同其化也帝曰願聞同化何如岐伯曰風溫春化同。熱曛昏火夏化同。勝與復同燥清煙露秋化同雲雨昏暝埃長夏化同寒氣霜雪冰冬化同此天地五運六氣之化更用盛衰之常也帝曰五運行同天化者命曰天符余知之矣願聞同地化者何謂也岐伯曰太過而同天化者三不及而同天化者亦三太過而同地化者三不及而同地化者亦三此凡二十四歲也六十年中同天地之化者凡二十四歲餘悉隨已多少帝曰願聞其所謂也岐伯曰甲辰甲戌太宮下加太陰。壬寅壬申。太角下加厥陰。庚子庚午。太商下加陽明。如是者三。癸巳癸亥。少徵下加少陽辛丑辛未。少羽下加太陽

癸卯　癸酉。少徵下加少陰。如是者三。戊子　戊午。大徵上臨少陰。戊寅　戊申。大徵上臨少陽。丙辰　丙戌。大羽上臨大陽。如是者三。丁巳　丁亥。少角上臨厥陰。乙卯　乙酉。少商上臨陽明。己丑　己未。少宮上臨大陰。如是者三。除此二十四歲。則不加不臨也。帝曰。加者何謂。岐伯曰。大過而加同天符。不及而加同歲會也。帝曰。臨者何謂。岐伯曰。大過不及。皆曰天符。而變行有多少。病形有微甚。生死有早晏耳。帝曰。夫子言用寒遠寒。用熱遠熱。余未知其然也。願聞何謂遠。岐伯曰。熱無犯熱。寒無犯寒。從者和。逆者病。不可不敬畏而遠之。所謂時與六位也。四時氣王之月藥及食衣寒熱溫涼同者皆宜避之差四時同犯則以水濟水以火助火病必生也帝曰。溫涼何如。溫涼減於寒熱可輕犯之也岐伯曰。司氣以熱。用熱無犯。司氣以寒。用寒無犯。司氣以涼。用涼無犯。司氣以溫。用溫無犯。間氣同其主無犯。異其主則小犯之。是謂四畏。必謹察之。帝曰。善其犯者何如（須犯者）岐伯曰天氣反時則可依時（[illegible]）及勝其主則可犯（夏寒甚則可以熱犯熱寒氣不甚則不可犯之）以平為期而不可過（氣平則止過則病生過而病生與犯同也）是謂邪氣反勝者（氣動有變是謂邪[illegible]勝不主不可不[illegible]六步之氣於六位中應寒反熱應熱反寒應溫反涼應涼反溫是謂六步之邪勝也差冬反溫差夏反冷差秋反熱差春反涼是謂四時之邪勝也勝則反其氣以平之）故曰無失天信無逆氣宜無翼其勝無贊其復是謂至治（天信謂至時必定翼贊皆佐之謹守天信是謂至真妙理之[illegible]）帝曰善

五運氣行主歲之紀其有常數乎岐伯曰臣請次之

甲子　甲午歲

上少陰火　中太宮土運　下陽明金　熱化二（新校正云詳對化從標成數正化從本生數甲子之年熱化七燥化九甲午之年熱化二燥化四）雨化五（新校正云按本論正文云太過不及其數何如太過者其數成不及者其數生土常以生也甲年太宮土運太過故言雨化五五土數也）燥化四　所謂正化日也（正氣化也）其化上鹹寒中苦熱下酸熱所謂藥食宜也（新校正云按玄珠云下苦熱又按至真要大論云熱淫所勝平以鹹寒燥）

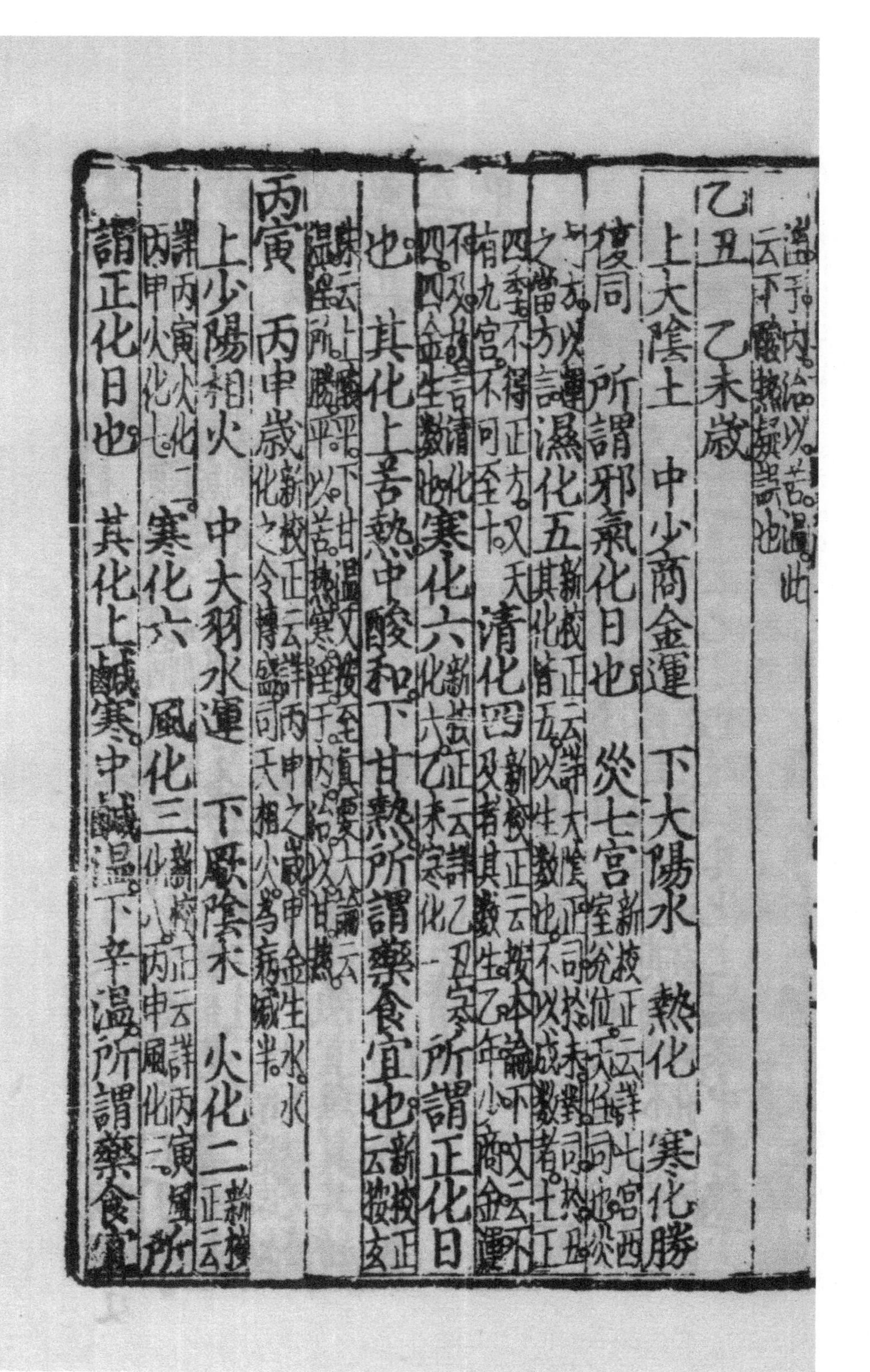

溫于內。治以苦溫也。云下酸熱疑誤也。

乙丑　乙未歲

上太陰土　中少商金運　下太陽水　熱化寒化勝復同　所謂邪氣化日也　災七宮新校正云詳七宮西室兌位天柱司也災与方。以運之當方言。濕化五新校正云詳太陰正司於未對司於丑其化皆五。以生數也。不以成數者。土正四季不得正方。又天有九宮。不可至十。清化四新校正云按本論下文云不及者其數生乙年少商金運不及。故言清化四。四金生數也。寒化六新校正云詳乙丑寒化六。乙未寒化一。所謂正化日也。其化上苦熱。中酸和。下甘熱。所謂藥食宜也。新校正云按玄珠云上酸平。下甘溫。又按至真要大論云濕淫所勝平以苦熱。寒淫于內。治以甘熱。

丙寅　丙申歲新校正云詳丙申之歲申金生水。水化之令轉盛司天相火為病減半。

上少陽相火　中太羽水運　下厥陰木　火化二新校正云詳丙寅火化二。丙申火化七。寒化六　風化三新校正云詳丙寅風化八。丙申風化三。所謂正化日也。其化上鹹寒。中鹹溫。下辛溫。所謂藥食宜

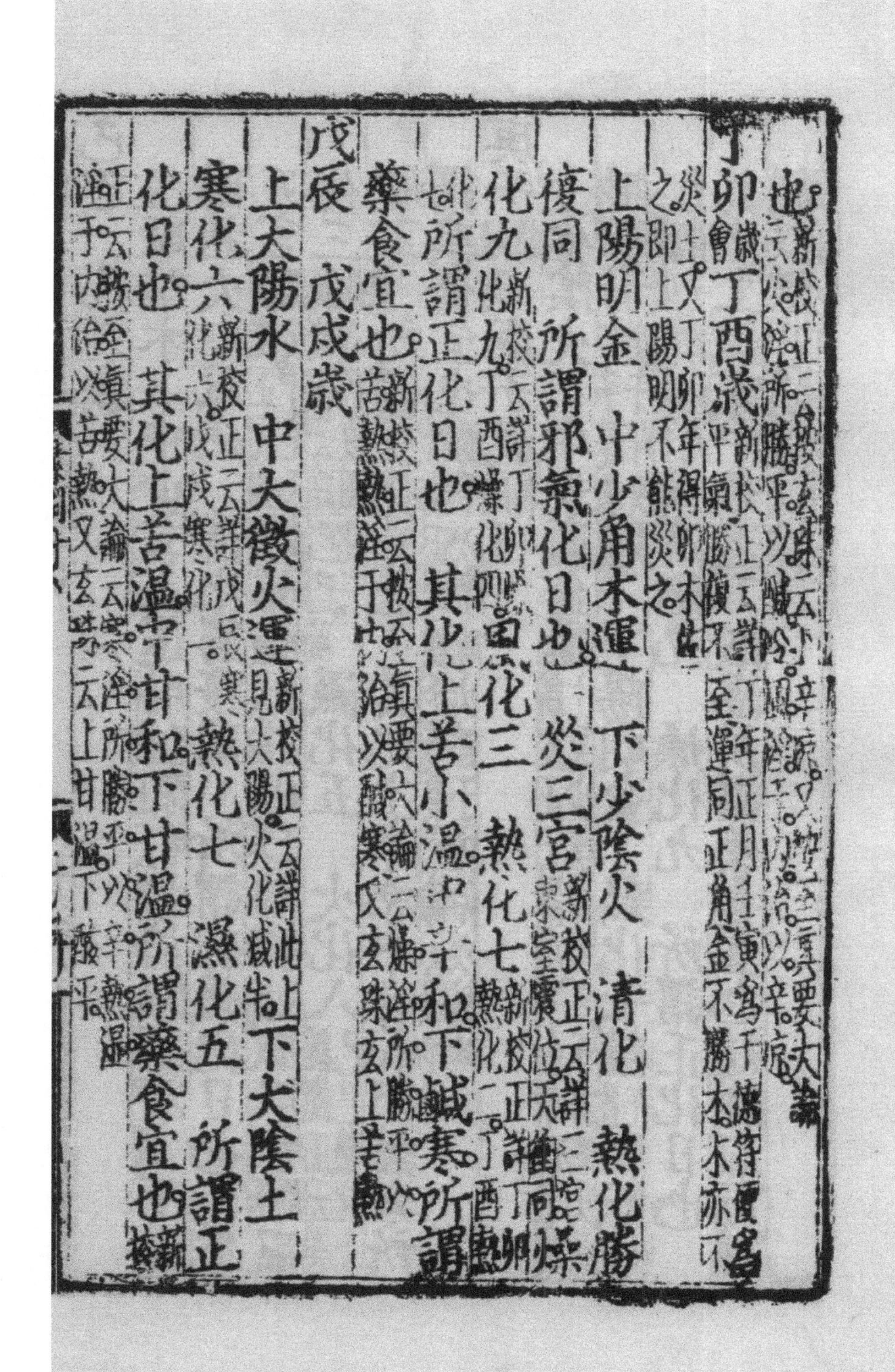

也。新校正云：按玄珠云：下辛涼。又按至真要大論云：火淫所勝，平以鹹冷。風淫于內，治以辛涼。

丁卯歲會　丁酉歲新校正云：詳丁年正月壬寅為干德符，便為平氣，勝復不至，運同正角，金不勝木，木亦不災土。又丁卯年得卯木佐之，即上陽明不能災之。

上陽明金　中少角木運　下少陰火　清化熱化勝復同　所謂邪氣化日也。災三宮新校正云：詳三宮東室震位，天衝司。燥化九新校正云：詳丁卯燥化九，丁酉燥化四。風化三　熱化七新校正云：詳丁酉熱化二，丁卯熱化七。所謂正化日也。其化上苦小溫，中辛和，下鹹寒，所謂藥食宜也。新校正云：按至真要大論云：燥淫所勝，平以苦熱。熱淫于內，治以鹹寒。又玄珠云：上苦熱。

戊辰　戊戌歲

上太陽水　中太徵火運新校正云：詳此上見太陽，火化減半。下太陰土　寒化六新校正云：詳戊辰寒化六，戊戌寒化一。熱化七　濕化五　所謂正化日也。其化上苦溫，中甘和，下甘溫，所謂藥食宜也。新校正云：按至真要大論云：寒淫所勝，平以辛熱。濕淫于內，治以苦熱。又玄珠云：上甘溫，下酸平。

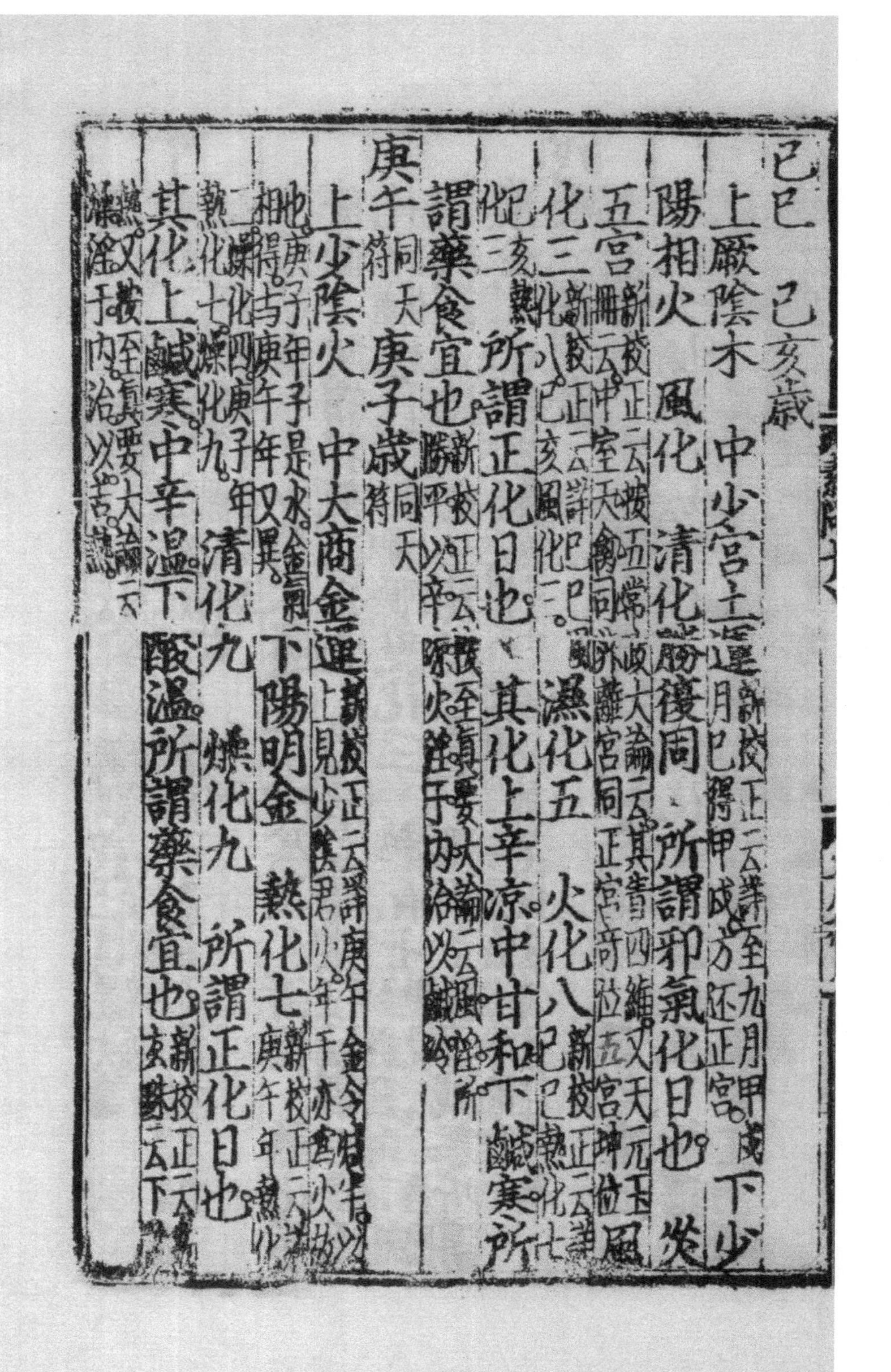

己巳　己亥歲

上厥陰木　中少宫土運（新校正云：詳至九月甲戌月已得甲戌方還正宫。）　下少陽相火　風化清化勝復同　所謂邪氣化日也。　災五宫（新校正云：按五常政大論云：其眚四維。又天元玉册云：中室天禽司，非離宫同正宫，寄位五宫坤位。）　風化三（新校正云：詳己巳風化八，己亥風化三。）　濕化五　火化八（新校正云：詳己巳熱化七，己亥熱化二。）　所謂正化日也。　其化上辛涼，中甘和，下鹹寒，所謂藥食宜也。（新校正云：按至真要大論云：風淫所勝，平以辛涼；火淫于內，治以鹹冷。）

庚午（同天符）　庚子歲（同天符）

上少陰火　中太商金運（新校正云：詳庚午金運，上見少陰君火，午年午亦爲火，故[illegible]也。庚子年子是水，金氣相得，與庚午年同異。）　下陽明金　熱化七（新校正云：詳庚午年熱化二，燥化四；庚子年熱化七，燥化九。）　清化九　燥化九　所謂正化日也。　其化上鹹寒，中辛溫，下酸溫，所謂藥食宜也。（新校正云：下熱。又按至真要大論云：熱淫于內，治以鹹寒……燥淫于內，治以苦溫。）

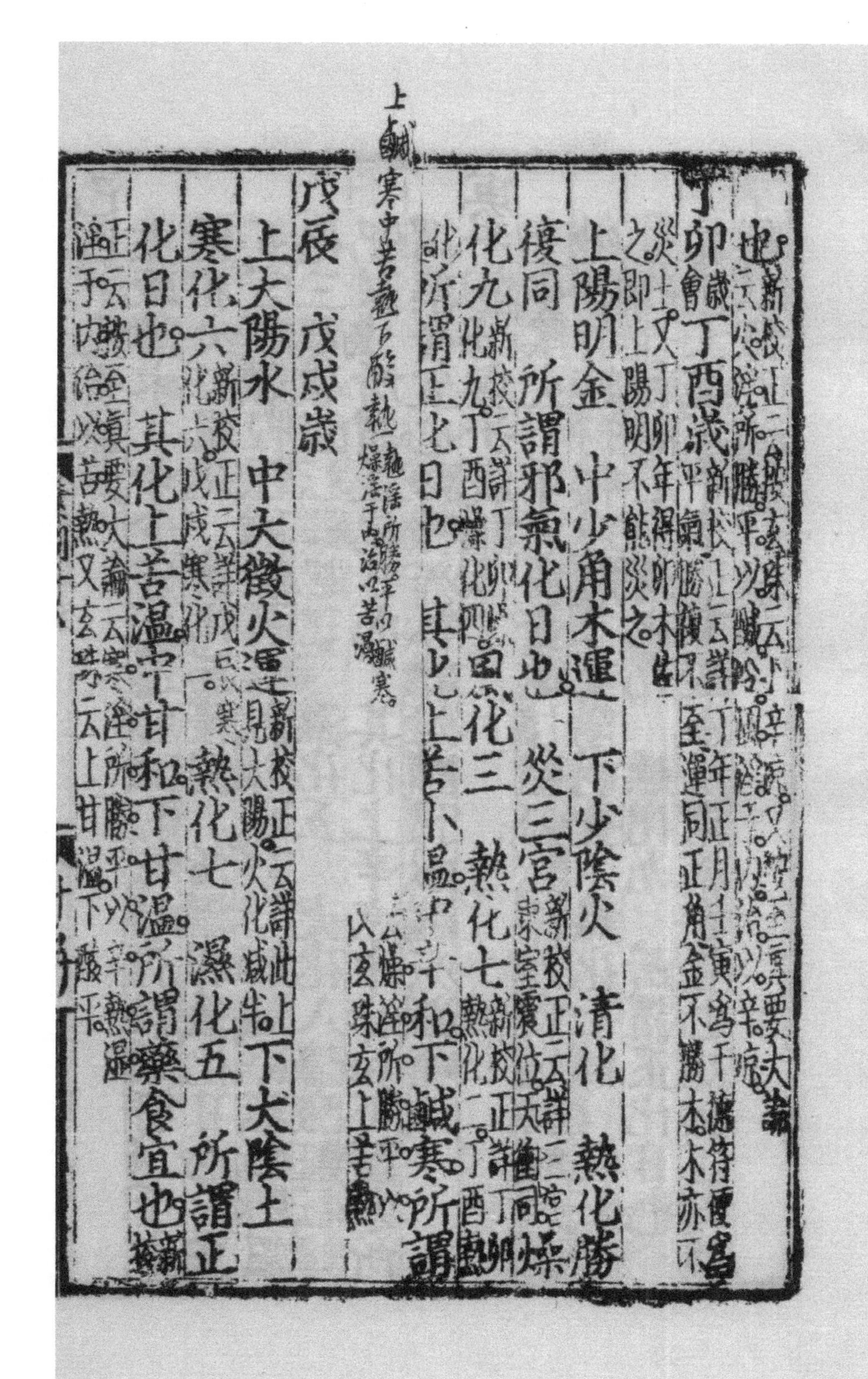

也。新校正云按玄珠云上辛涼中[illegible]又按至真要大論云熱淫所勝平以鹹寒燥淫于內治以[illegible]以辛涼

丁卯歲會 丁酉歲 新校正云詳丁年正月壬寅為干德符便為正宮平氣勝復不至運同正角金不勝木木亦不災上文丁卯年得卯木佐之即上陽明不能災之

上陽明金 中少角木運 下少陰火 清化熱化勝復同 所謂邪氣化日也。災三宮 新校正云詳三宮東室震位天[illegible]同

燥化九 新校正云詳丁卯燥化九丁酉燥化四 風化三 熱化七 新校正云詳丁卯熱化二丁酉熱化七 所謂正化日也。其化上苦小溫，中辛和，下鹹寒，所謂[illegible]

上鹹寒中苦熱下酸熱 熱淫所勝平以鹹寒燥淫于內治以苦溫

戊辰 戊戌歲

上太陽水 中太徵火運 新校正云詳此上見太陽火化減半 下太陰土 寒化六 新校正云詳戊辰寒化六戊戌寒化一 熱化七 濕化五 所謂正化日也。其化上苦溫，中甘和，下甘溫，所謂藥食宜也。新校正云按至真要大論云寒淫所勝平以辛熱濕淫于內治以苦熱又玄珠云上甘溫下酸平

己巳　己亥歲

上厥陰木　中少宮土運（新校正云詳至九月甲戌月已得甲戌方還正宮。）下少陽相火　風化　清化勝復同　所謂邪氣化日也　災五宮（新校正云按五常政大論云其眚四維又天元玉冊云中室天禽司非維宮同正宮寄位五宮坤位）風化三（新校正云詳己巳風化八己亥風化三。）濕化五　火化七（新校正云詳己巳熱化七己亥熱化三）所謂正化日也　其化上辛涼　中甘和　下鹹寒　所謂藥食宜也（新校正云按至真要大論云風淫所勝平以辛涼火淫于內治以鹹冷。）

庚午（同天符）　庚子歲（同天符）

上少陰火　中太商金運（新校正云詳庚午庚子年金令虛宜以上見少陰君火年干亦會火故也。庚子年子是水。金氣相得。若庚午年又異。）下陽明金　熱化七（新校正云詳庚午年熱化二。燥化四。庚子年熱化七。燥化九。）清化九　燥化九　所謂正化日也　其化上鹹寒　中辛溫　下酸溫　所謂藥食宜也（新校正云[illegible]云下酸熱。又按至真要大論云燥淫于內治以苦溫。）

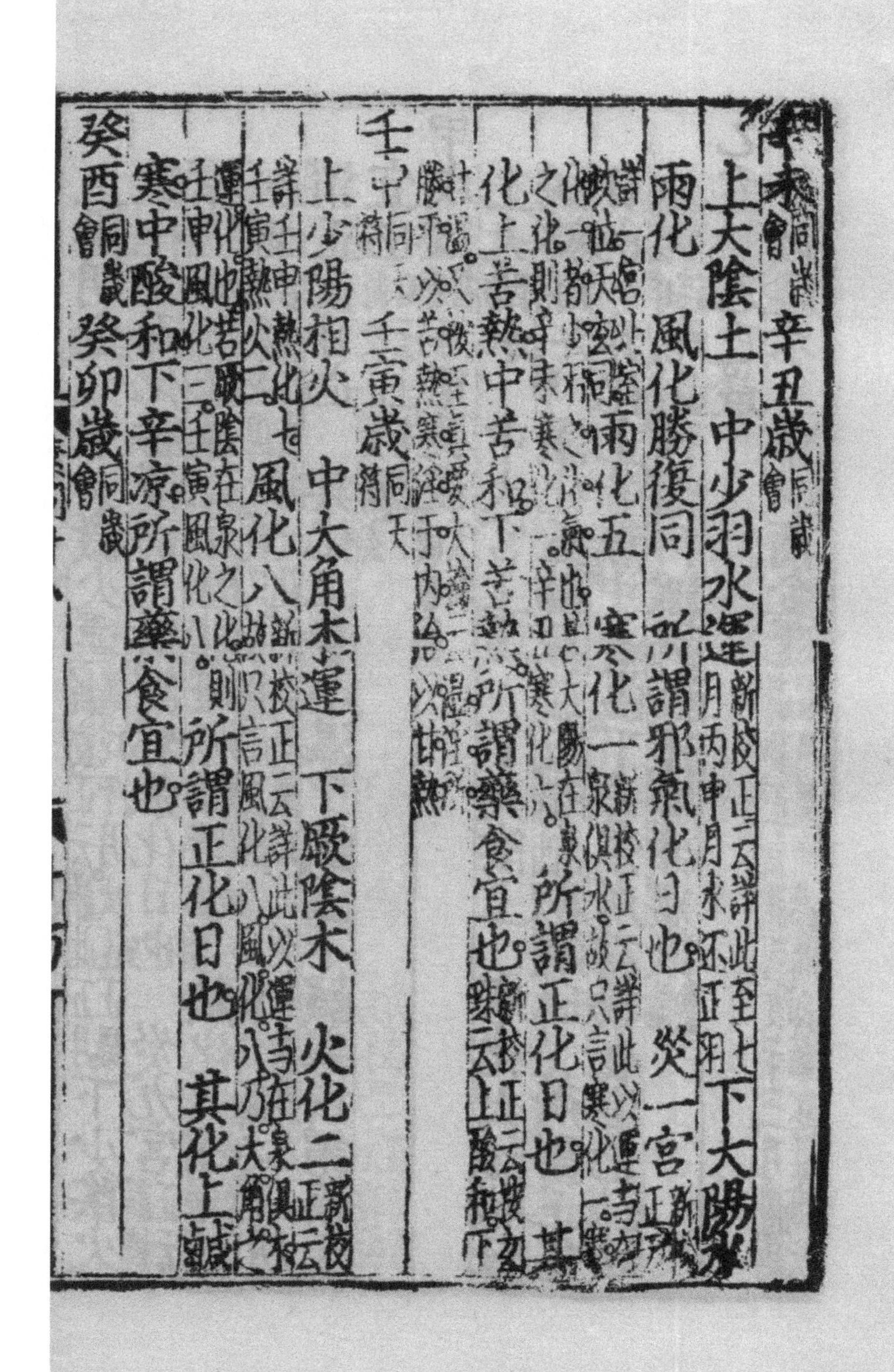

未（同歲會）辛丑歲（同歲會）

上太陰土　中少羽水運（新校正云：詳此至七月丙申月，水還正羽）下太陽水

雨化風化勝復同，所謂邪氣化日也。災一宮（新校正[illegible]）

[illegible] 雨化五 [illegible] 寒化一（新校正云：詳此以運與在泉俱水，故只言寒化一。[illegible]）

之化則辛未寒化[illegible]，辛丑寒化六。大陽在泉 所謂正化日也。其

化上苦熱，中苦和，下苦熱，所謂藥食宜也。（新校正云：[illegible]上酸和下[illegible]）

[illegible]

壬申（同天符）壬寅歲（同天符）

上少陽相火　中太角木運　下厥陰木　火化二（新校正云：詳壬申熱化七，壬寅熱化二）

風化八（新校正云：詳此以運與在泉俱木，故只言風化八。風化八乃在泉大角之運化也。若厥陰在泉之化，則壬申風化三，壬寅風化八）所謂正化日也。其化上鹹

寒，中酸和，下辛涼，所謂藥食宜也。

癸酉（同歲會）癸卯歲（同歲會）

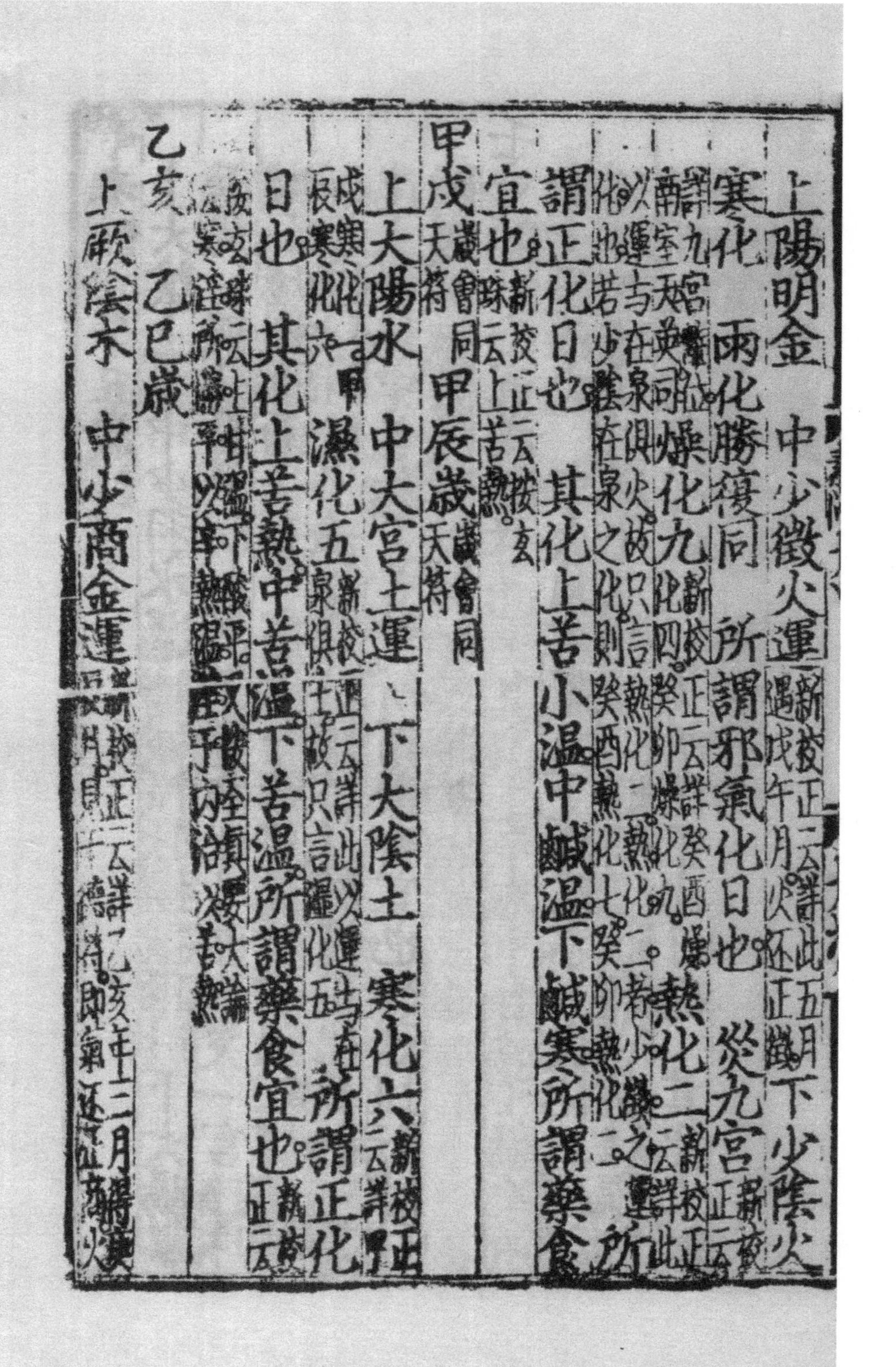

上陽明金　中少徵火運（新校正云詳此五月遇戊午月火運正徵）下少陰火

寒化　雨化勝復同　所謂邪氣化日也　災九宮（新校正云詳九宮[illegible]位南室天英司）燥化九（新校正云詳癸酉燥化四癸卯燥化九）熱化二（新校正云詳此火運與在泉俱火故只言熱化二熱化二若少徵之運化也若少陰在泉之化則癸酉熱化七癸卯熱化二）所

謂正化日也　其化上苦小溫中鹹溫下鹹寒所謂藥食

宜也（新校正云按玄珠云上苦熱）

甲戌（歲會天符）同　甲辰歲（歲會同天符）

上太陽水　中太宮土運　下太陰土　寒化六（新校正云詳甲戌與甲辰寒化六）濕化五（新校正云詳此以運土與在泉俱土故只言濕化五）所謂正化

日也　其化上苦熱中苦溫下苦溫所謂藥食宜也（新校正云按玄珠云上甘溫下酸平又按至真要大論云寒淫所勝平以辛熱濕淫于內治以苦熱）

乙亥　乙巳歲

上厥陰木　中少商金運（新校正云詳乙亥年十二月[illegible]丑月日干德符即氣還正商火）

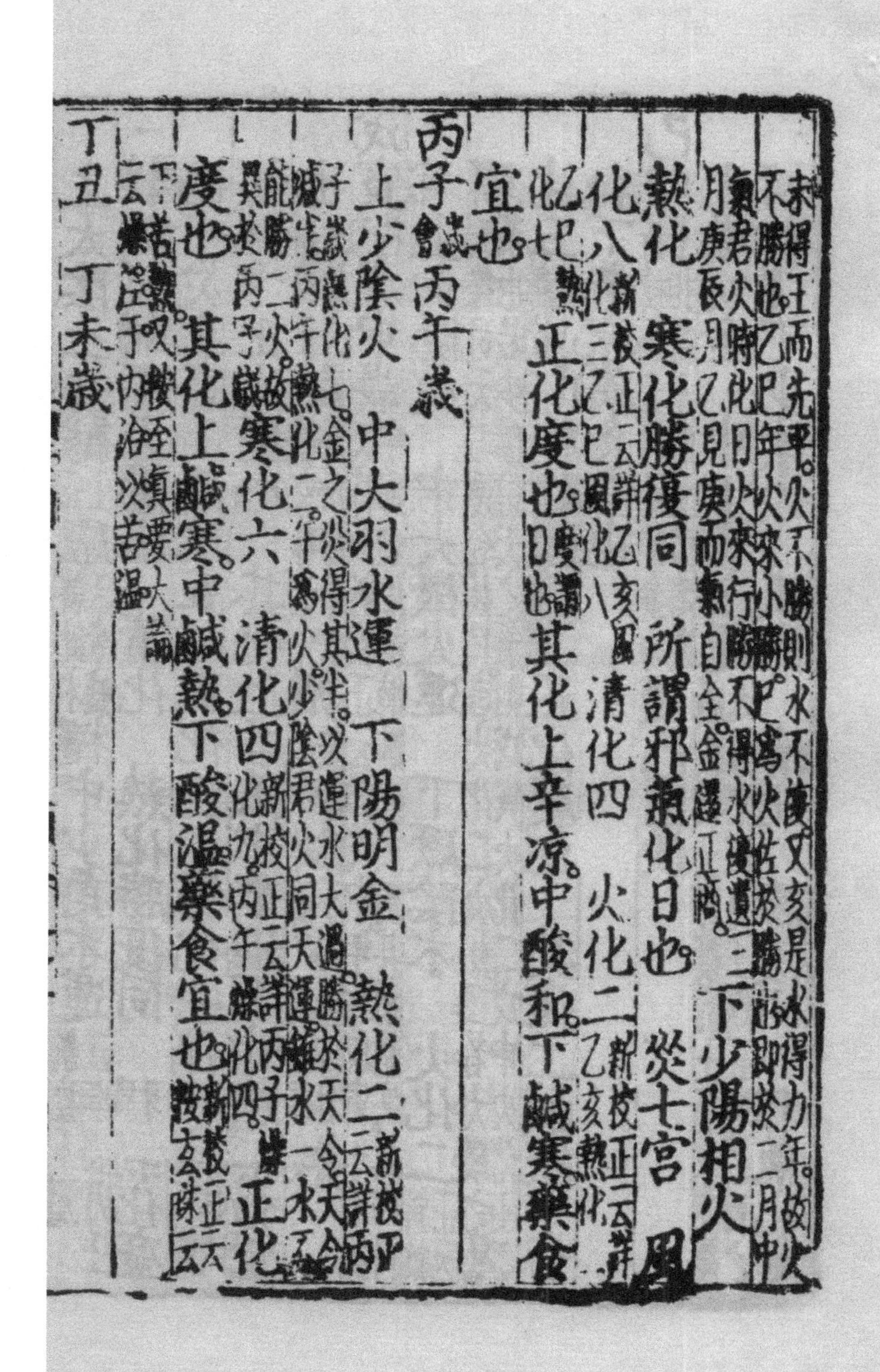

未得王而先平。火不勝則水不復。又亥是水得力年。故火不勝也。乙巳年火來小勝。巳爲火盛炎勝寅即炎二月中氣。君火時化日。火來行勝。不得水復。遺二月庚辰月。乙見庚而氣自全。金還正商。

下少陽相火

熱化寒化勝復同。所謂邪氣化日也。災七宮

風化八新校正云詳乙亥風化三乙巳風化八清化四　火化二新校正云詳乙亥熱化二乙巳熱化七正化度也。度謂日也其化上辛涼。中酸和。下鹹寒。藥食宜也。

丙子歲會丙午歲

上少陰火　中大羽水運　下陽明金　熱化二新校正云詳丙子歲熱化七。金之災得其半。以運水大過。勝於天令。天令減半。丙午熱化二。午爲火。少陰君火同天。運雖水。一水不能勝二火。故異於丙子歲寒化六　清化四新校正云詳丙子燥化九。丙午燥化四。正化度也。其化上鹹寒。中鹹熱。下酸溫。藥食宜也。新校正云按玄珠云下苦熱。又按至真要大論云燥淫于內。治以苦溫

丁丑　丁未歲

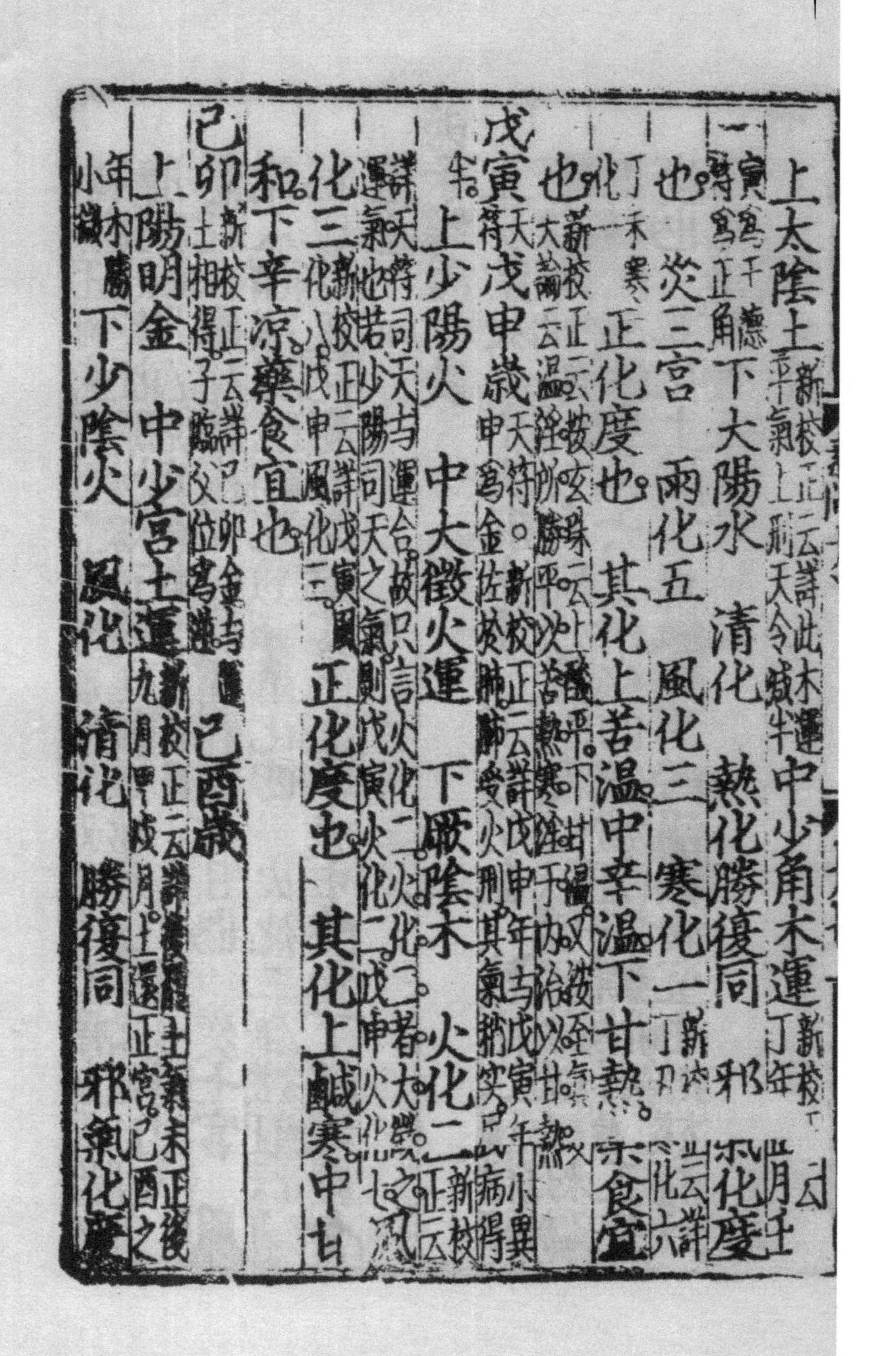

上太陰土新校正云詳此木運平氣上刑天令減半中少角木運新校正云丁年正月壬寅為干德符為正角下太陽水　清化熱化勝復同　邪氣化度也。災三宮　雨化五　風化三　寒化一新校正云詳丁丑寒化六丁未寒化一正化度也。其化上苦溫　中辛溫　下甘熱　藥食宜也。新校正云按玄珠云上酸平下甘溫又按至真要大論云溼淫所勝平以苦熱寒淫于內治以甘熱

戊寅天符戊申歲天符新校正云詳戊申年與戊寅年小異申為金佐於肺肺受火刑其氣稍實民病得安。

上少陽火　中太徵火運　下厥陰木　火化二新校正云詳天符司天與運合故只言火化二火化二者太徵之運氣也若少陽司天之氣則戊寅火化二戊申火化七風化三。新校正云詳戊寅風化八戊申風化三正化度也　其化上鹹寒　中甘和　下辛涼　藥食宜也。

己卯新校正云詳己卯金與運土相得子臨父位為逆己酉歲

上陽明金　中少宮土運新校正云詳[illegible]土氣未正後九月甲戌月已上還正宮己酉之年木勝小微下少陰火　風化清化　勝復同　邪氣化度

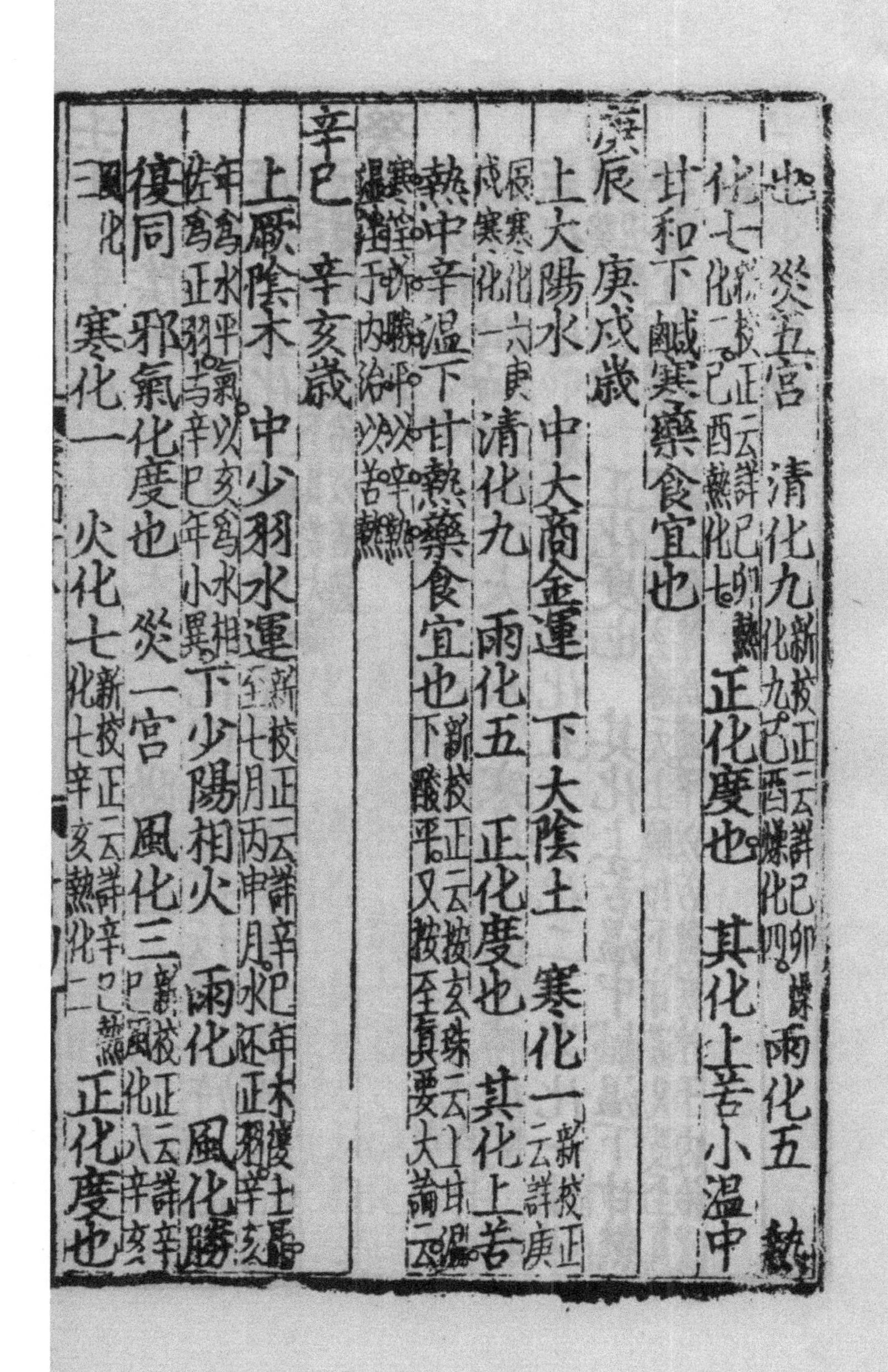

也　癸丑五宮　清化九（新校正云詳己卯燥化九，己酉燥化四。）雨化五　熱化七（新校正云詳己卯熱化二，己酉熱化七。）正化度也　其化上苦小溫，中甘和，下鹹寒，藥食宜也。

庚辰　庚戌歲

上太陽水　中太商金運　下太陰土　寒化一（新校正云詳庚辰寒化六，庚戌寒化一。）清化九　雨化五　正化度也　其化上苦熱，中辛溫，下甘熱，藥食宜也。（新校正云按玄珠云上甘溫，下酸平。又按至真要大論云：寒淫所勝，平以辛熱；濕淫于內，治以苦熱。）

辛巳　辛亥歲

上厥陰木　中少羽水運（新校正云詳辛巳年木復土罷，至七月丙申月，水還正羽。辛亥年為水平氣，以亥為水相，佐為正羽，與辛巳年小異。）下少陽相火　雨化風化勝復同　邪氣化度也　災一宮　風化三（新校正云詳辛巳風化八，辛亥風化三。）寒化一　火化七（新校正云詳辛巳熱化七，辛亥熱化二。）正化度也

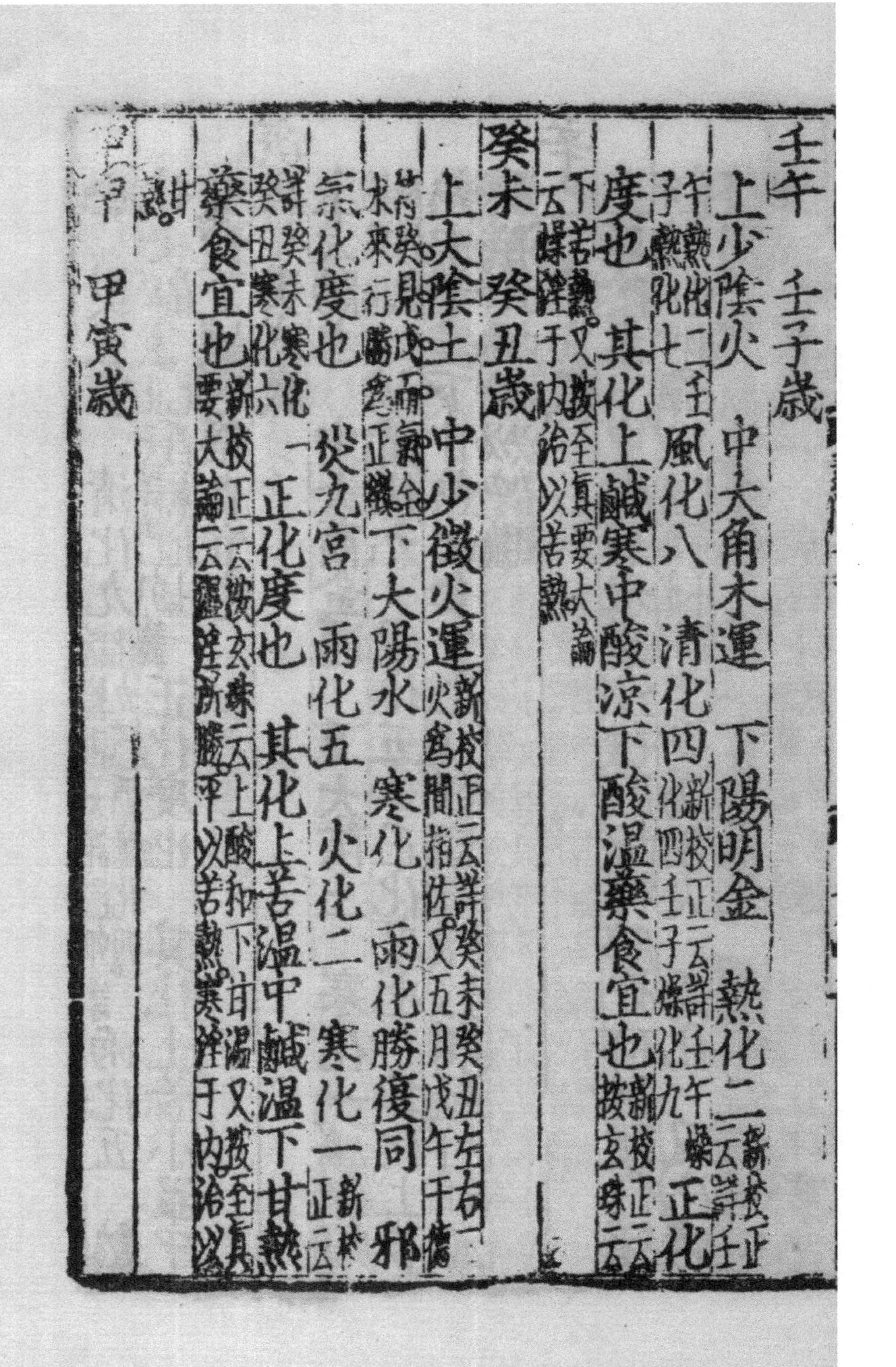

壬午　壬子歲

上少陰火　中大角木運　下陽明金　熱化二（新校正云詳壬午熱化二壬子熱化七）　風化八　清化四（新校正云詳壬午燥化四壬子燥化九）　正化度也　其化上鹹寒中酸涼下酸溫藥食宜也（新校正云按玄珠云下苦熱。又按至真要大論云燥淫于內治以苦熱）

癸未　癸丑歲

上太陰土　中少徵火運（新校正云詳癸未癸丑左右二火為間相佐。又五月戊午干德符。癸見戊而氣全。水未行勝。為正徵。）　下太陽水　寒化　雨化勝復同　邪氣化度也　災九宮　雨化五　火化二　寒化一（新校正云詳癸未寒化一癸丑寒化六）　正化度也　其化上苦溫中鹹溫下甘熱藥食宜也（新校正云按玄珠云上酸和下甘溫。又按至真要大論云濕淫所勝。平以苦熱。寒淫于內。治以甘熱。）

甲子　甲寅歲

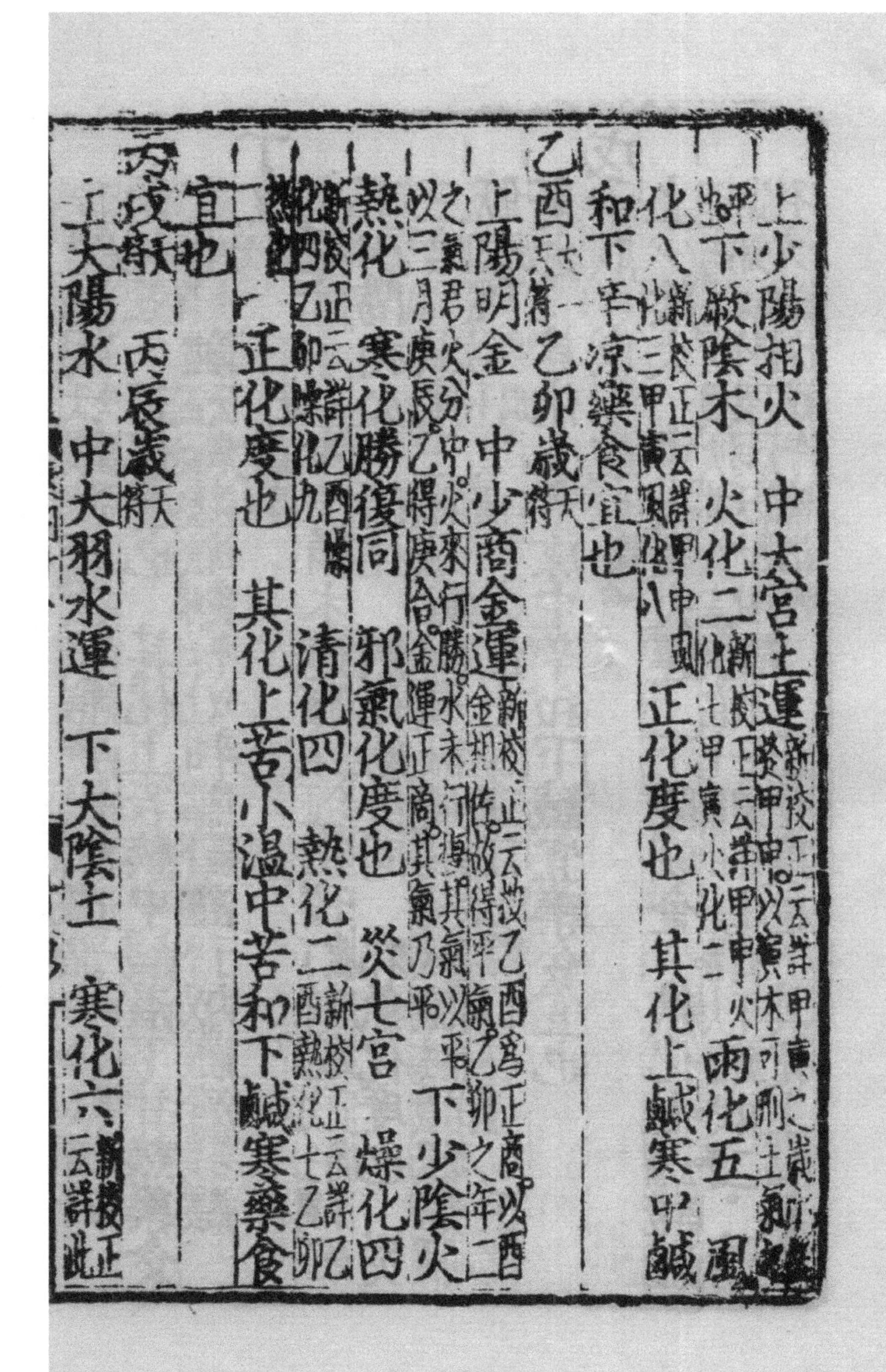

上少陽相火　中太宮土運（新校正云：詳甲寅之歲，甲申以寅木可刑土氣平也）下厥陰木　火化二（新校正云：詳甲申火化七，甲寅火化二）雨化五　風化八（新校正云：詳甲申風化三，甲寅風化八）正化度也　其化上鹹寒，中鹹和，下辛涼，藥食宜也。

乙酉（太一天符）　乙卯歲（天符）

上陽明金　中少商金運（新校正云：詳乙酉為正商，以酉金相佐，故得平氣。乙卯之年，二之氣君火分中，火來行勝，水未行復，其氣以平。以三月庚辰，乙得庚合，金運正商，其氣乃平）下少陰火　熱化　寒化勝復同　邪氣化度也　災七宮　燥化四（新校正云：詳乙酉燥化四，乙卯燥化九）清化四　熱化二（新校正云：詳乙酉熱化七，乙卯熱化二）正化度也　其化上苦小溫，中苦和，下鹹寒，藥食宜也。

丙戌（天符）　丙辰歲（天符）

上太陽水　中太羽水運　下太陰土　寒化六（新校正云：詳此

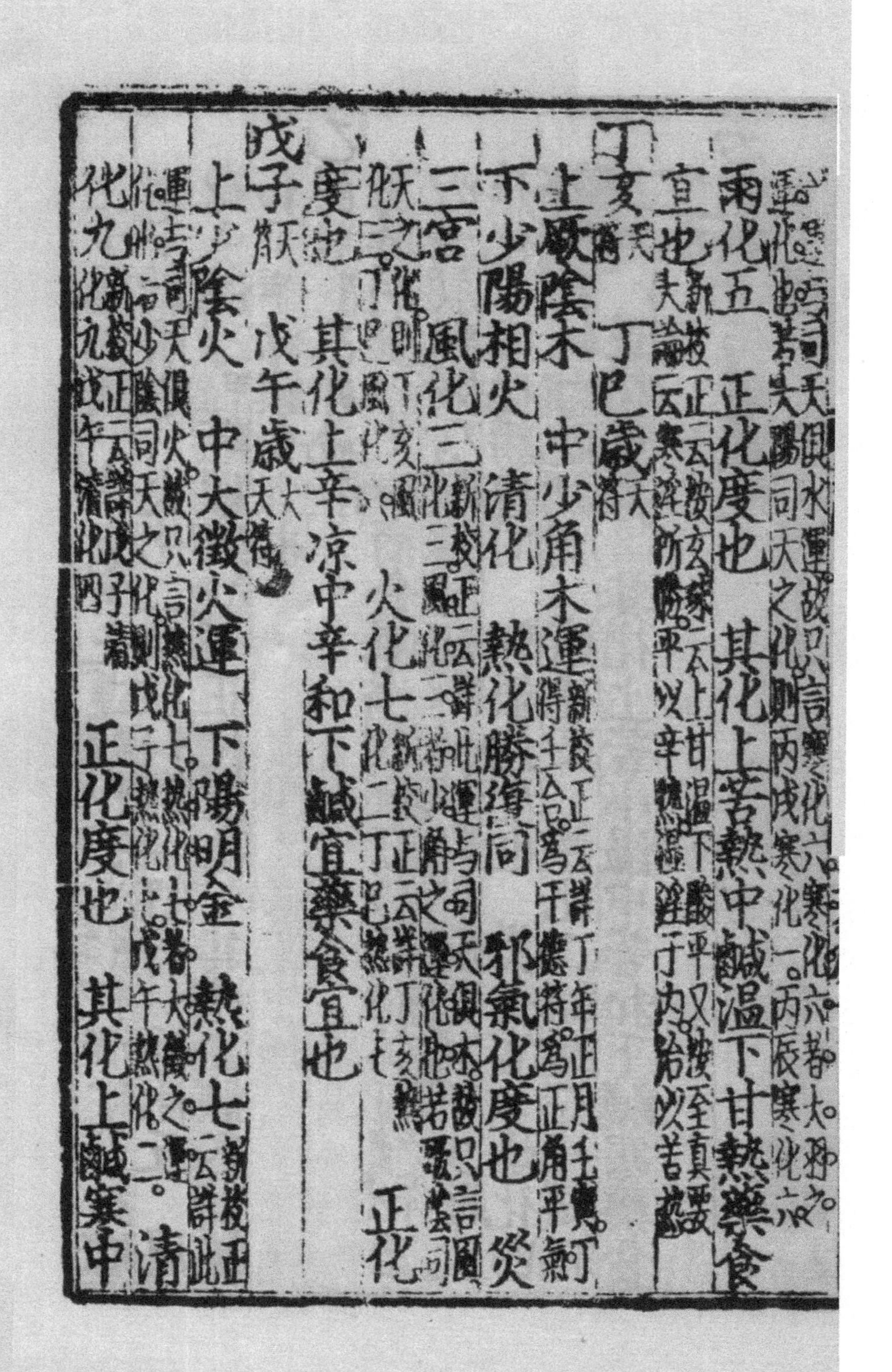
[illegible]司天俱水運，故只言寒化六。寒化六者，太羽六。運化也。若失太陽同天之化，則丙戌寒化一，丙辰寒化六。

雨化五，正化度也。其化上苦熱，中鹹溫，下甘熱，藥食宜也。新校正云：按玄珠云：上甘溫，下酸平。又按至真要大論云：寒淫所勝，平以辛熱；濕淫于內，治以苦熱。

丁亥天符　丁巳歲天符

上厥陰木　中少角木運新校正云：詳丁年正月壬寅，丁運得壬合，為干德符，為正角平氣。　下少陽相火　清化熱化勝復同，邪氣化度也。災三宮。風化三，新校正云：詳此運與司天俱木，故只言風化三。風化三者，少角之運化。若厥陰司天之化，則丁亥風化三，丁巳風化八。火化七，新校正云：詳丁亥熱化二，丁巳熱化七。正化度也。其化上辛涼，中辛和，下鹹寒，藥食宜也。

戊子天符　戊午歲太一天符

上少陰火　中太徵火運　下陽明金　熱化七，新校正云：詳此運與司天俱火，故只言熱化七。熱化七者，太徵之運化也。若少陰司天之化，則戊子熱化七，戊午熱化二。清化九，新校正云：詳戊子清化九，戊午清化四。正化度也。其化上鹹寒，中

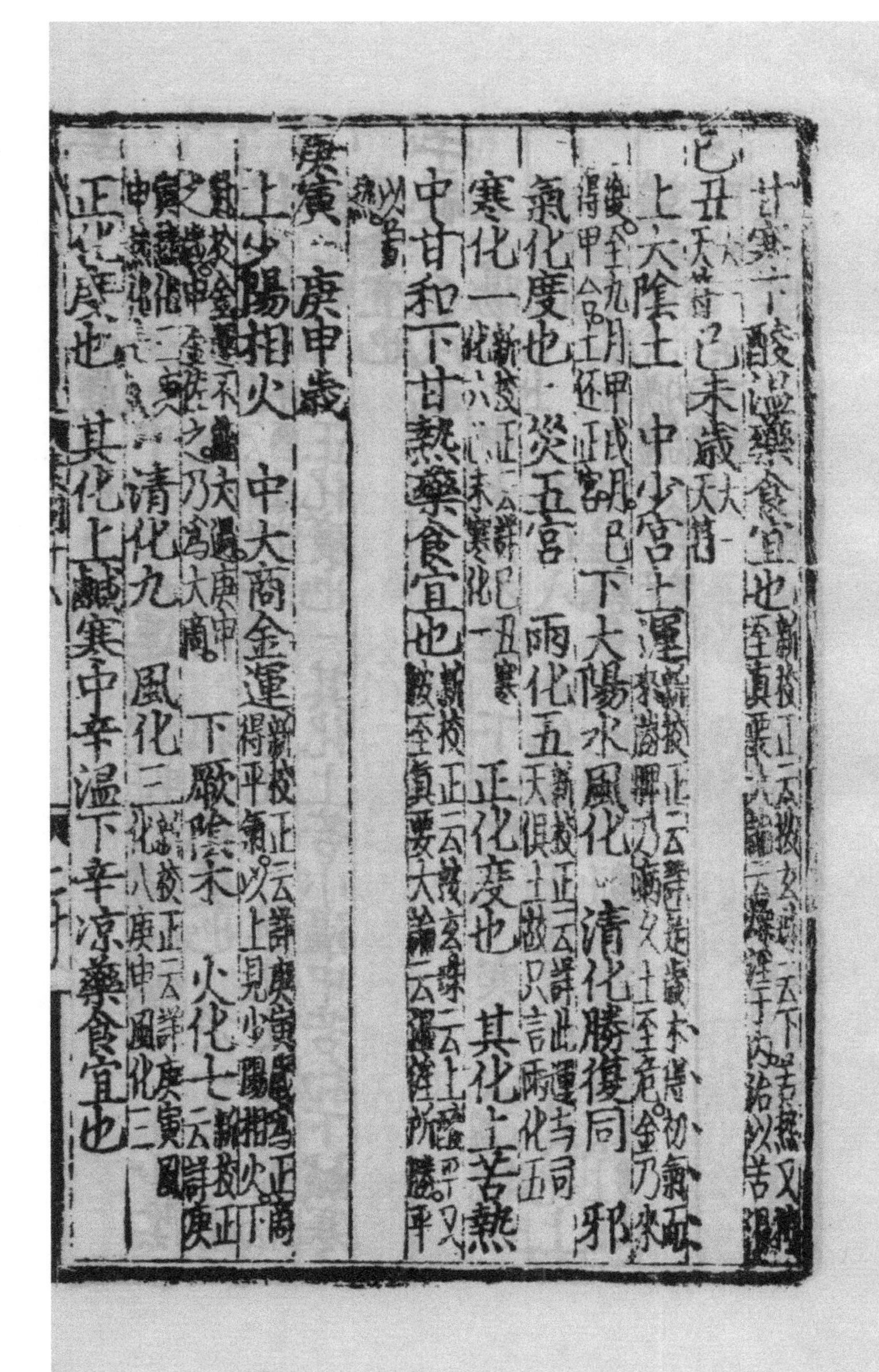

甘寒，下酸溫，藥食宜也。新校正云：按玄珠云下苦熱。又按至真要大論云：燥淫于內，治以苦溫。

己丑太一天符 己未歲太一天符

上太陰土　中少宮土運新校正云：詳此歲木得初氣而勝脾，脾乃受邪，又土至危，金乃來復。至于九月甲戌月，己得甲合，土運正宮。　下太陽水　風化清化勝復同　邪氣化度也。災五宮　雨化五新校正云：詳此運與司天俱土，故只言雨化五。　寒化一新校正云：詳己丑寒化六，己未寒化一。　正化度也。　其化上苦熱，中甘和，下甘熱，藥食宜也。新校正云：按玄珠云上酸平。又至真要大論云：濕淫所勝，平以苦熱。

庚寅　庚申歲

上少陽相火　中大商金運新校正云：詳庚寅歲為正商，得平氣，以上見少陽相火下剋，故金運不[illegible]太過。庚申之歲，申金[illegible]運，乃為大商。　下厥陰木　火化七新校正云：詳庚寅熱化二，庚申熱化七。　清化九　風化三新校正云：詳庚寅風化八，庚申風化三。　正化度也。　其化上鹹寒，中辛溫，下辛涼，藥食宜也。

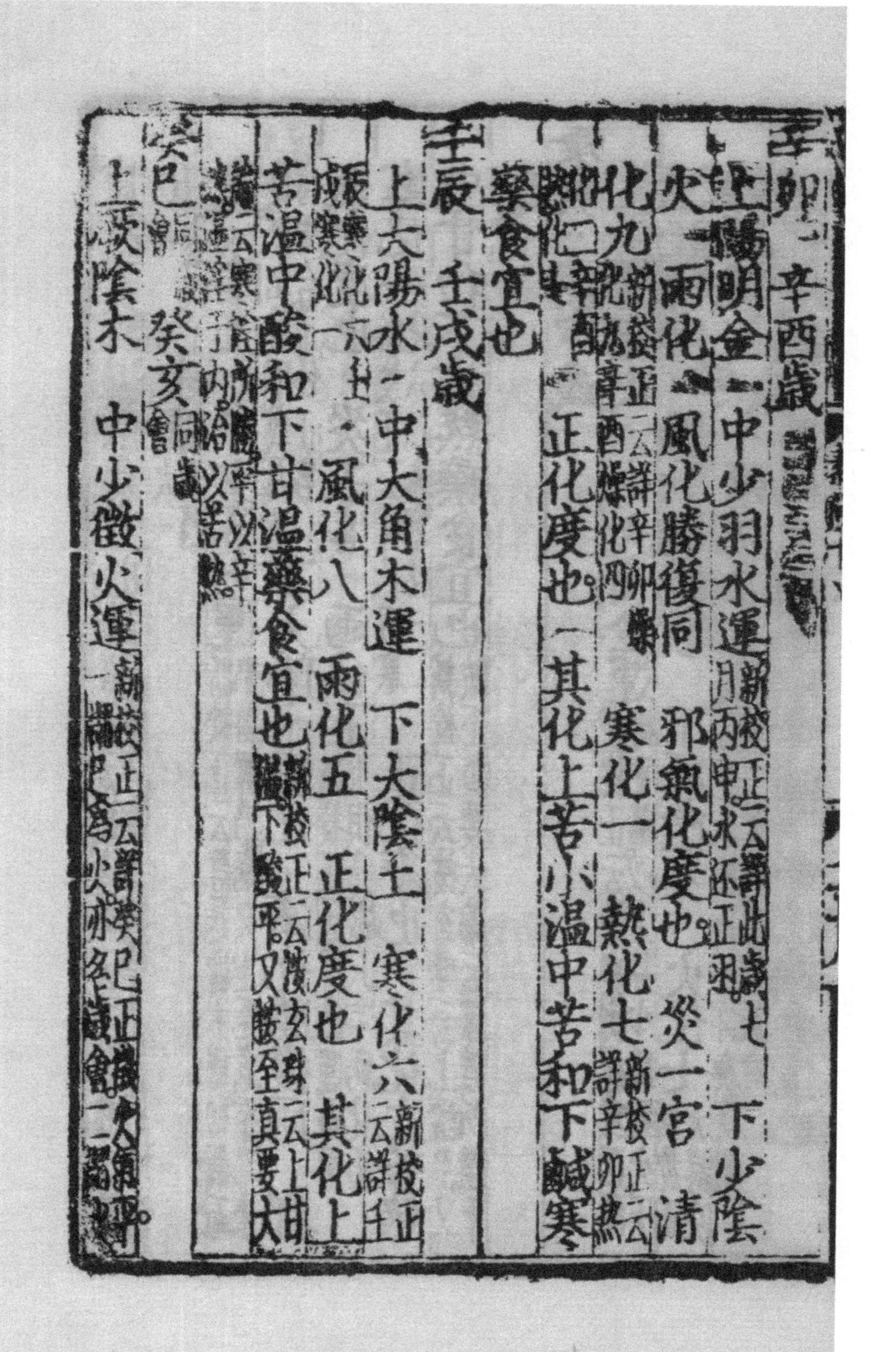

辛卯 辛酉歲

上陽明金 中少羽水運（新校正云詳此歲七月丙申水還正羽） 下少陰火 雨化風化勝復同 邪氣化度也 災一宮 清化九（新校正云詳辛卯燥化九辛酉燥化四） 寒化一 熱化七（新校正云詳辛卯熱化七辛酉熱化二） 正化度也 其化上苦小溫 中苦和 下鹹寒 藥食宜也

壬辰 壬戌歲

上太陽水 中太角木運 下太陰土 寒化六（新校正云詳壬辰寒化六壬戌寒化一） 風化八 雨化五 正化度也 其化上苦溫 中酸和 下甘溫 藥食宜也（新校正云按玄珠云上甘溫下酸平又按至真要大論云上苦熱中酸和下甘熱）

癸巳（同歲會） 癸亥（同歲會）歲

上厥陰木 中少徵火運（新校正云詳癸巳癸亥為火運……）

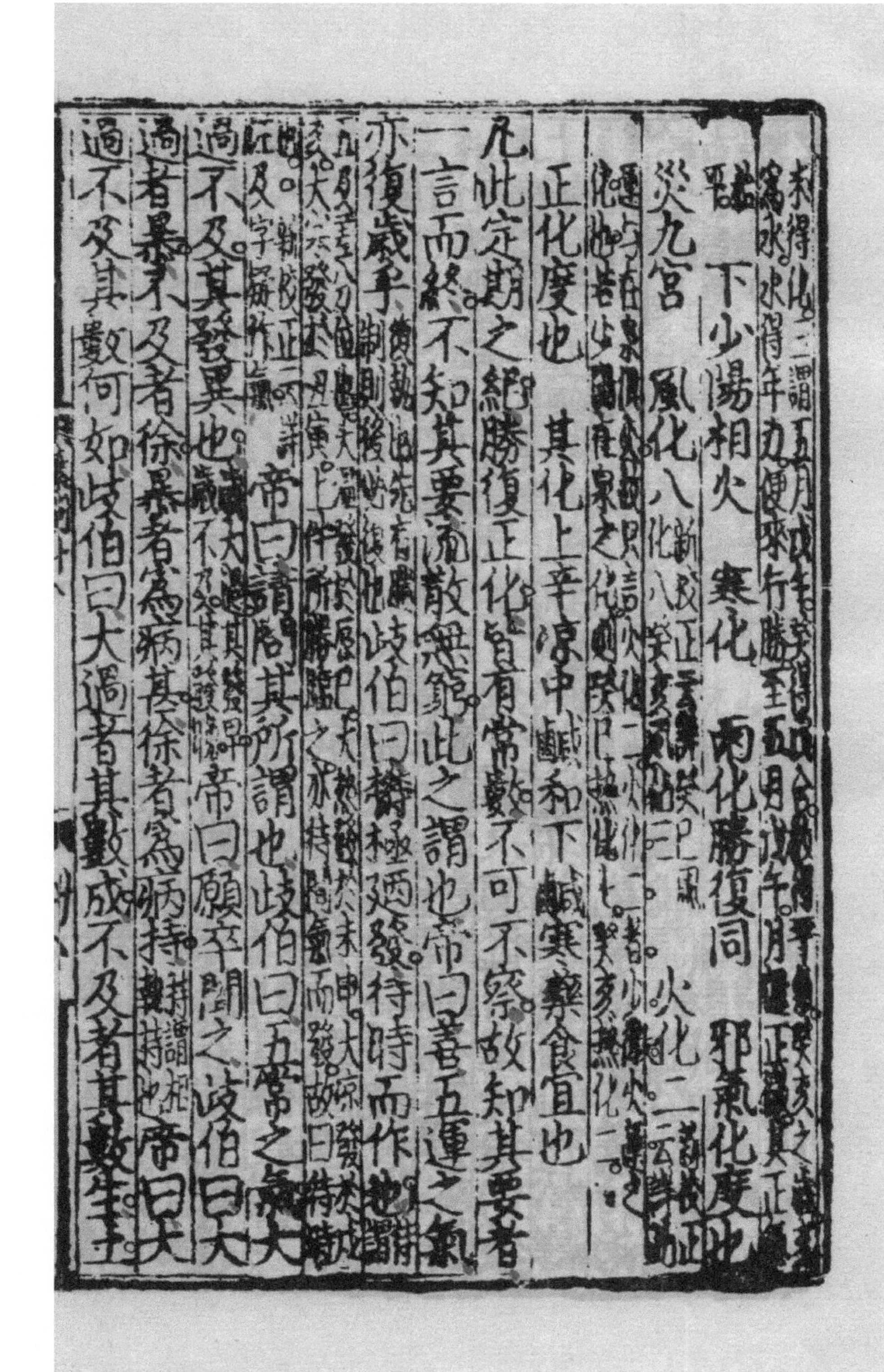

未得化也。二謂五月，戊午之歲，[illegible]。為永。水得年功，便來行勝，至五月，謂年月[illegible]正[illegible]其正[illegible]

[illegible] 下少陽相火 寒化 雨化勝復同 邪氣化度也

災九宮 風化八（新校正云：[illegible]） 火化二（新校正云：[illegible]）

（[illegible]在泉[illegible]則[illegible]火化二[illegible]火化二[illegible]）

正化度也 其化上辛涼 中鹹和 下鹹寒 藥食宜也

凡此定期之紀，勝復正化，皆有常數，不可不察。故知其要者，一言而終，不知其要，流散無窮，此之謂也。帝曰：善。五運之氣，亦復歲乎？（復，報也。先有勝制，則後必復也。）岐伯曰：鬱極乃發，待時而作也。（[illegible]）

（[illegible]五月[illegible]太[illegible]發[illegible]而發，故曰待時也。新校正云：[illegible]不及字疑衍[illegible]）

帝曰：請問其所謂也？岐伯曰：五常之氣，太過不及，其發異也。（[illegible]不及[illegible]發[illegible]）帝曰：願卒聞之。岐伯曰：太過者暴，不及者徐，暴者為病甚，徐者為病持。（持，謂相執持也。）帝曰：太過不及，其數何如？岐伯曰：太過者其數成，不及者其數生，土

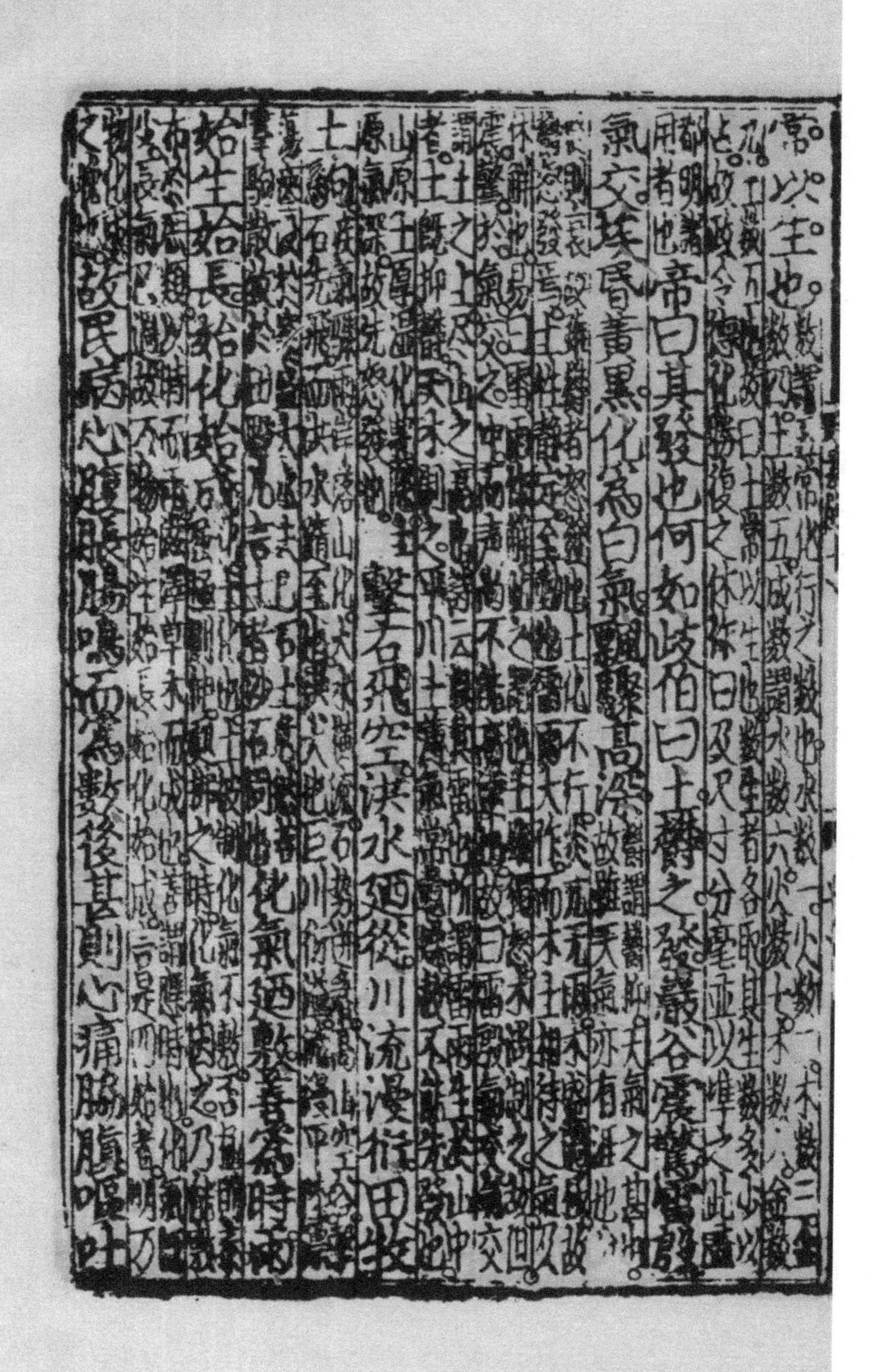

常以生也
帝曰其發也何如岐伯曰土鬱之發巖谷震驚
氣交埃昏黃黑化爲白氣飄驟高深
擊石飛空洪水乃從川流漫衍田牧
化氣乃敷善爲時雨
始生始長始化始成
故民病心腹脹腸鳴而爲數後甚則心痛脇䐜嘔吐

雲奔霞擁等語不類先秦，疑後人增入

嘔吐霍亂，飲發注下，胕腫身重。脾熱之生。雲奔雨府，霞擁朝陽，山澤埃昏，雨府，太陰之所在也。埃，白氣似雲而薄也。埃固有微甚，微者如紗縠之騰，甚者如薄雲霧也。甚者發近，微者發遠。其乃發也，以其四氣。四氣，謂夏至後三十一日起，盡至秋分日也。雲橫天山，浮游生滅，怫之先兆。天際雲橫，山猶冠帶，巖谷叢薄，乍滅乍生，有土之見，怫兆已彰，皆平明占之。浮游，以午前候望也。

金鬱之發，天潔地明，風清氣切，大涼乃舉，草樹浮煙，燥氣以行，霿霧數起，殺氣來至，草木蒼乾，金乃有聲。大涼，次寒也。舉，用事也。浮煙，燥氣也。殺氣，霜氣也。以丑卯時至，長者亦明，物不勝殺，故草木蒼乾。故民病欬逆，心脇滿引少腹，善暴痛，不可反側，嗌乾面塵色惡。金勝而木病也。山澤焦枯，土凝霜鹵，怫乃發也，其氣五。鹵，謂白鹹也。五氣，謂秋分後至立冬後一十四日內也。夜零白露，林莽聲淒，怫之兆也。夜濡白露，曉聽風淒，有是乃為金發徵也。

水鬱之發，陽氣乃辟，陰氣暴舉，大寒乃至，川澤嚴凝，寒雰結為霜雪，寒雰白氣，其狀如霧而不流行，墜地如霜雪，得日晞也。甚則黃黑昏翳，流行氣交，乃為霜殺，水乃見

本無[illegible]耳鳴

長川草偃一柔葉呈陰似六朝人語定非先秦

祥（義黑。亦謂惡氣水氣也。祥，妖祥，亦謂泉出平地也。）故民病寒客心痛，腰脽痛，大關節不利，屈伸不便，善厥逆，痞堅腹滿（陰勝陽，故）陽光不治，空積沉陰，白埃昏暝，而乃發也，其氣二火前後（陰精與水，皆上承火，故其發也，在君相二火之前後，亦謂[illegible]至夏至日也。）太虛深玄，氣猶麻散，微見而隱，色黑微黃，怫之先兆也（[illegible]言可見[illegible]未發[illegible]）之發，太虛埃昏，雲物以擾，大風乃至，屋發折木，木有變（[illegible]折木，謂大樹摧拔[illegible]。變，謂土生異木奇狀也。）故民病胃脘當心而痛，上支兩脅，鬲咽不通，食飲不下，甚則耳鳴眩轉，目不識人，善暴僵仆（[illegible]卒倒而[illegible]不知也。）太虛蒼埃，天山一色，或氣濁色，黃黑鬱若，橫雲不起，雨而乃發也，其氣無常（[illegible]或黃黑鬱然，猶在太虛之間。）長川草偃，柔葉呈陰，松吟高山，虎嘯巖岫，怫之先兆也（[illegible]草偃[illegible]白[illegible]葉也[illegible]）火鬱之發，太虛腫翳大明不彰（[illegible]新校正云詳[illegible]字疑誤[illegible]）炎火行大暑至山澤燔燎材木流津廣廈騰煙土浮霜鹵止水乃減蔓草焦黃風行惑言濕化乃後（[illegible]）故民病少氣瘡瘍癰腫脅腹胸背面首四支䐜憤臚脹瘍疿嘔逆瘛瘲骨痛節乃有動注下溫瘧腹中暴痛血溢流注精液乃少目赤心熱甚則瞀悶懊憹善暴死（[illegible]）刻中大溫汗濡玄府其乃發也其氣四（[illegible]）動復則靜陽極反陰濕令乃化乃成（[illegible]）華發水凝山川冰雪焰陽（[illegible]）

午澤，怫之先兆也。[illegible]有怫之應而後報也，皆觀其極而乃發也。[illegible]物不可以終壯，觀其壯極，則怫氣作焉。有鬱則發，氣之常也。[illegible]木發無時，水隨火也。[illegible]謹候其時，病可與期，失時反歲，五氣不行，生化收藏，政無恒也。[illegible]帝曰：水發而雹雪，土發而飄驟，木發而毀折，金發而清明，火發而曛昧，何氣使然？岐伯曰：氣有多少，發有微甚，微者當其氣，甚者兼其下，徵其下氣而見可知也。六氣之下，各有承氣也。則如火位之下，水氣承之；水位之下，土氣承之；土位之下，木氣承之；木位之下，金氣承之；金位之下，火氣承之；君位之下，陰精承之。各徵其下，則象可見矣。故發兼其下，則與本氣殊異。帝曰：善。五氣之發，不當位者何也？[illegible]岐伯曰：命其差。謂差四時之正月位也。新校正云：按至真要大論云：勝復之作，動不當位，或後時而至，其故何也？岐伯曰：夫氣之生，與其化衰盛異也。寒暑溫涼盛衰之用，其在四維。故陽之動，始於溫，盛於暑；陰之動，始於清，盛於寒。春夏秋冬，各差其分。故大要曰：彼春之暖，為夏之暑；彼秋之忿，為冬之怒。謹按四維，斥候皆歸，其終可見，其始可知。[illegible]五氣之發不當位[illegible]而命其差之義則同。帝曰：差有數[illegible]

……數乎。岐伯曰：後皆三十度而有奇也。（後，謂四時之後也。差三十日餘八十七刻半，氣猶未去，而甚盛也。度，日也。四時之後，當作四季。新校正云：詳注云八十七刻半，當作四十三刻又四十分刻之三十。）帝曰：氣至而先後者何？（謂未應至而至，太過之紀；應至而不至，不及之紀。）岐伯曰：運太過則其至先，運不及則其至後，此候之常也。帝曰：當時而至者何也？岐伯曰：非太過，非不及，則至當時，非是者眚也。（當時，謂應日刻之期也。非應先後至而有先後至者，皆為災眚。）帝曰：善。氣有非時而化者何也？岐伯曰：太過者當其時，不及者歸其己勝也。（冬雨、春涼、秋熱……）帝曰：四時之氣，至有早晏高下左右，其候何如？岐伯曰：行有逆順，至有遲速，故太過者化先天，不及者化後天。（天，謂天之氣也。有餘故化先，不足故化後。）帝曰：願聞其行何謂也？岐伯曰：春氣西行，夏氣北行，秋氣東行，冬氣南行。（觀萬物生長收藏，如斯言。）故春氣始於下，秋氣始於上，夏氣始於中，冬氣始於標。春氣始於左，秋氣始於右，冬氣始於後，夏氣始於前。此四時正化之常。（察物以明之，可知也。）

故至高之地，冬氣常在；至下之地，春氣常在。高山之巔，盛夏冰雪；汙下川澤，嚴冬草生。常在之義足明矣。新校正云：按五常政大論云：地有高下，氣有溫涼，高者氣寒，下者氣熱。必謹察之。

帝曰：善。天地陰陽，視而可見，何必思諸冥昧，演法推求，智識所遺，心勞而無所得耶。

黄帝問曰：五運六氣之應見，六化之正，六變之紀，何如？岐伯對曰：夫六氣正紀，有化有變，有勝有復，有用有病，不同其候，帝欲何乎？帝曰：願盡聞之。岐伯曰：請遂言之。遂，盡也。夫氣之所至也，厥陰所至為和平，初之氣，木之化。少陰所至為暄，二之氣，君火之化。太陰所至為埃溽，四之氣，土之化。少陽所至為炎暑，三之氣，相火之化。陽明所至為清勁，五之氣，金之化。太陽所至為寒雰，終之氣，水之化。時化之常也。四時正化之常候。

厥陰所至為風府，為璺啟；璺，微裂也。啟，開坼也。少陰所至為大火府，為舒榮；太陰所至為雨府，為員盈；物承土化，質員盈滿。少陽所至為熱府，為行出；藏熱者出行也。陽明所至為司殺府，為庚蒼；庚，更也。更，代也，易也。太陽所至為寒府，為歸藏；物寒故歸藏也。司化之常也。厥陰所至為

至

為風搖木之化少陰所至為榮為形見火之化大陰所至為化為雲雨土之化少陽所至為長為蕃鮮火之化陽明所至為收為霧露金之化大陽所至為藏為周密水之化氣化之常也。厥陰所至為風生終為肅風化以生則風生也肅靜也。新校正云按六微旨大論云風位之下金氣承之故厥陰為風生而終為肅也。少陰所至為熱生中為寒熱化以生則熱生也陰精承上故中為寒也。新校正云按六微旨大論云少陰之上熱氣治之中見大陽故為熱生而中為寒也又云君位之下陰精承之亦為寒之義也。大陰所至為濕生終為注雨濕化以生則濕生也大陰在上故終為注雨。新校正云按六微旨大論云土位之下風氣承之王注云疾風之後時雨乃零是則濕為風吹化而為雨故大陰為濕生而終為注雨也。少陽所至為火生終為蒸溽火化以生則火生也陽在上故終為蒸溽。新校正云按六微旨大論云相火之下水氣承之故少陽為火生而終為蒸溽也。陽明所至為燥生終為涼燥化以生則燥生也陰在上故終為涼。新校正云詳此六氣俱先言本化次言所反之氣而獨陽明之化言燥生終為涼未見所反之氣再尋上下文義當云陽明所至為涼生終為燥方與諸氣之義同貫蓋以金位之下火氣承之故陽明為清生而終為燥也。大陽所至為寒生中為溫寒化以生則寒生也陽在內故中為溫。新校新校正云按五運行大論云太陽之上寒氣治之中見少陰故為寒生而中為溫德化之常也風生毛形熱生翮形濕生倮形火生羽形燥生介形寒生鱗形六化皆為主歲及間氣所在而各化生常無替也非德化則無能化生也厥陰所至為毛化形之有毛者少陰所至為羽化有羽翮飛行之類太陰所至為倮化無毛羽鱗甲之類少陽所至為羽化薄明羽翼蜂蟬之類陽明所至為介化有甲之類太陽所至為鱗化身有鱗也德化之常也厥陰所至為生化溫化少陰所至為榮化暄化太陰所至為濡化濕化少陽所至為茂化熱化陽明所至為堅化涼化太陽所至為藏化寒化布政之常也厥陰所至為飄怒大涼飄怒木也大涼下承之金氣也少陰所至為大暄寒大暄君火也寒下承之陰精也太陰所至為雷霆驟注烈風雷霆驟注土也烈風下承之木氣也少陽所至為飄風燔燎霜凝飄風燔燎熱也霜凝下承之水氣也陽明所至為散落溫散落金也溫下承之火氣也太陽所至為寒雪冰雹白埃寒雪冰雹水也白埃下承之土氣也氣變之常也變謂變常平之氣而為甚用也用甚不已則下承之氣兼行故皆非本氣也厥陰所至為撓

撓

動（風氣迎逆隨之迎隨性也）少陰所至為高明焰為曛（陽焰也曛赤黃色也）大陰

所至為沉陰為白埃為晦暝（暗也晦暝不明也）少陽所至為光顯為彤

雲為曛（光顯電也流光也明也彤赤色也曛陰氣同）陽明所至為煙埃為霜為勁

切為淒鳴（殺氣也）大陽所至為剛固為堅芒為立（寒化）令行之

常也（令行則庶物無違）厥陰所至為裏急（筋緛縮故急）少陰所至為瘍胗

身熱（火氣生也）大陰所至為積飲否隔（土氣）少陽所至為嚏嘔為

瘡瘍（火氣生也）陽明所至為浮虛（浮虛薄腫按之復起也）大陽所至為屈伸

不利病之常也厥陰所至為支痛少陰所至為驚惑惡寒戰

慄譫妄（譫言亂言也今詳慄字當作慄）大陰所至為稸滿少陽所至為驚躁

瞀昧暴病陽明所至為鼽尻陰股膝髀腨䯒足病大陽所至

為腰痛病之常也厥陰所至為緛戾少陰所至為悲妄衄

衊（衊汙血亦脂也）大陰所至為中滿霍亂吐下少陽所至為喉痺耳鳴

嘔涌（涌謂溢食不下也）陽明所至為脅痛皴揭（[illegible]）大陽所至為寢

汗痙。寢汗謂睡中汗發於胸嗌頸掖之間也俗誤呼為盜汗痙巨郢切病之常也。厥陰所至
為脅痛嘔泄泄謂利也少陰所至為語笑太陰所至為重胕腫胕腫
謂肉泥按之不起也少陽所至為暴注瞤瘛暴死陽明所至為鼽嚏太
陽所至為流泄禁止病之常也。凡此十二變者報德以德報
化以化報政以政報令以令氣高則高氣下則下氣後則後
氣前則前氣中則中氣外則外位之常也氣報德報化謂天地氣也高下前後
中外謂生病所也手之陰陽其氣高足之陰陽其氣下足太陽氣在身後足陽明氣在身前足少陰太陰厥陰氣在身中
足少陽氣在身側各隨所在言之氣變生病象也故風勝則動。不寧也。新校正云詳風勝則動至濕勝則濡
此五句与陰陽應象大論文重彼注不同熱勝則腫。熱勝氣則為丹熛勝血則為癰膿勝骨肉則為胕腫按之
不起燥勝則乾。乾於外則皮膚皴揭乾於內則精血枯涸乾於氣及津液則肉乾而皮著於骨寒勝則
浮。浮謂浮起按之處見也濕勝則濡泄甚則水閉胕腫濡泄水利也胕腫肉泥按之陷
而不起也水閉則逸於皮中也隨氣所在以言其變耳帝曰願聞其用也岐
伯曰夫六氣之用各歸不勝而為化用謂施其化氣故大陰雨化施

太陽太陽寒化施於少陰（新校正云詳此當云少陰少陽）少陰熱化施於陽明陽明燥化施於厥陰厥陰風化施於太陰太陰各命其所在以徵之也帝曰自得其位何如岐伯曰自得其位常化也（謂隨氣所在以言其方占之則日及也分无差也）帝曰願聞所在也岐伯曰命其位而方月可知也（隨氣所在以言其方以分占之則日月可知也）帝曰六位之氣盈虛何如岐伯曰太少異也太者之至徐而常少者暴而亡（力強而作不能久長故暴而亡也亡無也）帝曰天地之氣盈虛何如岐伯曰天氣不足地氣隨之地氣不足天氣從之運居其中而常先也（運謂木火土金水各主歲者也地氣勝則歲運上升天氣勝則歲運下降上升下降運氣常先遷降也）惡所不勝歸所同和隨運歸從而生其病也（非其位則變生變生則病作）故上勝則天氣降而下下勝則地氣遷而上（勝多少謂多也上勝則自降下多則自遷多少猶氣之常也新校正云按六元正紀大論云升已而降降者謂天降已而升升者謂地天氣下降氣流于地地氣上升氣騰于天故高下相召升降相因而變作矣）多少而差其分（多則遷降多少則遷降少多少之應有微有甚之異也）微者小差甚者大

差。甚則位易氣交易則大變生而病作矣。大要曰：甚紀五分，微紀七分，其差可見，此之謂也。帝曰：善。論言熱無犯熱，寒無犯寒，余欲不遠寒，不遠熱，奈何？岐伯曰：悉乎哉問也。發表不遠熱，攻裏不遠寒。帝曰：不發不攻而犯寒犯熱何如？岐伯曰：寒熱內賊，其病益甚。帝曰：願聞無病者何如？岐伯曰：無者生之，有者甚之。帝曰：生者何如？岐伯曰：不遠熱則熱至，不遠寒則寒至。寒至則堅否腹滿，痛急下利之病生矣。熱至則身熱，吐下霍亂，癰疽瘡瘍，瞀鬱注下，瞤瘛腫脹，嘔，鼽衄頭痛，骨節變，肉痛，血溢血泄，淋閟之病生矣。帝曰：治之奈何？岐伯曰：

時必順之。犯者治以勝也。春宜涼，夏宜寒，秋宜溫，冬宜熱，時之宜用，不可不順。然犯熱治以寒，犯寒治以熱，犯春宜用涼，犯秋宜用溫，是以勝也。犯熱治以鹹寒，犯寒治以甘熱，犯涼治以苦溫，犯溫治以辛涼，亦勝之道也。

黃帝問曰：婦人重身，毒之何如？岐伯曰：有故無殞，亦無殞也。故，謂有大堅癥瘕，痛甚不堪，則治以破積愈癥之藥。是謂不救，必乃盡死，救之蓋存其大也，雖服毒不死也。上無殞，言母必全；亦無殞，言子亦不死也。

帝曰：願聞其故何謂也？岐伯曰：大積大聚，其可犯也，衰其太半而止，過者死。衰其大半，不足以害生，故衰大半則止其藥。若過禁待盡，毒氣內餘，無病可攻，以當毒藥，毒攻不已，則敗損中和，故過則死。新校正云：詳此婦人身重一節，與上下文義不接，疑他卷脫簡於此。

帝曰：善。鬱之甚者，治之奈何？天地五行應運，有鬱抑不伸之甚者。

岐伯曰：木鬱達之，火鬱發之，土鬱奪之，金鬱泄之，水鬱折之，然調其氣。達謂吐之，令其條達也。發謂汗之，令其疏散也。奪謂下之，令無擁礙也。泄謂滲泄之，解表利小便也。折謂抑之，制其衝逆也。通是五法，乃氣可平調，後乃觀其虛盛而調理之也。過者折之，以其畏也，所謂寫之。過，大過也。大過者，以其味寫之，以鹹寫腎，酸寫肝，辛寫肺，甘寫脾，苦寫心。過者畏寫，故謂寫為畏也。

帝曰：假者何如？岐伯曰：有假其氣，則無禁也。正氣不足，臨氣勝之，假寒熱溫涼以資

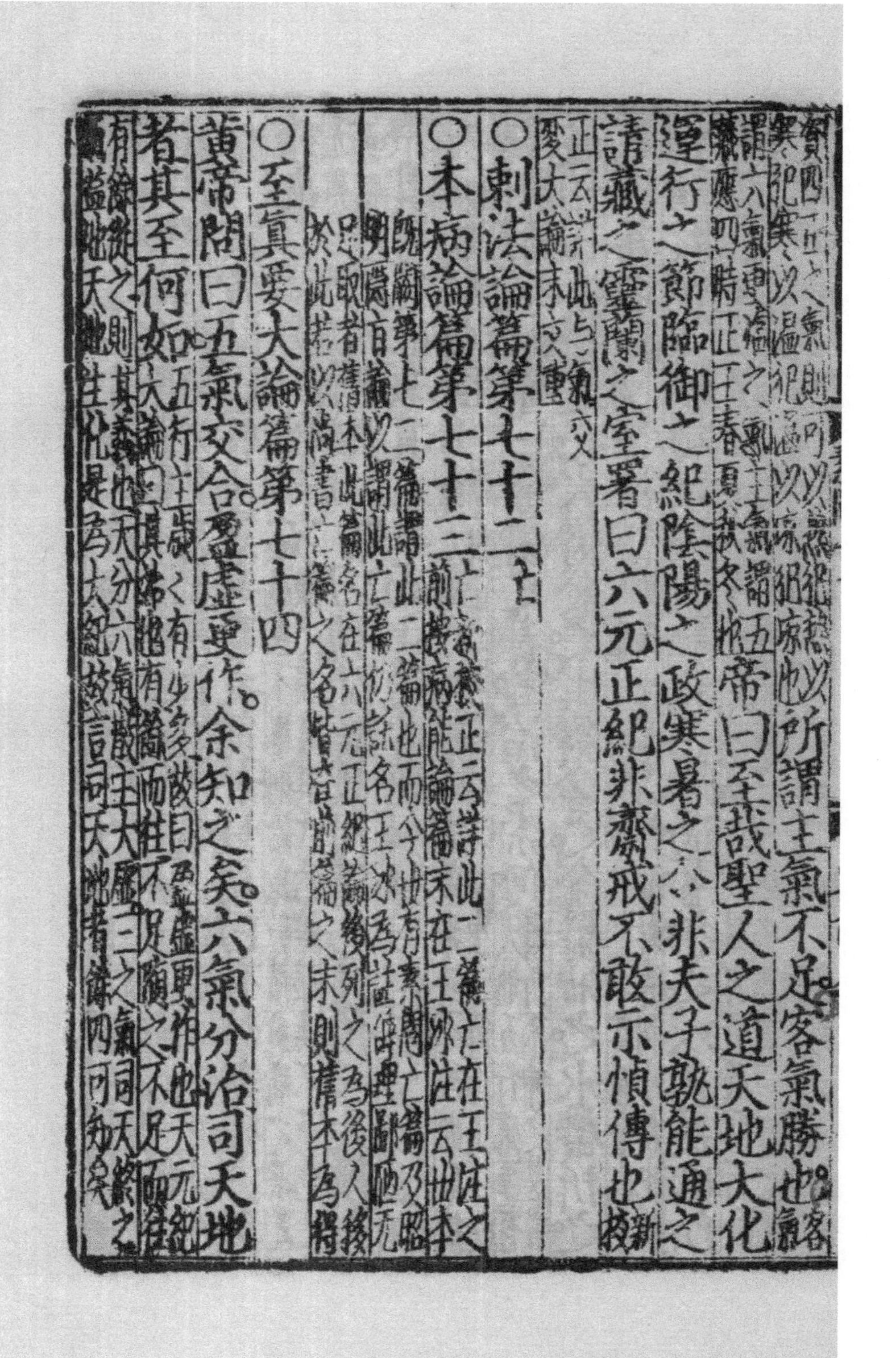

資四五之氣則可以熱犯熱以寒犯寒以溫犯溫以涼犯涼也所謂主氣不足。客氣勝也。客氣謂六氣更臨之氣主氣謂五氣應四時正王春夏秋冬也帝曰至哉聖人之道天地大化運行之節臨御之紀陰陽之政寒暑之令非夫子孰能通之請藏之靈蘭之室署曰六元正紀非齋戒不敢示慎傳也新校正云詳此与氣交變大論末文重

〇刺法論篇第七十二 亡

〇本病論篇第七十三 亡新校正云詳此二篇亡在王注之前按病能論篇末王冰注云世本既闕第七二篇謂此二篇也而今世有素問亡篇及昭明隱旨論以謂此三篇仍託名王冰為注辭理鄙陋無足取者舊本此篇名在六元正紀篇後列之為後人移於此若以尚書亡篇之名皆在前篇之末則舊本為得

〇至真要大論篇第七十四

黄帝問曰五氣交合。盈虛更作。余知之矣。六氣分治司天地者其至何如五行主歲歲有少多故曰盈虛更作也天元紀大論曰其始也有餘而往不足隨之不足而往有餘從之則其義也天分六氣散主太虛三之氣司天終之氣監地天地生化是為大紀故言司天地者餘四可知矣

岐伯再拜對曰：明乎哉問也！天地之大紀，人神之通應也。〔天地變化，人神運爲，中外雖殊，然其通應則一也。〕帝曰：願聞上合昭昭，下合冥冥奈何？岐伯曰：此道之所主，工之所疑也。〔不知其要，流散无窮。〕帝曰：願聞其道也。岐伯曰：厥陰司天，其化以風；〔飛揚鼓拆，和氣發生，万物榮枯，皆因而化變成敗也。〕少陰司天，其化以熱；〔炎蒸鬱燠，故庶類蕃茂。〕太陰司天，其化以濕；〔雲雨潤澤，津液生成。〕少陽司天，其化以火；〔炎熾赫烈，以爍寒災。〕陽明司天，其化以燥；〔乾化以行，物无濕敗。〕太陽司天，其化以寒。〔對陽之化也。新校正云：詳二云對陽之化，陽字疑誤。〕以所臨藏位，命其病者也。〔肝木位東方，心火位南方，脾土位西南方及四維，肺金位西方，腎水位北方，是五藏定位。然六氣御五運，所至氣不相得則病，相得則和，故先以六氣所臨，後言五藏之病。〕帝曰：地化奈何？岐伯曰：司天同候，間氣皆然。〔六氣之本，自有常性，故雖位易而化治皆同。〕帝曰：間氣何謂？岐伯曰：司左右者，是謂間氣也。〔六氣分化，常以二氣司天地，爲上下吉凶勝復客主之事，歲中悔吝從而明之，餘四氣散居左右也。故陰陽應象大論曰：天地者，萬物之上下；左右者，陰陽之道路。此之謂也。〕帝曰：何以異之？岐伯曰：主歲者紀歲，間氣者紀步也。

歲三百六十五日四分日之一，步六十日餘八十七刻半也，積步之日而成歲也。帝曰：善。歲主奈何？岐伯曰：厥陰司天為風化，己亥之歲，風高氣遠，雲飛物揚，風之化也。在泉為酸化，寅申之歲，木司地，氣發物化，發榮。司氣為蒼化，木運之氣，丁壬之歲化，蒼青也。間氣為動化。陽主六十日餘八十七刻半也。新校正云：詳丑未之歲厥陰為初之氣，子午之歲為二之氣，辰戌之歲為四之氣，卯酉之歲為五之氣。少陰司天為熱化，子午之歲，陽光熠燿，暄暑熱行，燃之化也。熠，羊入切。在泉為苦化，卯酉之歲，火司地，氣發物以苦性也。不司氣化，君不主運。新校正云：按天元紀大論云：君火以名，相火以位，謂君火不主運也。居氣為灼化，六十日餘八十七刻半也。居本位，君火為居，不當間之也。新校正云：詳少陰不曰間氣而云居氣者，蓋尊君火無所不居，不當間之也。王注云：居本位為居，不當間之，則居他位不為居而可間也。寅申之歲為初之氣，丑未之歲為二之氣，巳亥之歲為四之氣，辰戌之歲為五之氣。太陰司天為濕化，丑未之歲，埃鬱曚昧，雲雨潤濕之化也。在泉為甘化，辰戌之歲也，土司地，地氣濕，故甘化先焉。司氣為黅化，土運之氣，甲己之歲，黅黃也。間氣為柔化，濕化行則庶物柔耎。新校正云：詳太陰卯酉之歲為初之氣，寅申之歲為二之氣，子午之歲為四之氣，巳亥之歲為五之氣。少陽司天為火化，寅申之歲也，炎光赫烈，燔灼焦然，火之化也。在泉為苦化，巳亥之歲也，火司地，氣燥，故苦化先焉。司

少陽陽明俱為寅申歲四之氣誤少陽為寅申歲三之氣也

氣為丹化火運之氣也戊癸歲也間氣為明化明炳明也亦謂霞燒新校正云詳少陽辰戌之歲為初之氣卯酉之歲為二之氣寅申之歲為四之氣丑未之歲為五之氣陽明司天為燥化卯酉之歲清切高明霧露蕭瑟燥之化也在泉為辛化子午之歲也金司地氣故辛化先焉司氣為素化金運之氣乙庚歲也間氣為清化風生高勁草木清冷清之化也新校正云詳陽明巳亥之歲為初之氣辰戌之歲為二之氣寅申之歲為四之氣丑未之歲為五之氣太陽司天為寒化辰戌之歲嚴肅峻整慘慄凝堅寒之化也在泉為鹹化丑未之歲水司地氣故化從鹹司氣為玄化水運之氣丙辛歲也間氣為藏化陰凝而冷庶物斂容歲之休也新校正云詳子午之歲大陽為初之氣巳亥之歲為二之氣卯酉之歲為四之氣寅申之歲為五之氣故治病者必明六化分治五味五色所生五藏所宜迺可以言盈虛病生之緒也斈不厭備習也帝曰厥陰在泉而酸化先余知之矣風化之行也何如岐伯曰風行于地所謂本也餘氣同法厥陰在泉風行于地少陰在泉熱行于地大陰在泉濕行于地少陽在泉火行于地陽明在泉燥行于地大陽在泉寒行于地故曰餘氣同法也本謂六氣之上元氣也本乎天者天之氣也本乎地者地之氣也化於天者為天氣化於地者為地氣新校正云按易曰

本乎天者親上，本乎地者親下，此之謂也。天地合氣，六節分而萬物化生矣。萬物居天地之間，悉為六氣所生化，陰陽之用，未嘗有逃生化出陰陽也。故曰：謹候氣宜，無失病機，此之謂也。病機下文具矣。帝曰：其主病何如？言采藥之歲也。岐伯曰：司歲備物，則無遺主矣。謹候司天地所生化者，則其味正當其歲也。故彼藥工專司歲氣，所收藥物，則一歲二歲其所主用無遺略也。新校正云：詳則字當作用。帝曰：先歲物何也？岐伯曰：天地之專精也。專精之氣，藥物肥濃，又於使用當其正氣味也。新校正云：詳先歲疑作司歲。帝曰：司氣者何如？司氣[illegible]也。岐伯曰：司氣者主歲同，然有餘不足也。五運主歲者有餘不足，比之歲物，恐有薄，有餘之歲藥專精也。帝曰：非司歲物何謂也？岐伯曰：散也。非專精則散氣，散氣則物不純也。故質同而異等也。形質雖同，力用則異，故不尚之。氣味有薄厚，性用有躁靜，治保有多少，力化有淺深，此之謂也。物與歲不同者，何以此爾。帝曰：歲主藏害何謂？岐伯曰：以所不勝命之，則其要也。木不勝金，金不勝火之類是也。帝曰：治之奈何？岐伯曰：上淫于下，所勝平之；外淫于内，所勝治之。淫謂行所不勝己者也。上淫于下，天之氣也；外淫于内，地之氣也。隨所制勝而以平治之也。制勝[illegible]

[illegible]味寒熱溫涼，隨勝用之，下文備矣。新校正云：詳此文帝[illegible]氣主歲鎮有淫勝，但當平調之，故不曰治而曰平也。

善。平氣何如？〔平謂診平和之氣〕岐伯曰：謹察陰陽所在而調之，以平為期。正者正治，反者反治。〔知陰陽所在，則知尺寸應與不應；不知陰陽所在，則以得為失，以逆為從，故謹察之也。陰病陽不病，陽病陰不病，是為正病，則正治之，謂以寒治熱，以熱治寒也。陰位已見陽脈，陽位又見陰脈，是謂反病，則反治之，謂以寒治寒，以熱治熱也。諸方之制，咸悉不然，故曰反者反治也。〕帝曰：夫子言察陰陽所在而調之，論言人迎與寸口相應，若引繩小大齊等，命曰平。〔新校正云：詳論言至曰平，本靈樞之文，今出甲乙經。云寸口主中，人迎主外，兩者相應，俱往俱來，若引繩小大齊等，春夏人迎微大，秋冬寸口微大者，名曰平也。〕陰之所在寸口何如？〔言陰之所在，脈沉不應，引繩齊等，其候頗乖，故問以明之。〕岐伯曰：視歲南北，可知之矣。帝曰：願卒聞之。岐伯曰：北政之歲，少陰在泉，則寸口不應。〔木火金水運，面北受氣，凡氣之在泉者，脈悉不見，唯其左右之氣脈可見之。在泉之氣，善則不見，惡者可見，病以氣及客主淫勝名之。在天之氣，其亦然矣。〕厥陰在泉，則右不應。〔少陰在右故。〕太陰在泉，則左不應。〔少陰在左故。〕南政之歲，少陰司天，則寸口不應。〔土運之歲，面南行令，故少陰司天，則二手寸口不應。〕

素問十八

也。厥陰司天，則右不應。太陰司天，則左不應。（亦左右義也）諸不應者，反其診則見矣。（不應皆為脈沉，脈沉下者仰手而沉，覆其手則沉為浮，細為大也）帝曰：尺候何如？岐伯曰：北政之歲，三陰在下，則寸不應；三陰在上，則尺不應。（司天曰上，在泉曰下）南政之歲，三陰在天，則寸不應；三陰在泉，則尺不應。左右同。（尺不應寸左右悉與寸不應義同）故曰：知其要者，一言而終；不知其要，流散無窮。此之謂也。（要謂知陰陽所在也。知則用之不惑，不知則尺寸之氣沉浮小大常三歲一差，欲求其意，猶繞樹問枝，雖白首區區，尚未知所詣，況其旬月而可知乎）帝曰：善。天地之氣，內淫而病何如？岐伯曰：歲厥陰在泉，風淫所勝，則地氣不明，平野昧，草迺早秀。民病洒洒振寒，善伸數欠，心痛支滿，兩脇裏急，飲食不下，鬲咽不通，食則嘔，腹脹善噫，得後與氣，則快然如衰，身體皆重。（謂甲寅、丙寅、戊寅、庚寅、壬寅、甲申、丙申、戊申、庚申、壬申歲也。地氣不明，謂天圍之際，氣色昏暗，風行地上，故平野皆然。昧，謂暗也。脇，謂兩乳之下及胠外也。伸，謂以欲伸努筋骨也。○新校正云：按《甲乙經》洒洒振寒，善伸數欠，為胃病；食則嘔，腹脹善噫，得後與氣，則快然如衰，身體皆重，為脾病；飲食不下，鬲咽[illegible]）

得後似謂得便註誤

通邪在胃管也嗌亦然在泉之歲水上而胃脘咳病如是又詳脈解云所謂食則嘔者物盛滿而上溢故嘔也所謂得
後與氣則快然如衰者十一月陰氣下衰而陽氣且出故曰得後與氣則快然如衰也歲少陰在泉熱
淫所勝則焰浮川澤陰處反明民病腹中常鳴氣上衝胸喘
不能久立寒熱皮膚痛目瞑齒痛𩓺腫惡寒發熱如瘧少腹
中痛腹大蟄蟲不藏謂乙卯丁卯己卯辛卯癸卯乙酉丁酉己酉辛酉癸酉歲也陰處反明出方也不能
久立足無力也腹大謂心氣不足也金火相薄而為是也新校正云按甲乙經齒痛𩓺腫為大腸病腹中雷鳴氣上衝
胸喘不能久立邪在大腸也蓋少陰在泉之歲火剋金故大腸病也歲太陰在泉草乃早榮新校
正云詳此四字疑衍濕淫所勝則埃昏巖谷黃反見黑至陰之交民病
飲積心痛耳聾渾渾焞焞嗌腫喉痹陰病血見少腹痛腫不
得小便病衝頭痛目似脫項似拔腰似折髀不可以回膕如
結腨如別謂甲辰丙辰戊辰庚辰壬辰甲戌丙戌戊戌庚戌壬戌歲也太陰為土色見黃於天中而反見於
北方黑處也水土同見故曰至陰之交合其氣色也衝頭痛
謂腦後眉間痛也膕謂膝後曲腳之中也腨謂胻後軟肉處也
新校正云按甲乙經耳聾渾渾焞焞嗌腫喉痺為三焦病衝頭痛目似脫項似拔腰似折髀不可以回膕如結腨

如別為膀胱足太陽病，又少腹腫痛，不得小便，邪在三焦。蓋太陰在泉之歲，丑未也，太陽故病如是也。膕，古麥切。歲少陽在泉，火淫所勝，則焰明郊野，寒熱更至。民病注泄赤白，少腹痛，溺赤，甚則血便。少陰同候。謂乙巳丁巳己巳辛巳癸巳，乙亥丁亥己亥辛亥癸亥歲也。夏寒之時，熱更其氣，熱氣既往，寒氣後來，故云更至也。餘候與少陰在泉歲同。歲陽明在泉，燥淫所勝，則霧霧清瞑。民病喜嘔，嘔有苦，善大息，心脇痛，不能反側，甚則嗌乾面塵，身無膏澤，足外反熱。謂甲子丙子戊子庚子壬子，甲午丙午戊午庚午壬午歲也。霧霧謂霧暗不分，似霧也。清薄寒也。言霧起霧暗，不辨物形而薄寒也。心脇痛，謂心之傍脇中痛也。面塵，謂面上如有觸冒塵土之色也。新校正云：按《甲乙經》病喜嘔，嘔有苦，善大息，心脇痛，不能反側，甚則面塵，身无膏澤，足外反熱，為膽病；嗌乾面塵，為肝病。蓋陽明在泉之歲，金旺剋木，故病如是。又按《脈解》云：少陽所謂心脇痛者，言少陽盛也。盛者，心之所表也。九月陽氣盡而陰氣盛，故心脇痛。所謂不可反側者，陰氣藏物也，物藏不得動，故不可反側也。歲太陽在泉，寒淫所勝，則凝肅慘慄。民病少腹控睪，引腰脊，上衝心痛，血見，嗌痛頷腫。謂乙丑丁丑己丑辛丑癸丑，乙未丁未己未辛未癸未歲也。凝肅謂寒氣靄霧空凝而不動，萬物靜肅其儀形也。慘慄，寒甚也。控，引也。睪，陰丸也。頷，頰車前牙之下也。新校正云：按《甲乙經》嗌痛爲小腸病又少腹控睪引腰脊上衝心肺邪小腸也蓋大陽在泉之歲水勝火故病如是帝曰善治之柰何。岐伯曰諸氣在泉風淫于內。治以辛涼。佐以苦。以甘緩之。以辛散之。風性喜溫而惡清故治之以涼是以勝氣治之也佐以苦隨其所利也木苦急則以甘緩之苦抑則以辛散之藏氣法時論曰肝苦急急食甘以緩之肝欲散急食辛以散之此之謂也食亦音飼己曰食他曰飼也大法正味如此諸爲方者不必盡用之但一佐二佐病已則止餘氣皆然熱淫于內。治以鹹寒。佐以甘苦。以酸收之。以苦發之。熱性惡寒故治以寒也熱之大盛甚於表者以苦發之不盡復寒制之寒制不盡復苦發之以酸收之甚者再方微者一方可使必已時發時止亦以酸收之濕淫于內。治以苦熱。佐以酸淡。以苦燥之。以淡泄之。濕與燥反故治以苦熱佐以酸淡也燥除濕故以苦燥其濕也淡利竅故以淡滲泄也藏氣法時論曰脾苦濕急食苦以燥之靈樞經曰淡利竅也生氣通天論曰味過於苦脾氣不濡胃氣乃厚明苦燥也。新校正按天元正紀大論曰下大陰其化下甘溫火淫于內。治以鹹冷。佐以苦辛。以酸收之。以苦發之。火氣大行腹心怒之所生也醶性柔耎故以治之以醶收之大法候其須汗者以辛佐之不必要資苦味令其汗也欲柔耎者以鹹治之藏氣法時論曰心欲耎急食鹹以耎之心苦緩急食酸以收之此之謂也燥淫于內。治以苦溫。佐以甘辛。以苦下之。溫利涼性，故以苦治之。下，謂利之，使不得抱也。新校正云：按《藏氣法時論》曰：肺苦氣上逆，急食苦以泄之，以辛寫之，以酸補之。又按下文司天燥淫所勝，佐以酸辛，此云甘辛，甘字疑當作酸。《六元正紀大論》云：下酸熱，與苦溫之治又異。又云以酸收之，而安其下，甚則以苦泄之。寒淫于內，治以甘熱，佐以苦辛，以鹹寫之，以辛潤之，以苦堅之。以熱治寒，是為摧勝，折其氣用，令不滋繁也。苦辛之佐，通事行之。新校正云：按《藏氣法時論》曰：腎苦燥，急食辛以潤之。腎欲堅，急食苦以堅之，用苦補之，鹹寫之。舊注引此在濕淫于內之下，無義，今移於此。

帝曰：善。天氣之變何如？岐伯曰：厥陰司天，風淫所勝，則太虛埃昏，雲物以擾，寒生春氣，流水不冰，民病胃脘當心而痛，上支兩脇，鬲咽不通，飲食不下，舌本強，食則嘔，冷泄腹脹，溏泄，瘕，水閉，蟄蟲不出，病本于脾。謂乙巳、丁巳、己巳、辛巳、癸巳、乙亥、丁亥、己亥、辛亥、癸亥歲也。是歲民病集於中也。風自天行，故太虛埃起。風動飄蕩，故雲物擾也。埃，青塵也。不分遠物，是為埃昏。土之為病，其善泄利。若病水，則小便閉而不下。若大泄利，則經水亦多閉絕也。新校正云：按《甲乙經》：舌本強，食則嘔，腹脹，善噫，得後與氣則快然如衰，身體皆重。又胃病者，腹䐜脹，胃脘當心而痛，上支兩脇，鬲咽不通，食飲不下。蓋厥陰司天之歲，木勝土，故病如是也。衝陽絕，死不治。衝陽在足跗上，動脈應手，胃之氣也。衝陽脈微則食飲減少，絕則藥食不入，亦下嗌還出也。

[illegible]。戕之不入，養之不生，邪氣日強，真氣內絕，故其必死，不可復也。少陰司天，熱淫所勝，怫熱至，火行其政，民病胸中煩熱，嗌乾，右胠滿，皮膚痛，寒熱欬喘，大雨且至，唾血血泄，鼽衄嚏嘔，溺色變，甚則瘡瘍胕腫，肩背臂臑及缺盆中痛，心痛肺䐜，腹大滿，膨膨而喘欬，病本于肺。謂甲子、丙子、戊子、庚子、壬子、甲午、丙午、戊午、庚午、壬午歲也。怫熱至，是火行其政，乃亦昇歲，民病集於右，蓋以小腸通心故也。病自肺生，故曰病本于肺也。○新校正云：按甲乙經，溺色變，肩背臂臑及缺盆中痛，肺脹滿膨膨而喘欬，為肺病；鼽衄為大腸病。蓋少陰司天之歲，火剋金，故病如是。又王注民病集於右，以小腸通心故。按甲乙經，大腸附脊左環，回腸附脊右環。所說不應，得非火盛剋金而大腸病歟。尺澤絕，死不治。尺澤在肘內廉大文中，動脈應手，肺之氣也。火爍於金，承天之命，金氣內絕，故必危亡。天澤不至，肺氣已絕，榮衛之氣宣行無主，真氣內竭，生之何有哉。太陰司天，濕淫所勝，則沈陰且布，雨變枯槁，胕腫骨痛陰痺，陰痺者，按之不得，腰脊頭項痛，時眩，大便難，陰氣不用，飢不欲食，欬唾則有血，心如懸，病本于腎。謂乙丑、丁丑、己丑、辛丑、癸丑、乙未、丁未、己未、辛未、癸未歲也。腎氣受邪，水無能潤，下焦枯涸，故大便難也。○新校正云：按甲乙經，飢不用食，欬唾則有血，心懸如飢狀，為胃

病。又邪在腎，則骨痛陰痺。陰痺者，按之而不得。腹脹腰痛，大便難，肩背頸項強痛，時眩，蓋太陰司天之歲，土剋水，故病如是。

大谿絕，死不治。大谿在足內踝後跟骨上，動脈應手，腎之氣也。土邪勝水而腎氣內絕，邪甚正微，故方無所用矣。

少陽司天，火淫所勝，則溫氣流行，金政不平。民病頭痛，發熱惡寒而瘧，熱上皮膚痛，色變黃赤，傳而為水，身面胕腫，腹滿仰息，泄注赤白，瘡瘍，欬唾血，煩心，胸中熱，甚則鼽衄，病本于肺。謂甲寅、丙寅、戊寅、庚寅、壬寅、甲申、丙申、戊申、庚申、壬申歲也。火來用事，則金氣受邪，故曰金政不平也。火炎於上，金肺受邪，客熱內燔，水不能制，火之客則已矣。新校正云：按《甲乙經》，邪在肺則皮膚痛，發寒熱。蓋少陽司天之歲，火剋金，故病如是。

天府絕，死不治。天府在肘後內側上，腋下同身寸之三寸，動脈應手，肺之氣也。火勝而金肺氣絕，故死。

陽明司天，燥淫所勝，則木迺晚榮，草迺晚生，筋骨內變。民病左胠脇痛，寒清于中，感而瘧，大涼革候，欬，腹中鳴，注泄鶩溏，名木斂生，菀于下，草焦上首，心脇暴痛，不可反側，嗌乾面塵，腰痛，丈夫㿗疝，婦人少腹痛，目眛眥瘍，瘡痤癰，蟄蟲來見，病本于肝。謂乙卯、丁卯、己卯、辛卯、癸卯、乙酉、丁酉、己酉、辛酉、癸酉歲也。金

[illegible]首不晚生則榮也能於人身則筋骨內應而不用也大涼陰[illegible]易時候則人以寒清發於中內感寒氣則為痎瘧也大涼[illegible]右肺氣通之令肺氣內淫肝居于左故左胠脅痛如刺其歲民自注泄則无淫勝之疾也大涼次寒也大涼目[illegible]氣不行故未容收斂草榮悉晚生氣已升陽不布令故[illegible]生氣而縮於下也在人之應則少腹之內痛氣居之[illegible]仲夏瘡瘍之疾猶及秋中瘧痙之患生於上[illegible]飛瘡色赤中心正白物氣之常也新校正云按甲[illegible]要痛不可以俛仰丈夫癩疝婦人少腹腫甚則嗌乾面塵肝病又脅痛洞泄為肝病又心脅痛不能反側目外眥[illegible]缺盆中腫痛掖下腫馬刀挾癭汗出振寒瘧為膽病蓋[illegible]陽明司天之歲金剋木故病如是又按脉解云厥陰所謂癩疝婦人少腹腫者厥陰者辰也三月陽中之陰邪在中故曰癩疝少腹腫也[illegible]禾切

大衝絕。死不治。

[illegible]在足大指本節後二寸脉動應手肝之氣也金[illegible]伐木肝氣內絕真不勝邪其死宜也

大陽司天，寒淫所勝，則寒氣反至，水且冰，血變于中，發為癰瘍，民病厥心痛，嘔血血泄鼽衄，善悲時眩仆，運火炎烈，雨暴迺雹，胸腹滿，手熱肘攣掖腫，心澹澹大動，胸脇胃脘不安，面赤目黃，善噫嗌乾，甚則色炲，渴而欲飲，病本于心。

謂甲辰丙辰戊辰庚辰壬辰甲戌丙戌戊戌庚戌壬戌歲也大陽司天寒氣布化故水且冰而血凝皮膚之間衛氣不布發故為癰也若乘火運而火炎烈與水交戰故暴雨半[illegible]

珠形雹也。心氣為噫，故善噫。是歲民病集于心脅之中也。陽氣內鬱，濕氣下流，故心厥漏而嘔血血泄鼽衄面赤目黃。善雲手熱肘攣掖腫嗌乾甚則寒氣勝陽水行凌火火氣內鬱炲渴而欲飲也病始心生為陰凌犯故云病本于心也。新校正云：按甲乙經手熱肘攣掖腫甚則胸脇支滿心澹澹大動面赤目黃為手心主病又邪在心則病心痛善悲時眩仆盛太陽司天之歲水冠火故病始是

神門絕，死不治。

神門在手之掌後銳骨之端動脈應手真心氣也。水行勝火而心氣內絕神氣已亡不死何待善知其診故不治也。

所謂動氣知其藏也。

所以診視而知死者何以皆曰異藏之經脈動之氣神藏之存亡之候。

帝曰：善。治之奈何？

謂可攻治者。

岐伯曰：

司天之氣，風淫所勝，平以辛涼，佐以苦甘，以甘緩之，以酸寫之。

厥陰之氣未為盛熱，故以涼藥平之。夫氣之用也，積涼為寒，積溫為熱。以熱少之，其則溫也；以寒少之，其則涼也；以溫多之，其則熱也；以涼多之，其則寒也。各當其分，則寒寒也，溫溫也，熱熱也，涼涼也。方書之用，可不務乎？故寒熱溫涼，遞降多少，善為方者，意必精通。餘氣皆然，從其制也。新校正云：按本論上文云：上淫于下，所勝平之；外淫于內，所勝治之。故在泉曰治，司天曰平也。

熱淫所勝，平以鹹寒，佐以苦甘，以酸收之。

熱氣已退，時發動者，是為心虛，氣散不斂，以酸收之。雖以酸收，亦兼寒助，乃能除其源本矣。熱見太甚，則以苦發之，汗已便涼，是邪氣盡；汗已猶熱，是邪氣未盡，則以酸收之。已汗又熱，則復汗之；已汗復熱，是藏虛也，則補其心可矣。法則合爾

[illegible]熱者亦未必得再三發[illegible]況悶變而反覆者乎濕淫所勝。平以苦熱。佐以酸辛。以苦燥之。以淡泄之。濕氣所淫皆為腫滿但除其濕腫滿自衰。因濕生病不腫不滿者亦尒治之。濕氣在上以苦吐之。濕氣在下以苦泄之。以淡滲之。則皆燥也。泄謂滲泄以利水道下小便為法。然酸雖熱亦用利小便去伏水也。治濕之病不下小便非其法也。新校正云按濕淫于內佐以酸淡此云酸辛者辛疑當作淡。濕上甚而熱。治以苦溫。佐以甘辛。以汗為故而止。身半以上濕氣餘火氣復鬱〻濕相薄則以苦溫甘辛之藥解表流汗而袪之故云以汗為除病之故而已也。火淫所勝。平以鹹冷。佐以苦甘。以酸收之。以苦發之。以酸復之。熱淫同。同熱淫義熱亦如此法以酸復其本氣也不復其氣則淫氣空虛招其本。燥淫所勝。平以苦濕。佐以酸辛。以苦下之。制燥之勝必以苦溫是火之氣味也宜下必以苦宜補必以酸宜瀉必以辛清甚生寒留而不去則以苦溫下之氣有餘則以辛寫之諸氣同。新校正云按上文燥淫于內治以苦溫此云苦濕〻當為溫文注中濕字三並當作溫又按六元正紀大論亦作苦小溫。寒淫所勝。平以辛熱。佐以苦甘。以鹹瀉之。淫敵止之不可過也。新校正云按上文寒淫于內治以甘熱佐以苦辛此云平以辛熱佐以甘苦者此文為誤又按六元正紀大論云大陽之政歲宜苦以燥之。帝曰。善。邪氣反勝。治之奈何。不能淫勝於他氣反

巳亥歲厥陰司天子午歲少陰司天丑未歲

寫不勝之氣，寫邪以勝之。岐伯曰：風司于地，清反勝之，治以酸溫，佐以苦甘，以辛平之。（厥陰在泉，則風司于地，謂五寅歲、五申歲，邪氣勝盛，故先以酸寫，佐以苦甘，邪氣退則正氣虛，故以辛補養而平之。）熱司于地，寒反勝之，治以甘熱，佐以苦辛，以鹹平之。（少陰在泉，則熱司于地，謂五卯五酉歲也。藏故先寫其邪，而後平其正氣也。）濕司于地，熱反勝之，治以苦冷，佐以鹹甘，以苦平之。（太陰在泉，則濕司于地，謂五辰五戌歲也。補寫之義，餘氣皆同。）火司于地，寒反勝之，治以甘熱，佐以苦辛，以鹹平之。（少陽在泉，則火司于地，謂五巳五亥歲也。）燥司于地，熱反勝之，治以平寒，佐以苦甘，以酸平之，以和為利。（陽明在泉，則燥司于地，謂五子五午歲也。燥之性惡熱而畏寒，故以冷熱和平為方制也。）寒司于地，熱反勝之，治以鹹冷，佐以甘辛，以苦平之。（太陽在泉，則寒司于地，謂五丑五未歲也。此六氣方治与前之勝法殊別，其云治者，寫客邪之勝氣也；云佐者，皆所利所宜也；云平者，以補其弱，下止亂也。）帝曰：其司天邪勝何如？岐伯曰：風化於天，清反勝之，治以酸溫，佐以甘苦。（巳亥歲也。）熱化於天，寒反勝之，治以甘溫，佐以苦酸辛。（子午歲也。）濕化於天，熱反勝之，治以苦寒，佐以苦

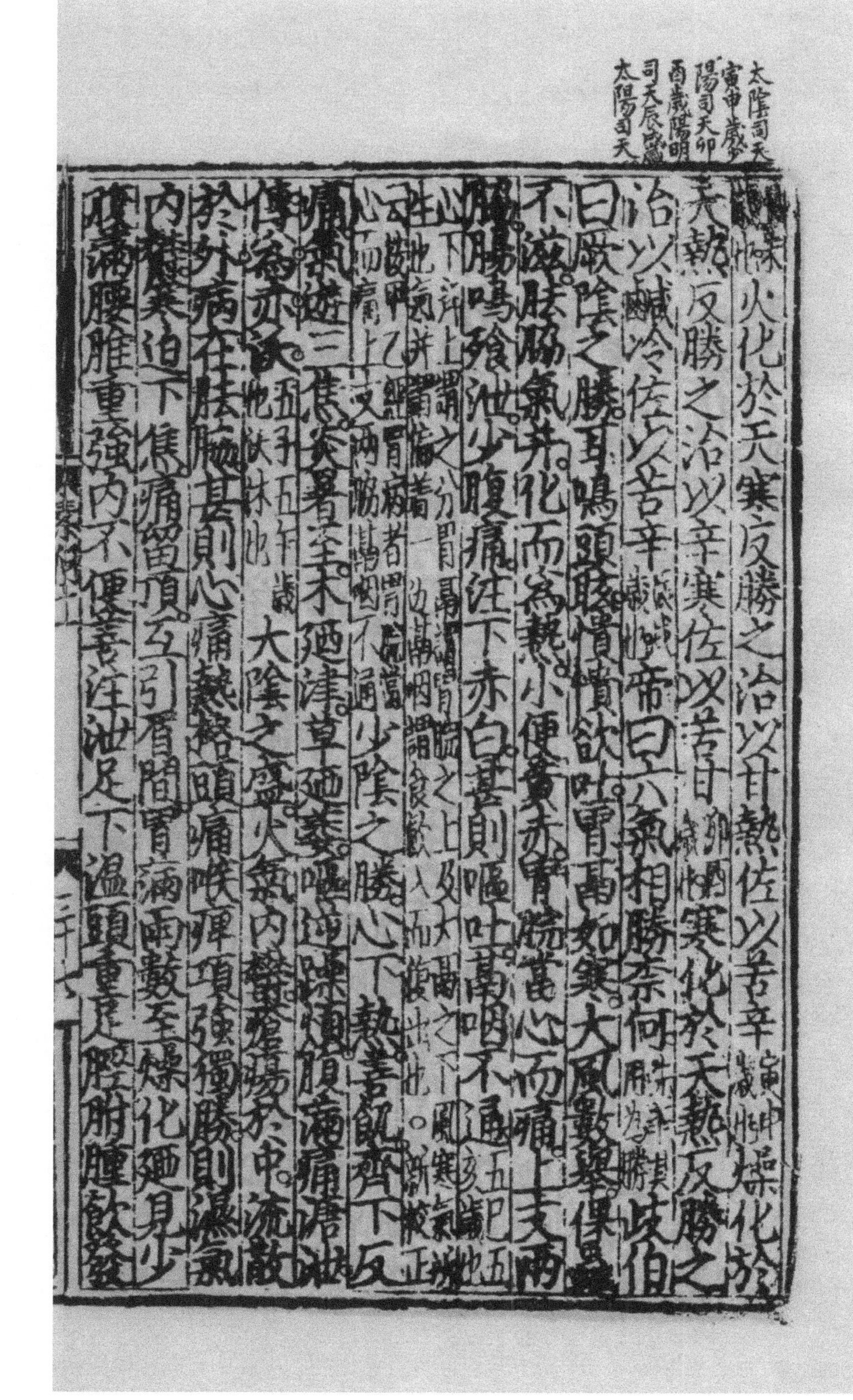

太陰司天 寅申歲少陽司天 卯酉歲陽明司天 辰戌歲太陽司天

丑未歲也火化於天，寒反勝之，治以甘熱，佐以苦辛。寅申歲也燥化於天，熱反勝之，治以辛寒，佐以苦甘。卯酉歲也寒化於天，熱反勝之，治以鹹冷，佐以苦辛。辰戌歲也帝曰：六氣相勝奈何？岐伯曰：厥陰之勝，耳鳴頭眩，憒憒欲吐，胃鬲如寒，大風數舉，倮蟲不滋，胠脇氣并，化而為熱，小便黃赤，胃脘當心而痛，上支兩脇，腸鳴飧泄，少腹痛，注下赤白，甚則嘔吐，鬲咽不通。五巳五亥歲也 心下謂上謂之分，胃鬲謂胃脘之上及大鬲之下。胠脇氣并，謂偏著一邊也。鬲咽，謂食飲入而復出也。新校正云：按甲乙經，胃病者，胃脘當心而痛，上支兩脇，鬲咽不通。少陰之勝，心下熱善飢，齊下反動，氣遊三焦，炎暑至，木乃津，草乃萎，嘔逆躁煩，腹滿痛，溏泄，傳為赤沃。沃，沫也。五子五午歲大陰之勝，火氣內鬱，瘡瘍於中，流散於外，病在胠脇，甚則心痛熱格，頭痛喉痺項強，獨勝則濕氣內鬱，寒迫下焦，痛留頂，互引眉間，胃滿，雨數至，燥化乃見，少腹滿，腰脽重強，內不便，善注泄，足下溫，頭重足脛胕腫，飲發於中，胕腫於上。五丑五未歲也。濕勝於上則火氣內鬱，[illegible]於中則寒迫下焦，水溢[illegible]。[illegible]

少陽之勝，熱客於胃，煩心心痛，目赤欲嘔，嘔酸善飢，耳痛溺赤，善驚譫妄，暴熱消爍，草萎水涸，介蟲乃屈，少腹痛，下沃赤白。五寅五申歲也。[illegible]

陽明之勝，清發於中，左胠脅痛，溏泄，內為嗌塞，外發㿗疝，大涼肅殺，華英改容，毛蟲乃殃，胸中不便，嗌塞而欬。五卯五酉歲也。[illegible]

太陽之勝，凝慄且至，非時水冰，羽乃後化，痔瘧發，寒厥入胃，則內生心痛，陰中乃瘍，隱曲不利，互引陰股，筋肉拘苛，血脈凝泣，絡滿色變，或為血泄膚否腫，腹滿食減，熱反上行，頭項囟頂腦戶中痛，目如脫，寒入下焦，傳爲濡寫。五辰五戌歲也。寒氣凌逼，陽不勝之，故冰寒時而止，冰，冰結也。水氣大勝，陽火不行，故諸[illegible]外而[illegible]也。[illegible]急也。背重也。絡，絡脉也。太陽之氣標在於巔，故反上行於頭也。以其脉起於目內眥，上額交巔上，入絡腦，還出別下項，故囟頂及腦戶中痛，目如脫也。濡謂水利也。○新校正云：按《甲乙經》痔瘧頭項囟頂腦戶中痛，目如脫，爲太陽經病。帝曰：治之奈何？岐伯曰：厥陰之勝，治以甘清，佐以苦辛，以酸寫之。少陰之勝，治以辛寒，佐以苦鹹，以甘寫之。太陰之勝，治以鹹熱，佐以辛甘，以苦寫之。少陽之勝，治以辛寒，佐以甘鹹，以甘寫之。陽明之勝，治以酸溫，佐以辛甘，以苦泄之。太陽之勝，治以甘熱，佐以辛酸，以鹹寫之。六勝之至，皆先歸其不勝己者，故不勝者當先寫之，以通其道，次寫所勝之氣，令其退釋也。治諸勝而不寫遣之，則勝氣浸盛，而內生諸病也。○新校正云：詳此爲治，皆先寫其不勝，而後寫其來勝。獨太陽之勝治以甘熱爲異，疑甘字苦之誤也。若云治以苦熱，則六勝之治皆一貫也。帝曰：六氣之復何如？復謂報復，報其勝也。凡先有勝，後必有復。○新校正云：按[illegible]云：六氣分正化對化，厥陰正司於亥，對化於巳；少陰正司於午，對化於子；太陰正司於未，對化於丑；少陽正司於寅，對

[illegible]化於申。陽明正司於酉，對化於卯。[illegible]正司於戌，對化於辰[illegible]

[illegible]正司化令之實，對司化令之虛，對化勝而有復，正化勝而不復。

復。此謂[illegible]

勝。[illegible]歧伯曰：悉乎哉問也！厥陰之復，少腹堅滿，

裏急暴痛，偃木飛沙，倮蟲不榮，厥心痛，汗發嘔吐，飲食不入，

入而復出，筋骨掉眩，清厥，甚則入脾，食痹而吐。

[illegible]

[illegible]

衝陽絕，死不治。

[illegible]少陰之復，燠熱內作，煩

躁鼽嚏，少腹絞痛，火見燔焫，嗌燥，分注時止，氣動於左，上行

於右，欬，皮膚痛，暴瘖，心痛，鬱冒不知人，乃洒淅惡寒，振慄譫

妄，寒已而熱，渴而欲飲，少氣骨痿，隔腸不便，外為浮腫，噦噫，

赤氣後化，流水不冰，熱氣大行，介蟲不復，病疿胗瘡瘍，癰疽

痤痔，甚則入肺，欬而鼻淵。[illegible]

[illegible]

則然。陽明先勝，故赤氣後化，流水不冰，少陰之本同於地也。寒氣之應則冬冰不凝，若高山窮谷已至高之處，水亦當冰，平下川流則如經矣。火氣內蒸，金氣外拒，陽熱內鬱，故為痱胗瘡瘍。胗甚亦為瘡也。熱少則外生痱胗，熱多則內結癰痤。小腸有熱則中外為痔，其復熱之變，皆病於身後及外側也。瘡瘍痱胗生於上，痤痔生於下，反其處者皆為逆也。天府絕，死不治。天府，肺脉氣所發也。○新校正云：按上文少陰司天，熱淫所勝，尺澤絕，死不治；又少陽司天，火淫所勝，天府絕，死不治。此云少陰之復，天府絕，死不治；下文少陽之復，尺澤絕，死不治。文如相反者，蓋尺澤、天府俱手太陰脉之所發，故此互文也。太陰之復，濕變迺舉，體重中滿，食飲不化，陰氣上厥，胸中不便，飲發於中，欬喘有聲。大雨時行，鱗見於陸。頭頂痛重，而掉瘛尤甚，嘔而密默，唾吐清液，甚則入腎，竅寫無度。濕氣內逆，寒氣不行，太陽上流，故為是病。頭頂痛重則腦中掉瘛尤甚。腸胃寒濕，熱無所行，熏於胃府，故胃中不便，食飲不化，嘔而密默，欲靜定也。寒中熱少，故唾吐清水也。寒氣易位，上入腸胃則息道不利，故竅寫而喉中有聲也。水冒平澤則魚遊於市，頭頂因痛，丈人亦兼痛於骨間也。○新校正云：按上文太陰在泉，頭痛項似拔，又太陰司天，云頭項痛，頂疑當作項。太谿絕，死不治。太谿，腎脉氣也。少陽之復，大熱將至，枯燥燔爇，介蟲迺耗，驚瘛欬衄，心熱煩燥，便數憎風，厥氣上行，面如浮埃目瞑瘛火氣內發上爲口瘍嘔逆血溢血泄發而爲瘧惡寒鼓慄寒極反熱嗌絡焦槁渴引水漿色變黃赤少氣脈萎化而爲水傳爲胕腫甚則入肺欬而血泄火氣專暴枯燥草木焰熖白日生埃故爲暴熱也火內燃故鬱冒瘛欬衄心熱煩燥便數憎風也火炎炎於上則庶物失色故如塵埃浮於下而目瞤動也火爍炎於內則口舌糜爛嘔逆及爲血溢血泄風火相薄則爲痎瘧氣寒熱乾化則爲水病傳爲胕腫胕腫謂皮肉俱腫按之陷下泥而不起也如是之證皆火氣所生也尺澤絕死不治尺澤肺脈氣也陽明之復清氣大舉森木蒼乾毛蟲迺厲病生胠脇氣歸於左善太息甚則心痛否滿腹脹而泄嘔苦欬噦煩心病在鬲中頭痛甚則入肝驚駭筋攣殺氣大舉木不勝之故蒼青之葉不及黃而乾燥也厥謂氣逆病脹鬱也清甚於內熱鬱於外故也大衝絕死不治大衝肝脈氣也太陽之復厥氣上行水凝雨冰羽蟲迺死心胃生寒胸中不利心痛否滿頭痛善悲時眩仆食減腰脽反痛屈伸不便地裂冰堅陽光不治少腹控睪引腰脊上衝心唾出清水及爲噦噫甚則入心善忘善悲也[illegible]

雹死亦其宜寒化於地其上復土故地體分裂水積冰堅久而不釋是陽光之氣不治寒凝之物也太陽之復與不相持上淫下寒火無所生心氣內鬱熱由是生火熱內燔故生斯病○新校正云詳注云與不相持不字疑作土

神門絶死不治。神門真心脉氣

帝曰善治之奈何復氣倍勝故先問以治之

岐伯曰厥陰之復治以酸寒佐以甘辛以酸瀉之以甘緩之不大緩之夏猶不已復重於勝故治以辛寒也○新校正云按別本治以酸寒作治以辛寒也

少陰之復治以鹹寒佐以苦辛以甘瀉之以酸收之以苦發之以鹹耎之不大發汗以寒攻之持至仲秋熱內伏結而為心熱也氣少力不能起矣熱伏不散歸於骨也

太陰之復治以苦熱佐以酸辛以苦瀉之燥之泄之不燥泄之久而為身腫腹滿關節不利腨及伏兔怫滿以作膝腰脛內則胕腫病

少陽之復治以鹹冷佐以苦辛以鹹耎之以酸收之辛苦發之發不遠熱無犯溫涼少陰同法不發汗以奪盛陽則熱內淫於四支而為解㑊不可名也謂熱不甚謂寒不甚謂強不甚謂弱不甚不可以名言故謂之解㑊粗鬱呼為畏氣惡病也久久不已則骨熱髓涸齒乾乃為骨熱病也發汗奪陽故無留熱故發汗者雖熱生病夏月及差亦用熱藥以發之當春秋時縱火熱盛亦不得以熱藥發汗汗不發而藥熱內甚動病為瘧逆犯神炅故曰無犯溫涼少陰氣熱為療則同故

云与少陰同法也○數奪其汗○則津液竭涸○故以酸收○以鹹潤也○○新校正云按六元正紀大論云發表不遠熱

陽明之復○治以辛溫○佐以苦甘○以苦泄之○以苦下之○以酸補之○泄謂滲泄汗及小便湯浴皆是也○秋分前後則亦發之○春有勝則依勝法○或不已○亦湯漬和其中外也○怒復之後○其氣皆虛○故補之以安全其氣○餘復治同

太陽之復○治以鹹熱○佐以甘辛○以苦堅之○不堅則寒氣由變○止而復發○發而復止○綿歷年歲○生大寒疾

治諸勝復○寒者熱之○熱者寒之○溫者清之○清者溫之○散者收之○抑者散之○燥者潤之○急者緩之○堅者耎之○脆者堅之○衰者補之○強者瀉之○各安其氣○必清必靜○則病氣衰去○歸其所宗○此治之大體也○太陽氣寒○少陰少陽氣熱○厥陰氣溫○陽明氣清○太陰氣濕○有勝復則各倍其氣以調之○故可使平也○宗屬也○調不失理○則餘之氣自歸其所屬○少之氣自安其所居○勝復衰已○則各補養而平定之○必清必靜○无妄撓之○則六氣循環○五神安泰○若運氣之寒熱○治之平之○亦各歸司天地氣也○

帝曰○善○氣之上下○何謂也○岐伯曰○身半以上○其氣三矣○天之分也○天氣主之○身半以下○其氣三矣○地之分也○地氣主之○以名命氣○以氣命處○而言其病○半○所謂天樞也○身之半○正謂齊

□也或以齊為身半是以居中為義過天中也中正當齊□之人故□
□□□當伸臂指天舒足指地以繩量之中正當齊□□也故□
□□半所謂天樞也天樞正當齊兩傍同身寸之二寸□六氣□
□□腰如以上陰同天則上有熱中有大暑兼之三□身半以
然司天者其氣三司地者其氣三故身半以上三氣□言其□
下三氣以名言其氣以氣言其處以氣處寒熱□□言其處
言形證也取足陽明氣名足及股膝之內側上行於少腹
循胸足陽明氣在足之上腧之外股之前上行腹齊之傍循
膺乳上頰至大陽氣起於目上絡腦下項背過腰橫過髀
樞股後下行入膕貫腨出外踝之後足小指外側足大陰氣
循出及膝股之內腹上行腹腸之前足少陰同之足少陽氣
循髀外側上行腹脇之側循頰耳至目銳眥在首之側出頸
六氣之部主也手厥陰少陰大陰氣從心背橫出循臂內側
至中指小指大指之端手陽明少陽大陽氣並起手表循臂
以則首有及甲上際此手六氣之部上也欲知病診當隨氣
所在以言之當陰之分冷病歸之當陽之分熱病歸之故條
□之作先言病生寒熱者必依此理也新校正云按六
微旨大論云天樞之上天氣主之天樞之下地氣主之氣交
之分人氣從之萬物由之
故上勝而下俱病者以地名之下勝而上俱病者以
天名之。彼氣既勝此未能復抑鬱不暢而无所行進則困於
讎退則窮於拂塞故上勝至則下與俱病下勝至
則上與俱病上勝下病地氣鬱也故從地鬱以名地病下勝
上病天氣塞也故從天塞以名天病夫以天名者方順天氣
為制逆地氣而攻之以地名者方從天氣為制則可假如□
明司天少陰在泉上勝而下俱病者是拂於下而生也天氣

正勝天一可逆之故順天之氣方同者也少陰等司天上下勝同法。新校正云按六元正紀大論云上勝則天氣降而下下勝則地氣遷而上此之謂也所謂勝至報氣屈伏而未發也復至則不以天地異名皆如復氣為法也勝至未復而病生以天地異名為式復氣已發則所生无問上勝下俱病者皆依復氣為病寒熱之主也帝曰勝復之動時有常乎氣有必乎岐伯曰時有常位而氣無必也謂位有常而發動有无不必定之也帝曰願聞其道也岐伯曰初氣終三氣天氣主之勝之常也四氣盡終氣地氣主之復之常也有勝則復無勝則否帝曰善復已而勝何如岐伯曰勝至則復無常數也衰乃止耳勝微則復微故復已而又勝勝甚則復甚故復已則少有再勝者也假有勝者亦隨微甚而復之亦然勝復之道雖无常數至其衰謝則勝復皆自止也復已而勝不復則害此傷生也有勝无復是復氣已衰衰不能復是天真之氣已傷敗甚而生意盡矣帝曰復而反病何也岐伯曰居非其位不相得也大復其勝則主勝之故反病也捨已宮觀適於他邦已力已衰主不相得怨隨其後唯便是求故力極而復主反勝之之反自病者也所謂火燥熱也少陽火也陽明燥金也少陰熱也謂少陰少陽在泉為火居水陽明司天，金居火位。金復其勝，則火主勝之。火復其勝，非主勝之。金氣勝復，則无主勝之形氣也。故又曰所謂火燥熱也。帝曰：治之奈何？岐伯曰：夫氣之勝也，微者隨之，甚者制之。氣之復也，和者平之，暴者奪之，皆隨勝氣，安其屈伏，無問其數，以平為期，此其道也。隨，謂隨之。安，謂順勝氣以和之也。制，謂制止。平，謂平調。奪，謂奪其勝氣也。治此者，不以數之多少，但以氣平和為準度爾。帝曰：善。客主之勝復奈何？客謂天之六氣，主謂五行之位也。氣有宜否，故各有勝復之者。岐伯曰：客主之氣，勝而無復也。客主自有多少，以其為勝，與常勝殊。帝曰：其逆從何如？岐伯曰：主勝逆，客勝從，天之道也。客承天命，部主其方。主為之下，固宜奉天命。不順而勝，則天命不行，故為逆也。客勝於主，承天而行，理之道，故為順也。帝曰：其生病何如？岐伯曰：厥陰司天，客勝則耳鳴掉眩，甚則欬。主勝則胸脅痛，舌難以言。五巳五亥歲也。少陰司天，客勝則鼽嚏，頸項強，肩背瞀熱，頭痛少氣，發熱耳聾目瞑，甚則胕腫血溢，瘡瘍欬喘。主勝則心熱煩躁，甚則脅痛支滿。五子五午歲也。大陰司天，客勝則首面胕腫，呼吸氣喘。主勝則胸腹滿，食已而瞀。五丑五未歲也。少陽司天。客勝則丹胗外發及爲丹熛瘡瘍嘔逆喉痹頭痛嗌腫耳聾血溢内爲瘛瘲主勝則胸滿欬仰息甚而有血手熱。五寅五申歲也。陽明司天。清復内餘則欬衄嗌塞心鬲中熱欬不止而白血出者死。復謂復舊居也。白血謂欬出淺紅色血似肉似肺者。五卯五酉歲也。○新校正云：詳此不言客勝主勝者，以金居火位，無客勝之理，故不言也。大陽司天。客勝則胸中不利出清涕感寒則欬主勝則喉嗌中鳴。五辰五戌歲也。厥陰在泉。客勝則大關節不利内爲痙強拘瘛外爲不便主勝則筋骨繇併腰腹時痛。五寅五申歲也。大關節謂腰膝髖也。少陰在泉。客勝則腰痛尻股膝髀腨胻足病瞀熱以酸胕腫不能久立溲便變主勝則厥氣上行心痛發熱鬲中衆痹皆作發於胠脇魄汗不藏。四逆而起。五卯五酉歲也。大陰在泉。客勝則足痿下重便溲不時濕客下焦發而濡寫及爲腫隱曲之疾主勝則寒氣逆滿食飲不下甚則爲疝。五丑五未歲也。隱曲之疾謂隱蔽委曲之處病也。少陽在泉。客勝則腰

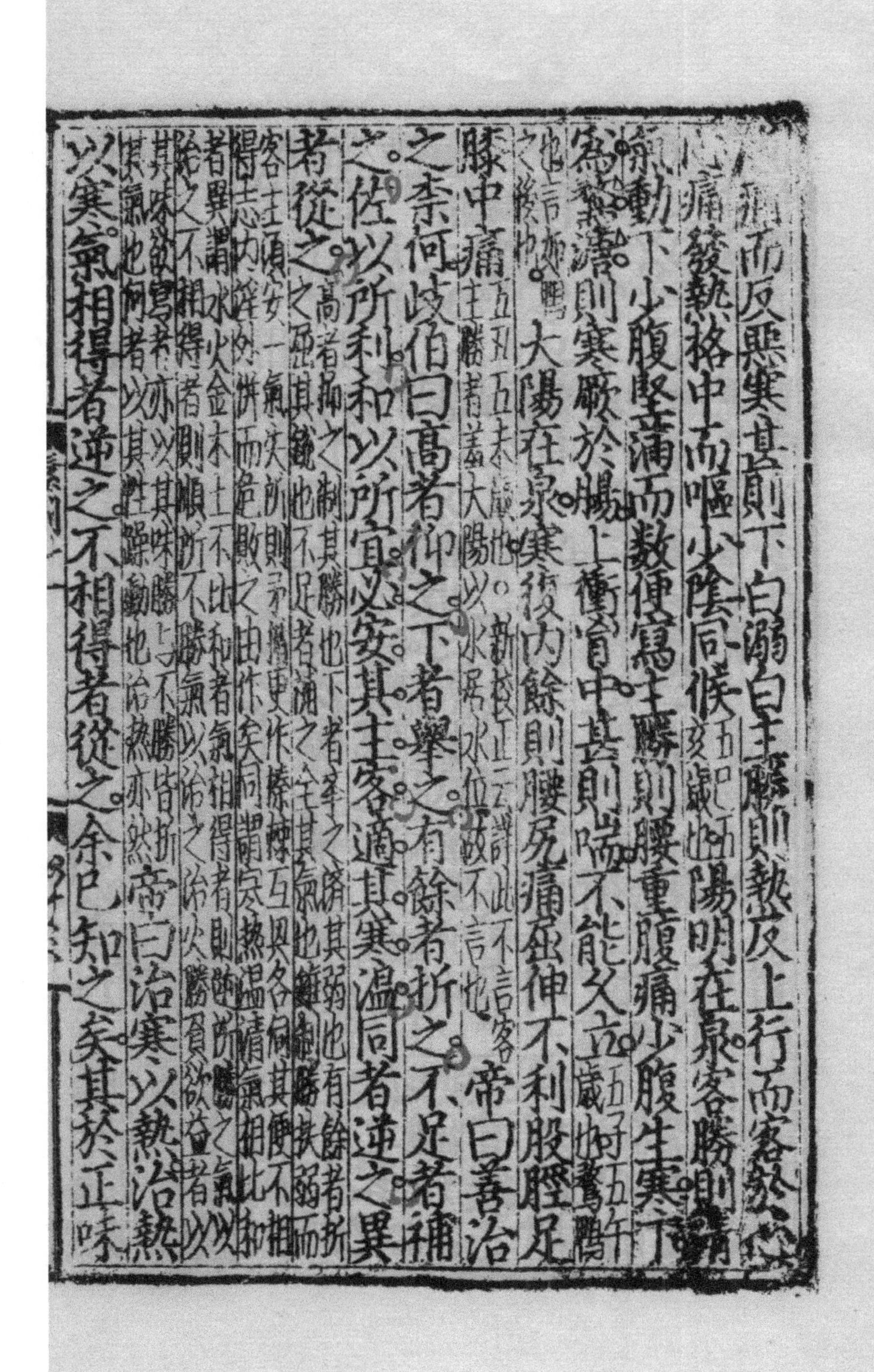
痛而反惡寒甚則下白溺白主勝則熱反上行而客於心
心痛發熱格中而嘔少陰同候五卯五酉歲也陽明在泉客勝則清
氣動下少腹堅滿而數便瀉主勝則腰重腹痛少腹生寒下
為鶩溏則寒厥於腸上衝胸中甚則喘不能久立五子五午歲也鶩鴨
也言如鴨之後也大陽在泉寒復內餘則腰尻痛屈伸不利股脛足
膝中痛五丑五未歲也新校正云詳此不言客主勝者蓋大陽以水居水位故不言也帝曰善治
之奈何岐伯曰高者抑之下者舉之有餘者折之不足者補
之佐以所利和以所宜必安其主客適其寒溫同者逆之異
者從之高者抑之制其勝也下者舉之濟其弱也有餘者折之屈其銳也不足者補之全其氣也雖制勝扶弱而
客主須安一氣失所則矛楯更作榛棘互興各伺其便不相得志內淫外并而危敗之由作矣同謂寒熱溫清氣相比和
者異謂水火金木土不比和者氣相得者則逆所勝之氣以治之不相得者則順所不勝氣以治之治火勝負欲益者以
其味欲寫者亦以其味勝與不勝皆折其氣也何者以其性躁動也治熱亦然帝曰治寒以熱治熱
以寒氣相得者逆之不相得者從之余已知之矣其於正味

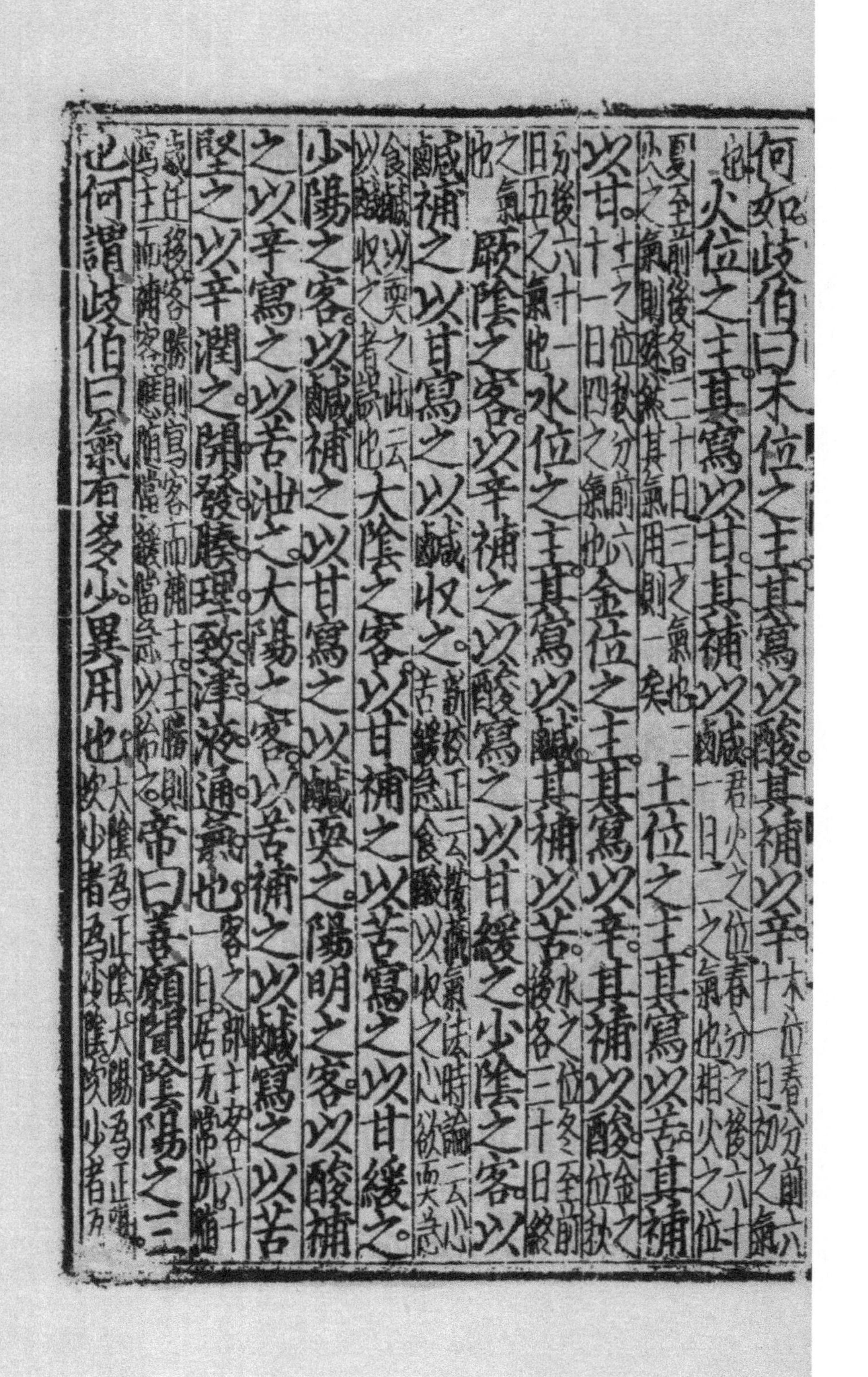

何如。岐伯曰：木位之主，其寫以酸，其補以辛。（木位春分前六十一日，初之氣也。）火位之主，其寫以甘，其補以鹹。（君火之位，春分之後六十一日，二之氣也。相火之位，夏至前後各三十日，三之氣也。二火之氣，則殊然其氣用則一矣。）土位之主，其寫以苦，其補以甘。（土之位，秋分前六十一日，四之氣也。）金位之主，其寫以辛，其補以酸。（金之位，秋分後六十一日，五之氣也。）水位之主，其寫以鹹，其補以苦。（水之位，冬至前後各三十日，終之氣也。）厥陰之客，以辛補之，以酸寫之，以甘緩之。少陰之客，以鹹補之，以甘寫之，以鹹收之。（新校正云：按藏氣法時論云：心苦緩，急食酸以收之。心欲耎，急食鹹以耎之。此云以鹹收之者，誤也。）太陰之客，以甘補之，以苦寫之，以甘緩之。少陽之客，以鹹補之，以甘寫之，以鹹耎之。陽明之客，以酸補之，以辛寫之，以苦泄之。太陽之客，以苦補之，以鹹寫之，以苦堅之，以辛潤之。開發腠理，致津液，通氣也。（客之部主，各六十一日，居無常所，隨歲遷移，客勝則寫客而補主，主勝則寫主而補客，應隨當緩當急以治之。）帝曰：善。願聞陰陽之三也何謂？岐伯曰：氣有多少，異用也。（太陰為正陰，太陽為正陽，次少者為少陰，次少者為少

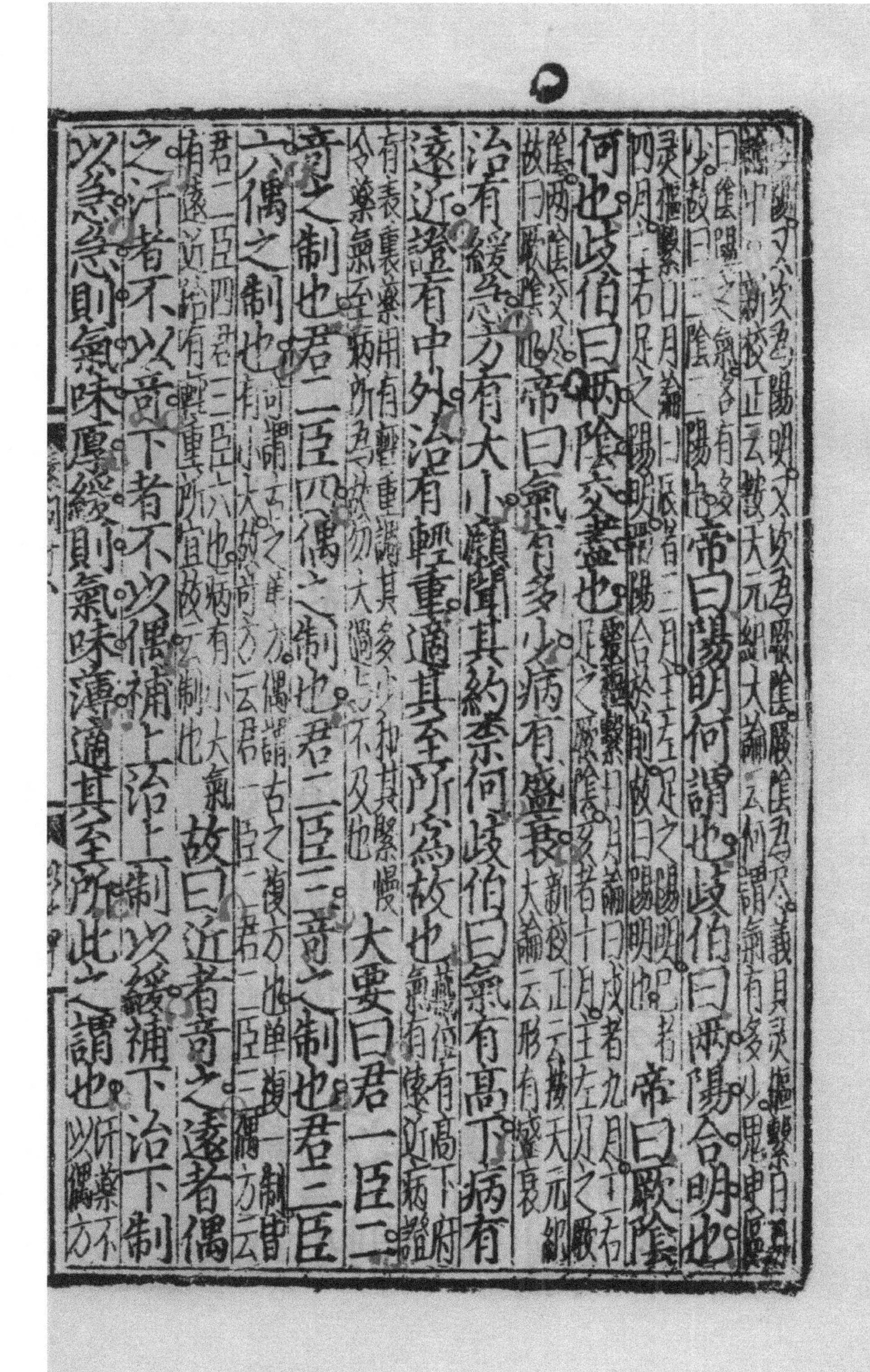

少陽，又次為陽明，又次為厥陰，厥陰為盡，義具靈樞繫日月論中。新校正云：詳天元紀大論云：何謂氣有多少？鬼臾區曰：陰陽之氣各有多少，故曰三陰三陽也。帝曰：陽明何謂也？岐伯曰：兩陽合明也。靈樞繫日月論曰：辰者三月，主左足之陽明；巳者四月，主右足之陽明。此兩陽合於前，故曰陽明也。帝曰：厥陰何也？岐伯曰：兩陰交盡也。靈樞繫日月論曰：戌者九月，主右足之厥陰；亥者十月，主左足之厥陰。兩陰交盡，故曰厥陰也。帝曰：氣有多少，病有盛衰，新校正云：詳天元紀大論云形有盛衰。治有緩急，方有大小，願聞其約奈何？岐伯曰：氣有高下，病有遠近，證有中外，治有輕重，適其至所為故也。藏位有高下，府氣有遠近，病證有表裏，藥用有輕重，調其多少，和其緊慢，令藥氣至病所為故，勿太過與不及也。大要曰：君一臣二，奇之制也；君二臣四，偶之制也；君二臣三，奇之制也；君二臣六，偶之制也。奇謂古之單方，偶謂古之複方也。單複一制，皆有小大，故奇方云君一臣二，君二臣三；偶方云君二臣四，君二臣六也。病有小大，氣有遠近，治有輕重，所宜故云制也。故曰：近者奇之，遠者偶之，汗者不以奇，下者不以偶，補上治上制以緩，補下治下制以急，急則氣味厚，緩則氣味薄，適其至所，此之謂也。汗藥不以偶方

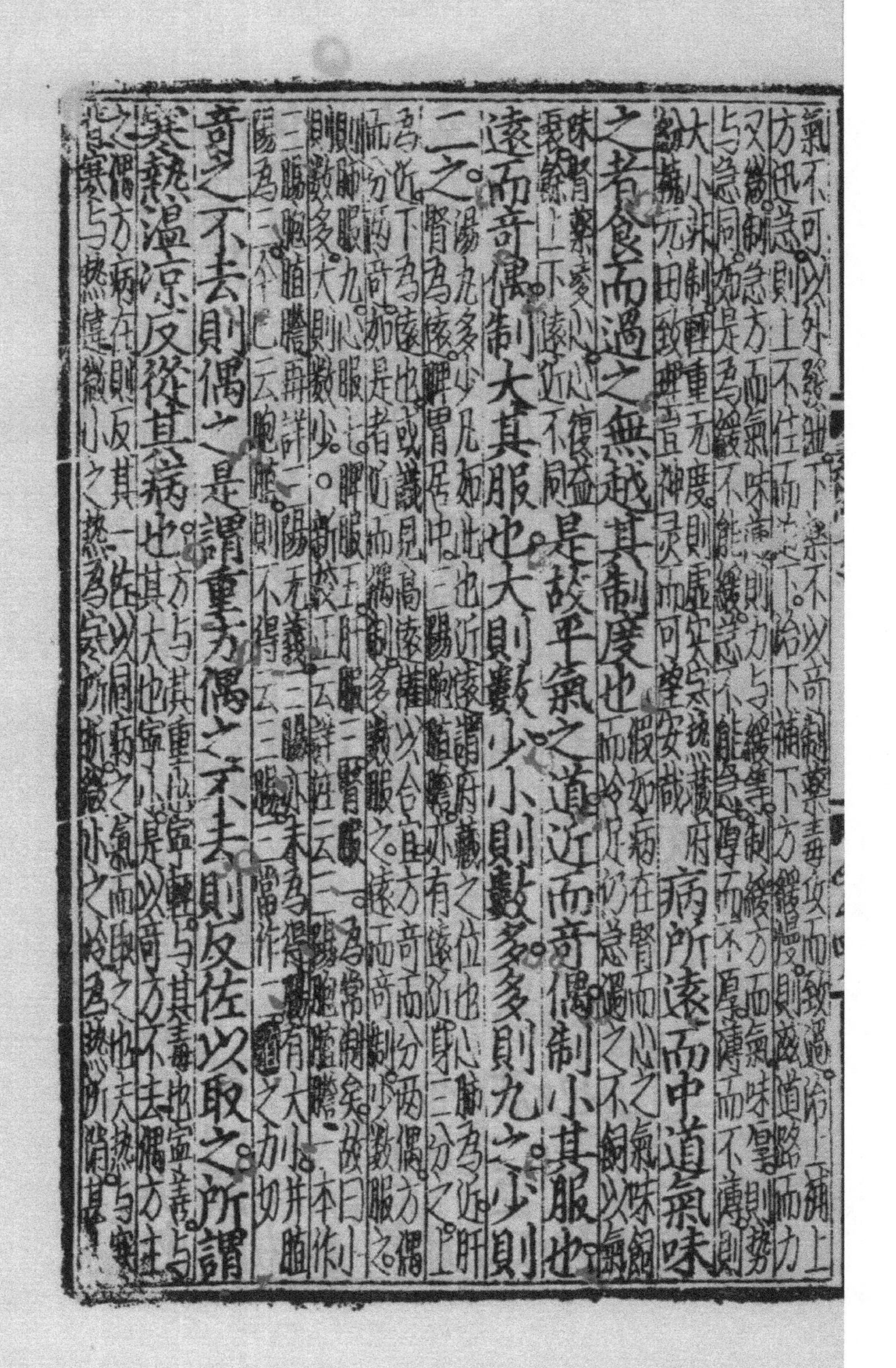

氣不可以外，發泄下，亲不以奇制，亲毒攻而致過。治上補上方迅急，則上不住而迫走於下；治下補下方緩慢，則滋道路而力又微。制急方而氣味薄，則力与緩等；制緩方而氣味厚，則勢与急同。如是為緩不能緩，急不能急，厚而不厚，薄而不薄，則大小非制，輕重无度，則虛實寒熱，藏府紛撓，无由致理，豈神灵而可望安哉。病所遠而中道氣味之者，食而過之，無越其制度也。假如病在腎，而心之氣味飼而冷是，仍急過之，不飼以氣味，腎藥凌心，心復益衰。餘上下遠近例同。是故平氣之道，近而奇偶，制小其服也；遠而奇偶，制大其服也。大則數少，小則數多。多則九之，少則二之。湯丸多少，凡如此也。近遠謂府藏之位也。心肺為近，肝腎為遠，脾胃居中。三陽胞脯膽亦有遠近。身三分之上為近，下為遠也。或識見高遠，權以合宜，方奇而分兩偶，方偶而分兩奇，如是者，近而偶制，多數服之；遠而奇制，少數服之。則肺服九，心服七，脾服五，肝服三，腎服一，為常制矣。故曰小則數多，大則數少。新校正云：詳注云三陽胞脯膽，一本作二陽胞脯膽。再詳三陽无義，二陽亦未為得。二陽有大小，并脯陽為三，今已云胞脯，則不得云三，二陽當作一陽之加，如奇之不去則偶之，是謂重方。偶之不去則反佐以取之，所謂寒熱溫涼，反從其病也。方与其重也寧輕，与其毒也寧善，与其大也寧小。是以奇方不去，偶方主之；偶方病在，則反其一佐，以同病之氣而取之也。夫熱与寒背，寒与熱違，微小之熱為寒所折，微小之冷為熱所消，其

（故則必能與之齊性者，常順能與之異氣者，皆相格拒，聲不同，同不相應，氣不同不相合。如是則且戰而不敢攻之，攻之則病氣與之等氣抗衡，而自為寒熱，以開閉固守矣。是以聖人反其佐以同其氣，令聲氣應合，復令寒熱參合，使其終異始同，燥潤而敗，則堅剛強必折，柔脆同消爾，通而斷物。）帝曰：善。病生於本，余知之矣。生於標者，治之奈何？岐伯曰：病反其本，得標之病，治反其本，得標之方。（言少陰太陽之二氣，標本所從標本不同。）帝曰：善。六氣之勝，何以候之？岐伯曰：乘其至也。清氣大來，燥之勝也，風木受邪，肝病生焉。（流於膽。）熱氣大來，火之勝也，金燥受邪，肺病生焉。（流於大腸。新校正云：詳注一云肝與大腸，按甲乙經[illegible]大腸。）寒氣大來，水之勝也，火熱受邪，心病生焉。（流於三焦小腸。）濕氣大來，土之勝也，寒水受邪，腎病生焉。（流於膀胱。）風氣大來，木之勝也，土濕受邪，脾病生焉。（流於胃。）所謂感邪而生病也。（外有其氣，而內惡之，中外不喜，因而遂病，是謂感也。）乘年之虛，則邪甚也。（年木不足，外有清邪；年火不足，外有寒邪；年土不足，外有風邪；年金不足，外有熱邪；年水不足，外有濕邪。是年之虛也。歲氣不足，外邪湊甚。）失時之和，亦邪甚也。（六氣臨統，與位氣相剋，感之而病亦勝所不勝，而與內藏相惡，邪復甚也。）遇月之空亦邪甚也。謂上弦前下弦後月輪中空也。重感於邪則病危矣。年已不足，天氣剋之，此時感邪，是重感也。感邪氣不能相勝，必來復也，不危何也。有勝之氣其必來復也。有勝則復，天之常也。帝曰：其脉至何如？岐伯曰：厥陰之至其脉弦，耎虛而滑，端直以長，是謂弦。實而強則病，不實而微亦病，不端直長亦病，不當其位亦病，位不能弦亦病。少陰之至其脉鉤，來盛去衰，如偃帶鉤，是謂鉤。來不盛去反盛則病，來盛去盛亦病，來不盛去不盛亦病，不當其位亦病，位不能鉤亦病。太陰之至其脉沉，沉，下也，按之乃得，下諸位脉也。沉甚則病，不沉亦病，不當其位亦病，位不能沉亦病。少陽之至大而浮，浮，高也，大，謂稍大諸位脉也。大浮甚則病，浮而不大亦病，大而不浮亦病，不大不浮亦病，不當其位亦病，位不能大浮亦病。陽明之至短而濇，短，謂往來不遠，濇，謂不利也。短甚則病，濇甚則病，不短不濇亦病，不當其位亦病，位不能短濇亦病。太陽之至大而長。往來遠，是謂長。大甚則病，長甚則病，長而不大亦病，大而不長亦病，不當其位亦病，位不能長大亦病。至而和則平，不大不甚，則為平調，不甚不殊，是為和也。至而甚則病，弦似張弓弦，滑如連珠，沉而附骨，浮高於皮，濇而止住，大長而甚也。至而反者病，應弦反濇，應大反細，應沉反浮，應浮反沉，應短濇反長滑，應耎虛反強實，應細反大，是皆為氣反常平之候，有病……

至而不至者病。氣位已至而脈氣不應也。未至而至者病。按曆占之凡得節氣當時之分至如南北之歲……先天……陰陽易者危。不應天常，氣見交錯，失其恒位，更易見之，陰位見陽脈，陽位見陰脈，是易位而見也。二氣錯亂，故氣危。新校正云：按六微旨大論云：帝曰：其有至而至，有至而不至，有至而太過，何也？岐伯曰：至而至者和，至而不至，來氣不及也；未至而至，來氣有餘也。帝曰：至而不至，未至而至，何如？岐伯曰：應則順，否則逆，逆則變生，變生則病。帝曰：善。請言其應。岐伯曰：物生其應也，氣脈其應也。此脈應也。帝曰：六氣標本所從不同奈何？岐伯曰：氣有從本者，有從標本者，有不從標本者也。帝曰：願卒聞之。岐伯曰：少陽太陰從本，少陰太陽從本從標，陽明厥陰不從標本，從乎中也。少陽之本火，太陰之本濕，本末同，故從本也。少陰之本熱，其標陰；太陽之本寒，其標陽，本末異，故從本從標。陽明之中太陰，厥陰之中少陽，本末與中不同，故不從標本從乎中也。從本從標從中，皆以其為化生之用也。故從本者化生於本，從標本者有標本之化，從中者以中氣為化也。化謂氣化之元主也。有病以元主氣用寒熱治之。新校正云：按六微旨大論云：少陽之上，火氣治之，中見厥陰；陽明之上，燥氣治之，中見太陰；太陽之上，寒氣治之，中見少陰；厥陰之上，風氣治之，中見少陽；少陰之陰之上，燥氣治之，中見太陰。太陰之上，濕氣治之，中見陽明。所謂本也。本之下，中之見也。見之下，氣之標也。本標不同，氣應異象。此之謂也。帝曰：脈從而病反者，其診何如？岐伯曰：脈至而從，按之不鼓，諸陽皆然。言病熱而脈數，按之不動，乃寒盛格陽而致之，非熱也。帝曰：諸陰之反，其脈何如？岐伯曰：脈至而從，按之鼓甚而盛也。形證是寒[illegible]是故百病之起，有生於本者，有生於標者，有生於中氣者，有取本而得者，有取標而得者，有取中氣而得者，有取標本而得者，有逆取而得者，有從取而得者。[illegible]逆，正順也。若順，逆也。[illegible]故曰：知標與本，用之不殆，明知逆順，正行無問。此之謂也。不知是者，不足以言診，足以亂經。故大要曰：粗工嘻嘻，以為可知，言熱未已，寒病復始，同氣異形，迷診亂經。此之謂也。[illegible]

与工得其半也。厥陰之化，粗以為寒，其乃是溫；太陽之化，粗以為熱，其乃是寒。由此差互，用失其道，故其學問識用不達工之道半矣。夫太陽少陰各有寒化熱化，量其標本應用，則正反矣。何以言之？太陽本為寒，標為熱；少陰本為熱，標為寒。方之用亦如是也。厥陰陽明，中氣亦爾。厥陰之中氣為熱，陽明之中氣為濕，此二氣亦反其類，故從乎中也。夫一經之標本，論病未辨其陰陽，雖同一氣，而生且阻寒溫之候，故言氣不窮其標本，故心迷正理，治益亂經，故曰粗工。

夫標本之道，要而博，小而大，可以言一而知百病之害。言標與本，易而勿損，察本與標，氣可令調，明知勝復，為萬民式，天之道畢矣。天地變化，尚可盡知，況一人之診，而云冥昧，得經之要，持法之宗，為天下師，尚卑其道，萬民之式，豈曰大哉。新校正云：按標本病傳論云：有其在標而求之於標，有其在本而求之於本，有其在本而求之於標，有其在標而求之於本。故治有取標而得者，有取本而得者，有逆取而得者，有從取而得者。故知逆與從，正行無問，知標本者，萬舉萬當，不知標本，是為妄行。夫陰陽逆從，標本之為道也，小而大，言一而知百病之害。少而多，淺而博，可以言一而知百也。以淺而知深，察近而知遠，言標與本，易而勿及。治反為逆，治得為從。先病而後逆者治其本。先逆而後病者治其本。先寒而後生病者治其本。先病而後生寒者治其本。先熱而後生病者治其本。先熱而後生中滿者治其標。先病而後泄者治其本。先泄而後生他病者治其本，必且調之，乃治其標。先病而後生中滿者治其標。先中滿而後煩心者治其本。人有客氣，有同氣。小大不利治其標，小大利治其本。病發而有餘，本而標之，先治其本，後治其標。病發而不足，標而本之，先治其標，後治其本。謹察間甚，以意調之，間者并行，甚者獨行。先小大不利而後生病者，治其本。此經論標本不亢議。

帝曰：勝復之變，早晏何如？岐伯曰：夫所勝者，勝至已病，病已慍慍，而復已萌也。復心之慍不遂而有夫所復者，勝盡而起，得位而甚，勝有微甚，復有少多，勝和而和，勝虛而虛，天之常也。帝曰：勝復之作，動不當位，或後時而至，其故何也？言陽盛於夏，陰盛於冬，清盛於秋，溫盛於春，天之常候。然其勝復氣用，四序不同，其何由哉？岐伯曰：夫氣之生，與其化衰盛異也。寒暑溫涼盛衰之用，其在四維。故陽之動，始於溫，盛於暑；陰之動，始於清，盛於寒。春夏秋冬，各差其分。言春夏秋冬四正之氣，在於四維之分也。即事驗之，春之溫正在辰巳之月，夏之暑正在未申之月，秋之涼正在戌亥之月，冬之寒正在丑寅之月。春始於仲春，夏始於仲夏，秋始於仲秋，冬始於仲冬。故丑之月陰結層冰於厚地，未之月陽焰電掣於天垂，戌之月霜清肅殺而庶物堅，辰之月風扇和舒而陳柯榮秀。此則氣差其分，昭然而不可蔽也。然陰陽之氣，生發收藏，與常法相會，徵其氣化及在人之應，則四時每差其日數，與常法相違。

元古林書堂本《素問》（下）

法乃正。故大要曰：彼春之暖，爲夏之暑，彼秋之忿，爲冬之怒。謹按四維，斥候皆歸，其終可見，其始可知，此之謂也。言盛壯也。陽之少爲暖，其壯也爲暑；陰之少爲忿，其壯也爲怒。此悉謂少壯之異氣，證用之盛衰。但立盛衰於四維之位，則陰陽終始應用皆可知矣。帝曰：差有數乎？岐伯曰：又凡三十度也。度，日也。○新校正云：按六元正紀大論云：差有數乎？後皆三十度而有奇也。此云三十度也者，此言其大略耳。帝曰：其脈應皆何如？岐伯曰：差同正法，待時而去也。脈亦差，以隨氣應也。待差日足，應王氣至而乃去也。脈要曰：春不沈，夏不弦，冬不濇，秋不數，是謂四塞。天地四時之氣閉塞而無所運行也。但應天和氣，是則爲平，形見太甚，則爲力致，以力而致，安能久乎，故甚皆病。沈甚曰病，弦甚曰病，濇甚曰病，數甚曰病，參見曰病，復見曰病，未去而去曰病，去而不去曰病，參謂參和諸氣來見，復見謂再見已衰已死之氣也。去謂王已而去者也。日行之度未出於差，是爲天氣未出，而脈先去；日度過差，是爲天氣已去，而脈尚在，故皆病。反者死。夏見沈，秋見數，冬見緩，春見濇，是謂反也。○新校正云：詳上文「秋不數」是謂四塞，「數」下文「秋見數」爲反，蓋以脈差只在仲月，差之度盡而數尚見，則爲反也。故曰：氣之相守司也。

如權衡之不得相失也。權衡，謂秤也。天地之氣，寒暑相對，溫清相望，如持秤也。高者否，下者否，兩者齊等，無相奪倫，則清靜而生化各得其分也。夫陰陽之氣，清靜則生化治，動則苛疾起，此之謂也。動，謂變動常平之候而為災眚也。苛，重也。新校正云：按六微旨大論云：成敗倚伏生乎動，動而不已，則變作矣。帝曰：幽明何如？岐伯曰：兩陰交盡故曰幽，兩陽合明故曰明，幽明之配，寒暑之異也。兩陰交盡於戌亥，兩陽合明於辰巳。靈樞繫日月論云：亥十月左足之厥陰，戌九月右足之厥陰，此兩陰交盡，故曰厥陰。辰三月左足之陽明，巳四月右足之陽明，此兩陽合於前，故曰陽明。然陰交則幽，陽合則明，幽明之象，當由是也。寒暑位西南東北，幽明位西北東南。幽明之配，寒暑之位，誠斯異也。新校正云：按大始天元冊文云：幽明既位，寒暑弛張。帝曰：分至何如？岐伯曰：氣至之謂至，氣分之謂分，至則氣同，分則氣異，所謂天地之正紀也。因幽明之間而形斯義也。言冬夏二至是天地氣主歲至其所在也，春秋二分是間氣初二四五四氣各分其政於主歲左右也。故曰至則氣同，分則氣異也。所言二至二分之氣配者，此所謂是天地氣之正紀也。帝曰：夫子言春秋氣始於前，冬夏氣始於後，余已知之矣。然六氣往復，主歲不常也，其補寫奈何？以分至明六氣分位，則初氣四氣始於立春立秋前各一十五

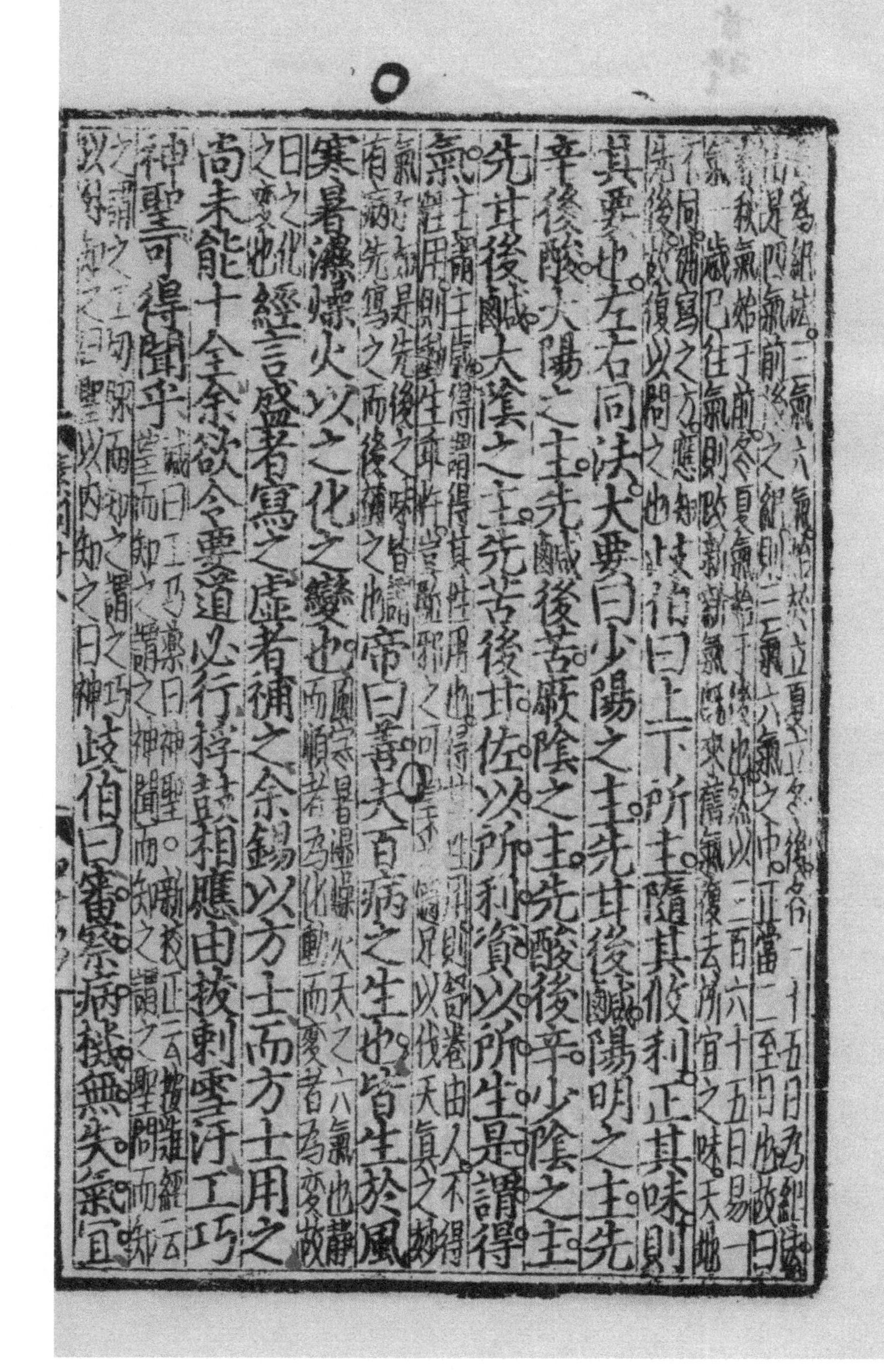

為紀法。〔二氣、六氣終始，以立夏、立冬後各行一十五日為紀法。是以四氣前後之紀，則二氣、六氣之中，正當二至日也。故曰春秋氣始於前，冬夏氣始於後也。然以三百六十五日易一氣，一歲已往，氣則改新，新氣既來，舊氣復去，所宜之味，天地不同，補寫之方，應知先後，故復以問之也。〕岐伯曰：上下所主，隨其攸利，正其味，則其要也。左右同法。大要曰：少陽之主，先甘後鹹；陽明之主，先辛後酸；太陽之主，先鹹後苦；厥陰之主，先酸後辛；少陰之主，先甘後鹹；太陰之主，先苦後甘。佐以所利，資以所生，是謂得氣。〔主謂主歲，得其性用則舒，不得性用則病。是先後之味，皆謂有病先寫之而後補之也。〕帝曰：善。夫百病之生也，皆生於風寒暑濕燥火，以之化之變也。〔風寒暑濕燥火，天之六氣也。靜而順者為化，動而變者為變，故曰之化之變也。〕經言盛者寫之，虛者補之，余錫以方士，而方士用之，尚未能十全，余欲令要道必行，桴鼓相應，猶拔刺雪汙，工巧神聖，可得聞乎？〔神聖工巧，《八十一難經》曰：望而知之謂之神，聞而知之謂之聖，問而知之謂之工，切脈而知之謂之巧。以內知之曰神，以外知之曰聖。〕岐伯曰：審察病機，無失氣宜，

諸說誰為

此之謂也。得其機要則動小而功大，用淺而功深也。帝曰：願聞病機何如？岐伯曰：諸風掉眩，皆屬於肝。風性動，木氣同之。諸寒收引，皆屬於腎。收謂斂也，引謂急也。寒物收縮，水氣同也。諸氣膹鬱，皆屬於肺。高秋氣涼，霧氣煙集，涼至則氣熱，復甚則氣殫，徵其物象，屬可知也。膹謂膹滿，鬱謂奔迫也。氣之為用，金氣同之。諸濕腫滿，皆屬於脾。土薄則水淺，土厚則水深，土平則乾，土高則濕，濕氣之有，土氣同之。諸熱瞀瘛，皆屬於火。火象徵。諸痛癢瘡，皆屬於心。心寂則痛微，心躁則痛甚，百端之起，皆自心生，痛癢瘡瘍，生於心也。諸厥固泄，皆屬於下。下謂下焦肝腎氣也。夫守司於下，腎之氣也；門戶束要，肝之氣也。故厥固泄皆屬下也。厥謂氣逆，固謂禁固。諸有氣逆上行，及固不禁，出入無度，燥濕不恒，皆由下焦之主守也。諸痿喘嘔，皆屬於上。上謂上焦心肺氣也。炎熱薄爍，心之氣也；承熱分化，肺之氣也。熱鬱化上，故病屬上焦。新校正云：詳痿之為病，似非上病，王注不解所以屬上之由，使後人疑議。今按痿論云：五藏使人痿者，因肺熱葉焦，發為痿躄，故云屬於上也。痿又謂肺痿也。諸禁鼓慄，如喪神守，皆屬於火。熱之内作。諸痙項強，皆屬於濕。太陽伏濕。諸逆衝上，皆屬於火。炎上之性用也。諸脹腹大，皆屬於熱。熱鬱於内，肺脹於上。諸躁狂越，皆屬於火。熱盛於胃及四末也。諸暴強直，皆屬於風。陽内[illegible]

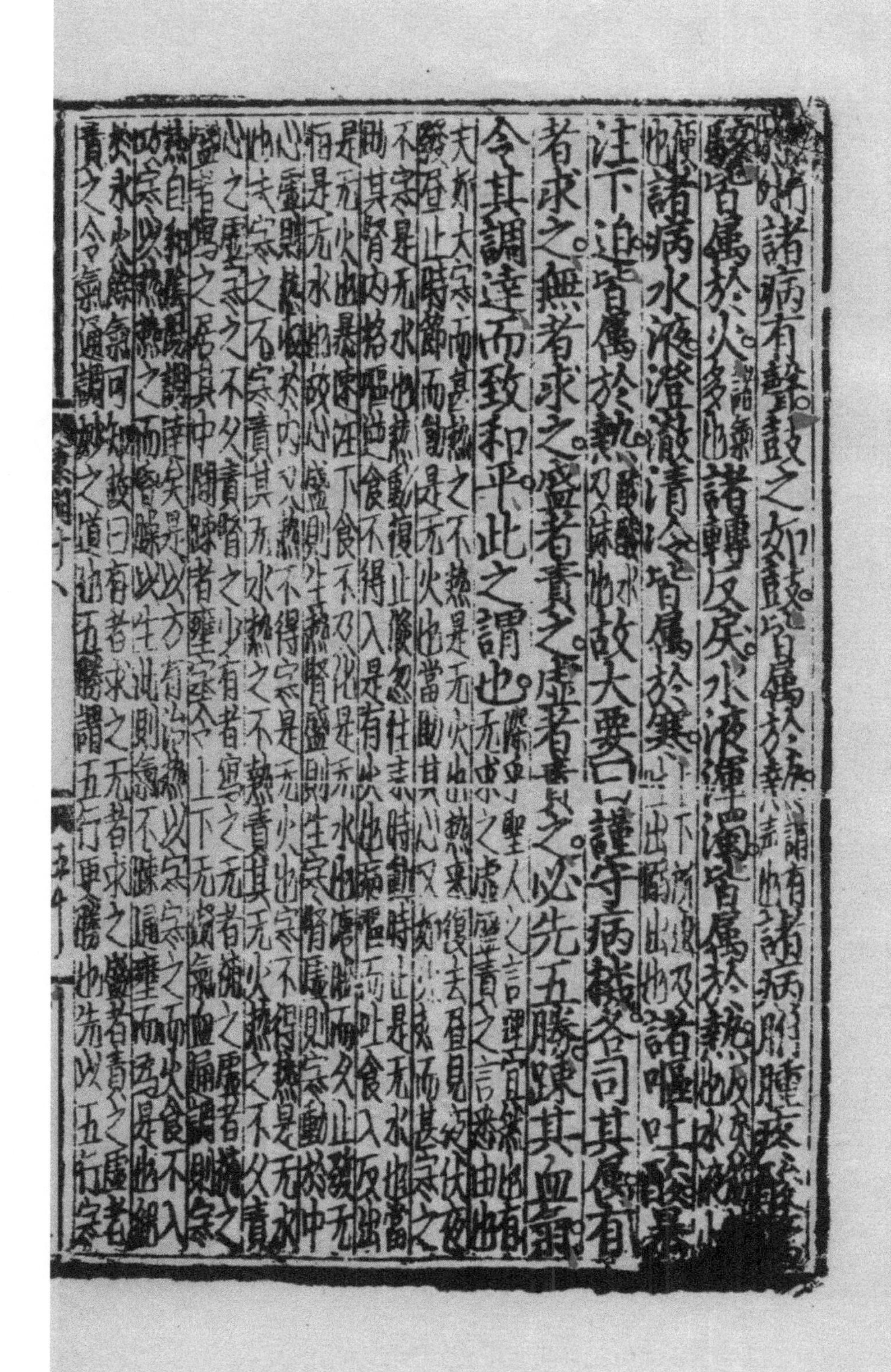

諸病有聲，鼓之如鼓，皆屬於熱。（諸有聲也）諸病胕腫，疼酸驚駭，皆屬於火。（諸氣多也）諸轉反戾，水液渾濁，皆屬於熱。（反戾，筋轉也。水液，小便也。）諸病水液，澄澈清冷，皆屬於寒。（上下所出及吐出溺出也）諸嘔吐酸，暴注下迫，皆屬於熱。（酸，酸水及味也。）故大要曰：謹守病機，各司其屬，有者求之，無者求之，盛者責之，虛者責之，必先五勝，疏其血氣，令其調達，而致和平，此之謂也。（深乎聖人之言，理宜然也。有無求之，虛盛責之，言悉由也。夫如大寒而甚，熱之不熱，是無火也；熱來復去，晝見夜伏，夜發晝止，時節而動，是無火也，當助其心。又如大熱而甚，寒之不寒，是無水也；熱動復止，倏忽往來，時動時止，是無水也，當助其腎。內格嘔逆，食不得入，是有火也；病嘔而吐，食久反出，是無火也；暴速注下，食不及化，是無水也；溏泄而久，止發無恒，是無水也。故心盛則生熱，腎盛則生寒。腎虛則寒動於中，心虛則熱收於內。又熱不得寒，是無火也；寒不得熱，是無水也。夫寒之不寒，責其無水；熱之不熱，責其無火。熱之不久，責心之虛；寒之不久，責腎之少。有者寫之，無者補之，虛者補之，盛者寫之，居其中間，疏者壅塞，令上下無礙，氣血通調，則寒熱自和，陰陽調達矣。是以方有治熱以寒，寒之而水食不入，攻寒以熱，熱之而昏躁以生，此則氣不疏通，壅而為是也。紀於水火，餘氣可知。故曰有者求之，無者求之，盛者責之，虛者責之，令氣通調，妙之道也。五勝，謂五行更勝也。先以五行……）

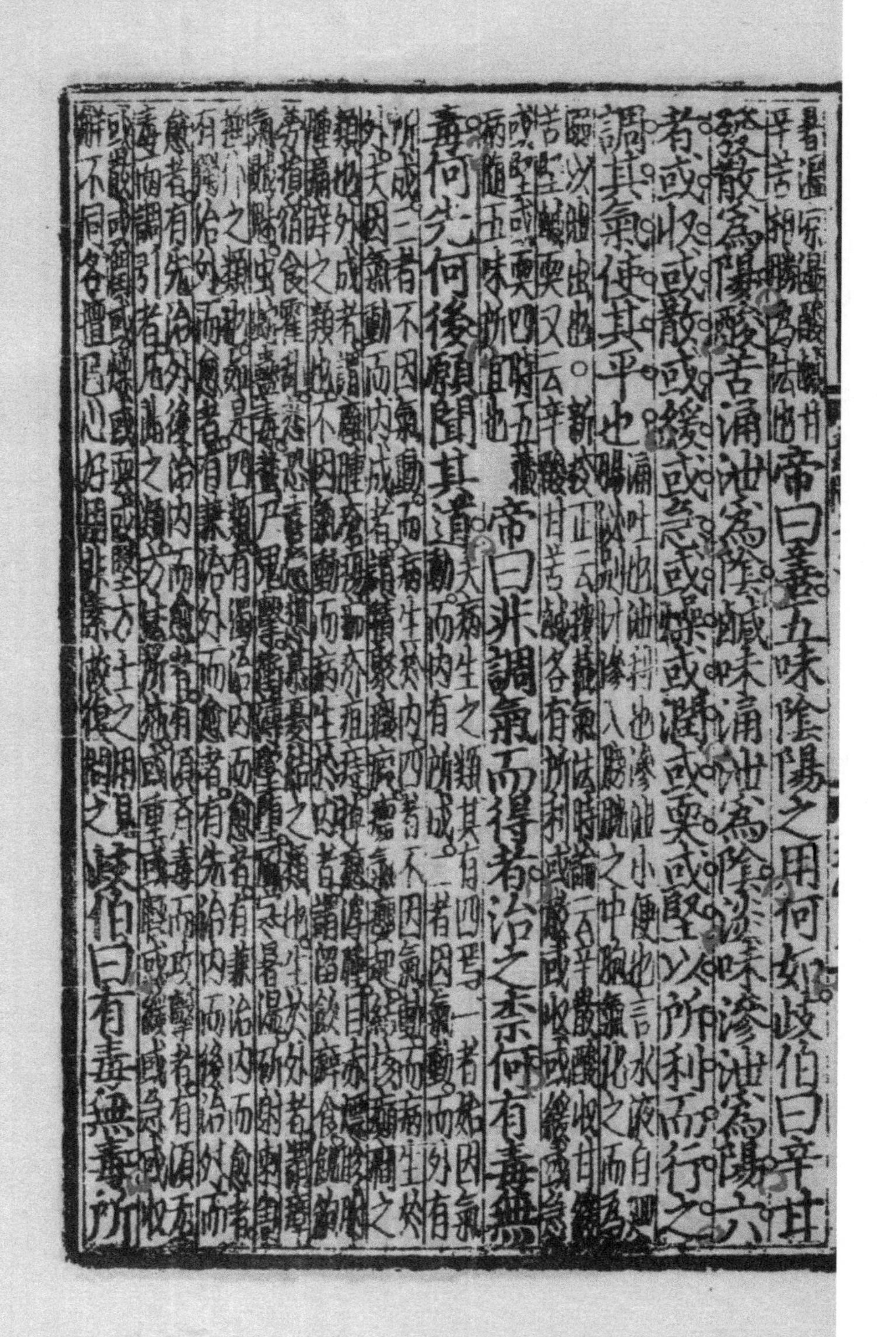

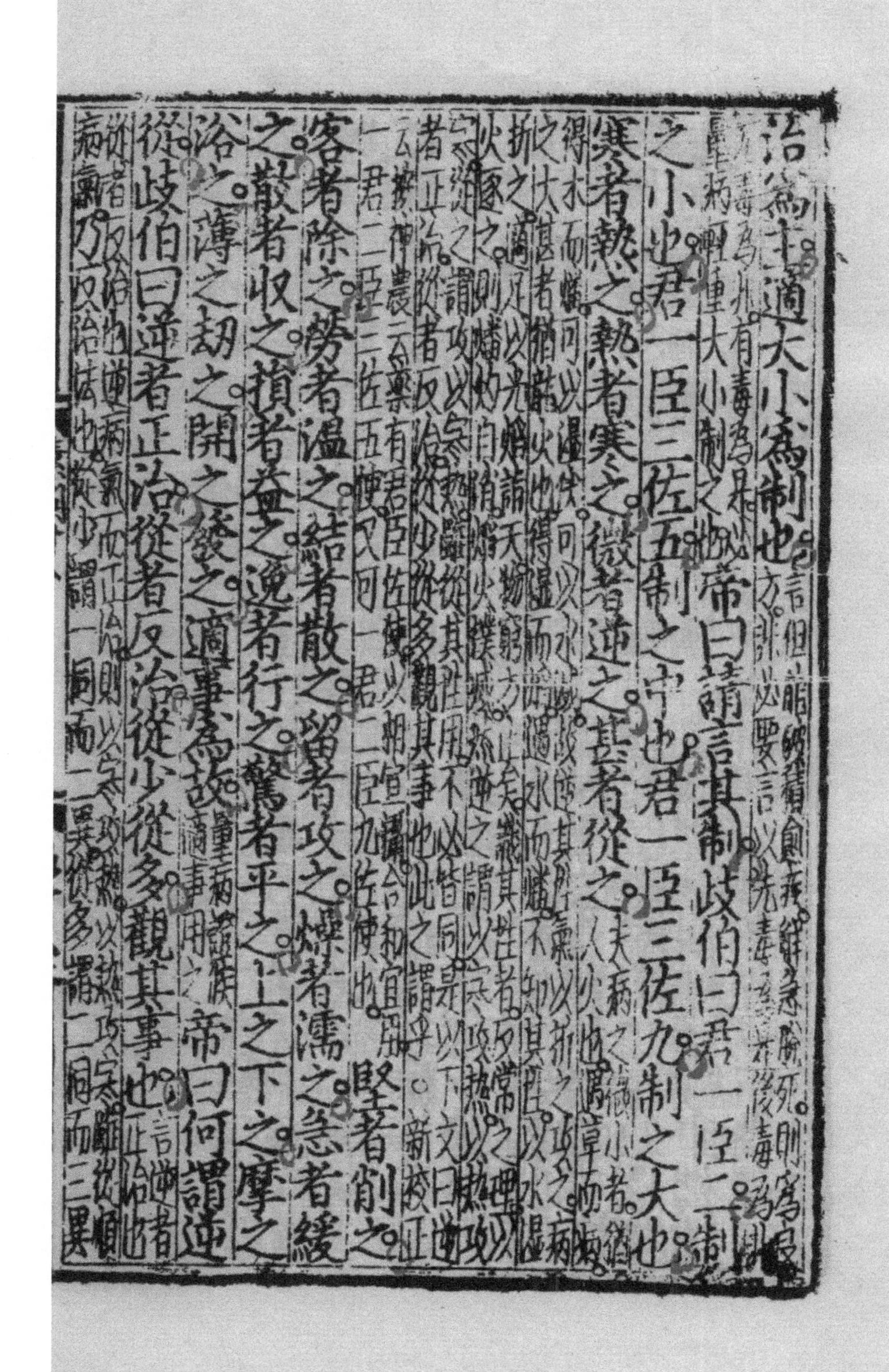

治為故也。適大小為制也。言但能破積愈疾，解急脫死，則為良方。非必要言以先毒為是，後毒為非，無毒為非，有毒為是，必量病輕重，大小制之也。帝曰：請言其制。岐伯曰：君一臣二，制之小也。君一臣三佐五，制之中也。君一臣三佐九，制之大也。寒者熱之，熱者寒之，微者逆之，甚者從之。夫病之微小者，猶人火也，遇草而焫，得木而燔，可以濕伏，可以水滅，故逆其性氣以折之攻之。病之大甚者，猶龍火也，得濕而焰，遇水而燔，不知其性，以水濕折之，適足以光焰詣天，物窮方止矣；識其性者，反常之理，以火逐之，則燔灼自消，焰光撲滅。然逆之，謂以寒攻熱，以熱攻寒。從之，謂攻以寒熱，雖從其性，用不必皆同。是以下文曰：逆者正治，從者反治，從少從多，觀其事也。此之謂乎。新校正云：按神農云：藥有君臣佐使，以相宣攝合和，宜用一君二臣三佐五使，又可一君三臣九佐使也。堅者削之，客者除之，勞者溫之，結者散之，留者攻之，燥者濡之，急者緩之，散者收之，損者溫之，逸者行之，驚者平之，上之下之，摩之浴之，薄之劫之，開之發之，適事為故。量病證候，適事用之。帝曰：何謂逆從？岐伯曰：逆者正治，從者反治，從少從多，觀其事也。言逆者正治也，從者反治也。逆病氣而正治，則以寒攻熱，以熱攻寒。雖從順病氣，乃反治法也。從少，謂一同而二異；從多，謂二同而三異。

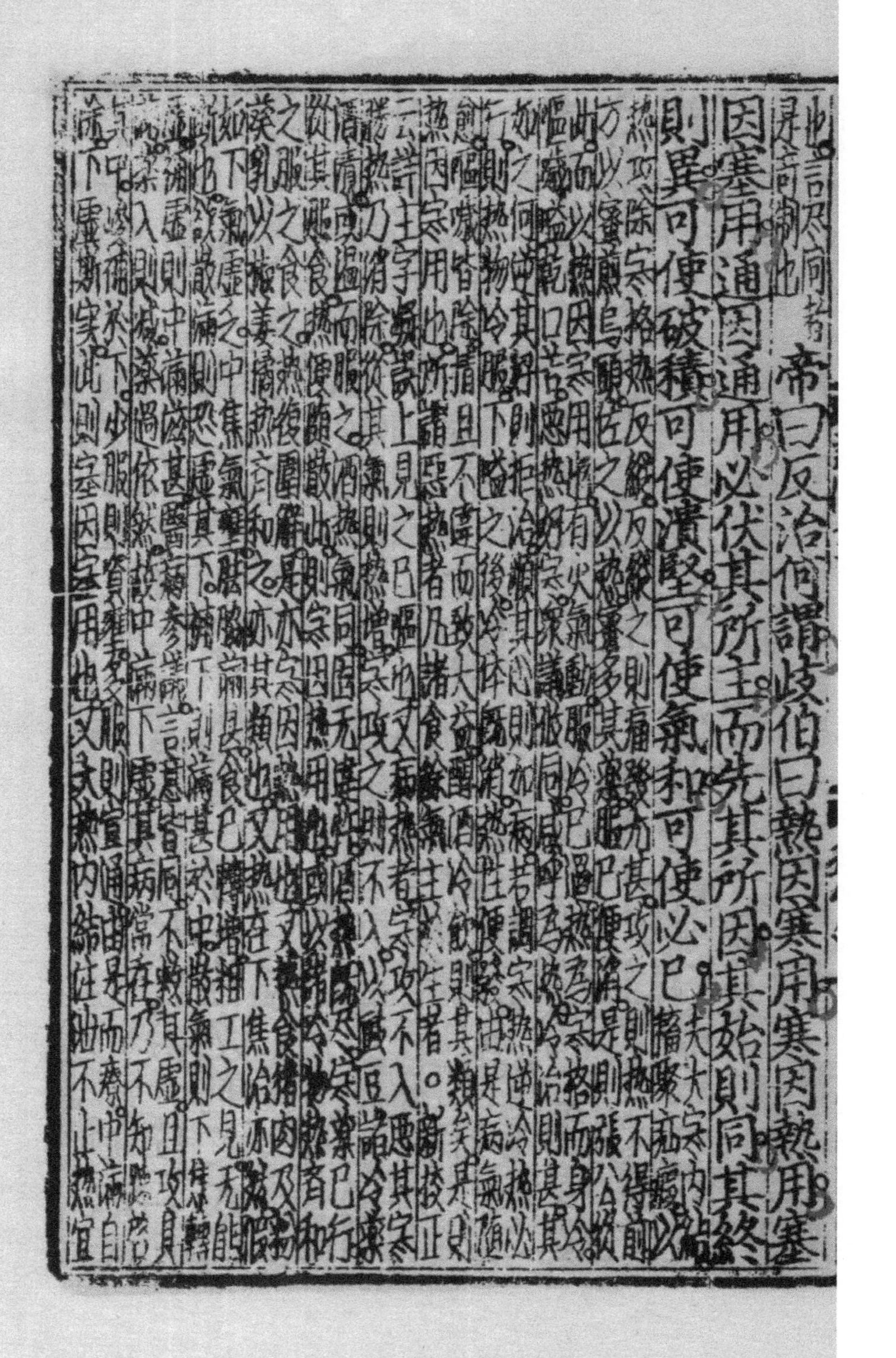

帝曰反治何謂岐伯曰熱因寒用寒因熱用塞因塞用通因通用必伏其所主而先其所因其始則同其終則異可使破積可使潰堅可使氣和可使必已

[illegible]通因通用[illegible]以熱下之[illegible]也。[illegible]以寒遍而行之[illegible]異之謂也。諸如此等，[illegible]略舉宗兆，猶[illegible]反治[illegible]之道[illegible]則其類也。○新校正云：按《五常政大論》云：治熱以寒，溫而行之；治寒以熱，涼而行之。亦熱因寒用，寒因熱用之義也。帝曰：善。氣調而得者何如？岐伯曰：逆之從之，逆而從之，從而逆之，疏氣令調，則其道也。逆，謂逆病氣以正治；從，謂從病氣而反療。逆其氣以正治，使其從順；從其病以反取，令彼和調，故曰逆從也。不疏其氣，令道路開通，則氣感寒熱而為變，始生化多端也。帝曰：善。病之中外何如？岐伯曰：從內之外者，調其內；從外之內者，治其外；各絕其源。從內之外而盛於外者，先調其內而後治其外；從外之內而盛於內者，先治其外而後調其內；皆謂先除其根屬，後削其枝條也。中外不相及，則治主病。中外不相及，自各一病也。帝曰：善。火熱復，惡寒發熱，有如瘧狀，或一日發，或間數日發，其故何也？岐伯曰：勝復之氣，會遇之時，有多少也。陰氣多而陽氣少，則其發日遠；陽氣多而陰氣少，則其發日近。此勝復相薄，盛衰之節，瘧亦同法。陰陽[illegible]

則一日之中寒熱相半陽多陰少則一日之發而但熱不寒陽少陰多則隔日發而先寒後熱雖復勝之氣若氣微則一發後六七日乃發時謂之愈而復發或頻三日發而六七日止或隔十日發而四五日止者皆由氣之多少會遇與不會遇也俗見不遠乃謂鬼神暴疾而又祈禱避匿病勢已過旋至其斃病者殞於[illegible]觸冒[illegible]卒[illegible]

帝曰論言治寒以熱治熱以寒而方士不能廢繩墨而更其道也有病熱者寒之而熱有病寒者熱之而寒二者皆在新病復起奈何治謂治之而病不衰退反因藥寒熱而隨生寒熱病之新者也亦有止而復發者亦有藥在而除藥去而發者亦有全不息者方士若廢此繩墨則無更新之法欲依標格則病勢不除捨之則阻彼凡情治之則藥無能驗心迷意惑無由通悟不知其道何恃而為因藥病生新舊相對欲求其愈安可奈何

岐伯曰諸寒之而熱者取之陰熱之而寒者取之陽所謂求其屬也言益火之源以消陰翳壯水之主以制陽光故曰求其屬也夫粗工褊淺學未精深以熱攻寒以寒療熱治熱未已而冷疾已生攻寒日深而熱病更起熱起而中寒尚在寒生而外熱不除欲攻寒則懼熱不前欲療熱則思寒又止進退交戰危亟已臻[illegible]

攻字衍

寒萬舉萬全孰知其意思方智極理盡辭窮嗚呼人之死者豈謂命不謂方士愚昧而殺之耶帝曰善服寒而反熱服熱而反寒其故何也岐伯曰治其王氣是以反也物體有寒熱氣性有陰陽觸王之氣則強其用也夫肝氣溫和心氣暑熱肺氣清涼腎氣寒冽脾氣兼并之故春以清治肝而反溫夏以冷治心而反熱秋以溫治肺而反清冬以熱治腎而反寒蓋由補益王氣太甚也補王太甚則藏之寒熱氣自多矣帝曰不治王而然者何也岐伯曰悉乎哉問也不治五味屬也夫五味入胃各歸所喜攻酸先入肝苦先入心甘先入脾辛先入肺鹹先入腎新校正云按宣明五氣篇云五味所入酸入肝辛入肺苦入心鹹入腎甘入脾是謂五入久而增氣物化之常也氣增而久夭之由也入肝為溫入心為熱入肺為清入腎為寒入脾為至陰而四氣兼之皆為增其味而益其氣故各從本藏之氣用爾故久服黃連苦參而反熱者此其類也餘味皆然但人疏忽不能精候矣故曰久而增氣物化之常也氣增不已益歲年則藏氣偏勝氣有偏勝則有偏絕藏有偏絕則有暴夭者故曰氣增而久夭之由也是以正理觀化藥集商較服餌曰藥不具五味不備四氣而久服之雖且獲勝益久必致暴夭此之謂也絕粒服餌則不暴亡斯何由哉無五穀味資助故也復令食穀其亦夭焉帝曰善方制君臣何謂也岐伯曰主病之謂君佐君之謂臣應臣之謂使非

上下三品之謂也（上藥為君中藥為臣下藥為佐使所以異善惡之名位服餌之道當從此為法治病之道不必皆然以主病者為君佐君者為臣應臣之用者為使皆所以贊成方用也）帝曰三品何謂岐伯曰所以明善惡之殊貫也（三品上中下品此明藥善惡不同性用也新校正云按神農云上藥為君主養命以應天中藥為臣養性以應人下藥為佐使主治病以應地也）帝曰善病之中外何如（前問病之中外謂調氣之法今此未盡故復問之此下對當次第求其屬也之下應古之錯簡也）岐伯曰調氣之方必別陰陽定其中外各守其鄉內者內治外者外治微者調之其次平之盛者奪之汗之下之寒熱溫涼衰之以屬隨其攸利（病有中外治有表裏在內者以內治法和之在外者以外治法和之其次大者以平氣法平之盛甚不已則奪其氣令其衰也假如小寒之氣溫以和之大寒之氣熱以取之甚寒之氣則下奪之奪之不已則逆折之折之不盡則求其屬以取之小熱之氣涼以和之大熱之氣寒以取之甚熱之氣則汗發之發之不盡則逆制之制之不盡則求其屬以衰之故曰汗之下之寒熱溫涼衰之以屬隨其攸利攸所也）謹道如法萬舉萬全氣血正平長有天命（守道以行舉無不中故能驅役草石召遣神靈調御陰陽蠲除衆疾血氣保平和之（?）故天真無耗竭之由夫如是者盡以舒壽也必夫留意養精神內守壽命靈長）帝曰善

十一

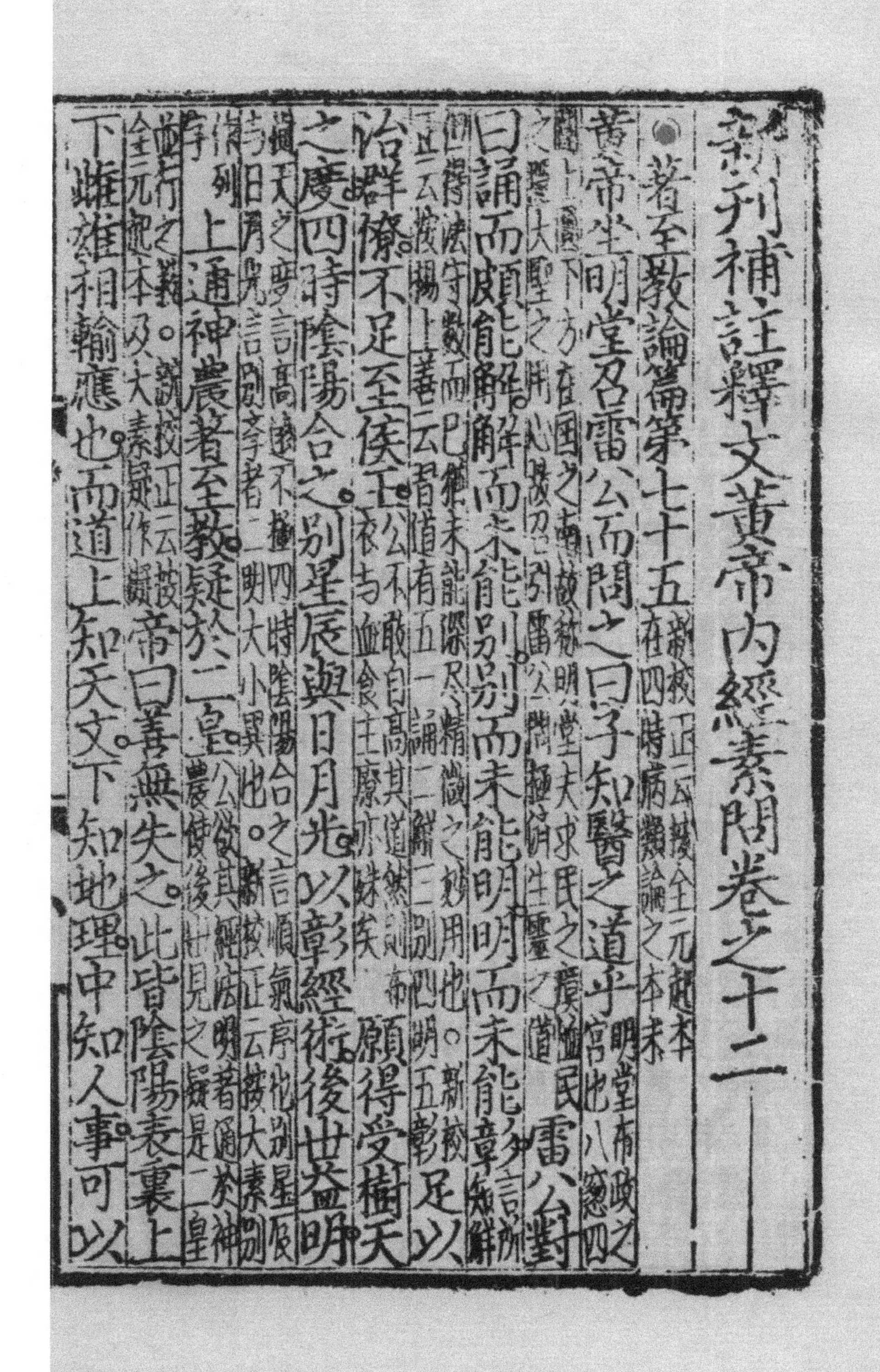

新刊補註釋文黃帝内經素問卷之十二

著至教論篇第七十五 新校正云按全元起本在四時病類論之本末

黃帝坐明堂召雷公而問之曰子知醫之道乎 明堂布政之宮也八窗四闥上圓下方在國之南故稱明堂夫求民之瘼恤民之隱大聖之用心故召引雷公問拯濟生靈之道 雷公對曰誦而頗能解解而未能別別而未能明明而未能彰 言所知解但得法守數而已猶未能深盡精微之妙用也○新校正云按楊上善云習道有五一誦二解三別四明五彰 足以治羣僚不足至侯王 公不敢自高其道然則布衣與血食主療亦殊矣 願得受樹天之度四時陰陽合之別星辰與日月光以彰經術後世益明 樹天之度言高遠不極四時陰陽合之言順氣序也別星辰與日月光言別學者二明大小異也○新校正云按大素別作列 上通神農著至教疑於二皇 公欲其經法明著通於神農使後世見之疑是二皇並行之義○新校正云按全元起本及大素疑作擬 帝曰善無失之此皆陰陽表裏上下雌雄相輸應也而道上知天文下知地理中知人事可以

長久。以教衆庶，亦不疑殆。醫道論篇，可傳後世，可以爲寶。以著設也
雷公曰：請受道，諷誦用解。諷謂亦諭也諷諭者所以比切近而令解也帝曰：子不
聞陰陽傳乎？曰：不知。曰：夫三陽天爲業。天爲業言三陽之氣在人身形所行居上
也陰陽傳上古書名也新校正云按太素天作大上下無常，合而病至，偏害陰陽。
上下无常言氣乖通不定在上下也合而病至謂手足三陽脈相合而爲病至也陽并至則精氣微故偏損害陰陽之用
也雷公曰：三陽莫當，請聞其解。莫當言氣并至而不可當帝曰：三陽獨至
者，是三陽并至，并至如風雨，上爲巔疾，下爲漏病。并至謂手三陽足三
陽氣并合而至也足太陽脈起於目內眥上額交巔上其支別者從巔至耳上角其直行者從巔入絡腦還出別下項從
肩髆內俠脊抵腰中入循膂絡腎屬膀胱手太陽脈起於手循臂上行交肩上入缺盆絡心循咽下膈抵胃屬小腸故上
爲巔疾下爲漏病也漏血膿出所謂并至如風雨者言无常準也故下文曰新校正云按楊上善云漏病膀胱漏泄
大小便數不禁持也外無期，内無正，不中經紀，診無上下，以書別。言三陽并
至上下无常外无色氣可期內无正經常尒所至之時皆不中經紀診所病之誠故復上下无常以書記銓量乃應分
別也雷公曰：臣治疏愈，說意而已。雷公言臣之所治稀得痊愈請言深意而已疑心乃止也

謂循誦問，驗心乃止。帝曰：三陽者，至陽也。六陽并合，故曰至盛之陽也。積并則為驚，病起疾風，至如礔礰，九竅皆塞，陽氣滂溢，乾嗌喉塞。積，謂重也。言六陽重并，洪盛莫當，陽憤鬱惟盛，是為滂溢，無所流泄，故九竅塞也。并於陰則上下無常，薄為腸澼。陰，謂藏也。然陽薄於藏為病，亦上下無常定之診。若在下為病，便數赤白。此謂三陽直心，坐不得起，臥者便身全。三陽之病。足太陽脈循肩下至腰，故坐不得起，臥便身全也。所以然者，起則陽盛鼓，故常欲得臥，臥則經氣均，故身安。新校正云：按《甲乙經》便身全作身重。且以知天下，何以別陰陽，應四時，合之五行。言知未備也。雷公曰：新校正云：按自此至篇末全元起本別為一篇，名方盛衰也。陽言不別，陰言不理，請起受解，以為至道。[illegible]并[illegible]知[illegible]讀也。帝曰：子若受傳，不知合至道以惑師教，語子至道之要。不知其要，流散無窮，後世相習，去聖久遠，而學者各自是其法，則惑亂於師氏之教旨矣。病傷五藏，筋骨以消，子言不明不別，是世主學盡矣。言病之深重，尚不明別，然輕微者亦何開愈，令得遠[illegible]。新校正云[illegible]。腎且絕，惋惋日暮，從容不出，人事不殷。[illegible]

當人事衰微不復殷多所以尔者是則賢不遂涉

從容不殷也○新校正云按太素作腎且絶惋惋曰暮從容烏覩助

○示從容論篇第七十六 新校正云按全元起本在第八卷名從容别白黑

黄帝燕坐召雷公而問之曰汝受術誦書者若能覽觀雜學及於比類通合道理爲余言子所長五藏六府膽胃大小腸脾胞膀胱腦髓涕唾哭泣悲哀水所從行此皆人之所生治之過失 五藏别論黄帝問曰余聞方士或以腦髓爲藏或以腸胃爲藏或以爲府敢問更相反皆自謂是不知其道願聞其説岐伯曰腦髓骨脉膽女子胞此六者地氣之所生也皆藏於陰而象於地故藏而不寫名曰奇恒之府夫胃大腸小腸三焦膀胱此五者天氣之所生也其氣象天故寫而不藏此受五藏濁氣名曰傳化之府是以古之治病者以爲過失也 子務明之可以十全即不能知爲世所怨 不能知之動傷生者故人怨也 雷公曰臣請誦脉經上下篇甚衆多矣别異比類猶未能以十全又安足以明之 言臣所請誦脉經兩篇衆多别異比類猶未能以十全又安足以明之 帝曰子别試通五藏之過六府之所不和鍼石之敗毒藥所宜湯液滋味具言其狀悉言以對

請問不知。言過遊之失所謂不受常成而生病者也毒藥攻邪矣滋味宜之充養試公之問知與不知爾○新校正云按太素別試作誠別

雷公曰：肝虛、腎虛、脾虛，皆令人體重煩冤，當投毒藥、刺灸、砭石、湯液，或已或不已，願聞其解。公以帝問使言五藏之過遊毒藥湯液滋味故問其病也

帝曰：公何年之長而問之少，余真問以自謬也。言問之不相應也以問不相應故言余真發問以自謬之

吾問子窈冥，子言上下篇以對，何也？窈冥謂不可見者則形氣榮衛也○八正神明論歧伯對黃帝曰觀其冥冥者言形氣榮衛之不形於外而工獨知之以日之寒溫月之虛盛四時氣之浮沉參伍相合而調之工常先見之然而不形於外故曰觀於冥冥焉帝讀曰吾問子窈冥之事也然肝虛腎虛脾虛皆動上下篇之言也帝故曰子言上下篇以對何也

夫脾虛浮似肺，腎小浮似脾，肝急沉散似腎，此皆工之所時亂也，然從容得之。脾虛脈浮候則似肺腎小浮候則似脾肝急沉散候則似腎者何以然以三藏相近故脈象參差而相類也是以工惑亂之為治之過失矣雖爾不能先宜從容安緩審比類之而得三藏之形候矣何以取之浮而緩曰脾浮而短曰肺小浮而滑曰心急緊而散曰肝搏沉而滑曰腎不能比類則疑亂彌甚

若夫三藏土木水參居，此童子之所知，問之何也？脾合土肝合木腎合水三藏皆在鬲下居止相近也

雷公曰

於此有人頭痛筋攣骨重怯然少氣噦噫腹滿時驚不嗜臥。此何藏之發也。脉浮而弦。切之石堅。不知其解。復問所以三藏者以知其比類也。脉有浮弦石堅[illegible]云問所以三藏者以知其比類也。帝曰夫從容之謂也。言比類也。夫年長則求之於府。年少則求之於經。年壯則求之於藏。年之長者甚於味年之少者勞於使年之壯者過於內過於內則耗傷精氣勞於使則經中風邪恣於味則傷於府故求之異也。今子所言皆失。八風菀熟。五藏消爍。傳邪相受。夫浮而弦者是腎不足也。脉浮為虛弦為肝氣以腎氣不足故脉浮弦也。胡而切。沉而石者是腎氣內著也。石之言堅也著謂腎氣內薄著而不行也。怯然少氣者是水道不行。形氣消索也。腎氣不足故水道不行肺藏被衝故形氣消散索盡也。欬嗽煩冤者。是腎氣之逆也。腎氣內著上歸於母也。一人之氣。病在一藏也。若言三藏俱行。不在法也。經不然也。雷公曰。於此有人四支解墮喘欬血泄。而愚診之。以為傷肺。切脉浮大而緊。愚不敢治。粗工下砭石。病愈多出血。血止身輕。此何物也。帝曰子所能治知亦衆多，與此病失矣。以其傷肺而不以脾，此是失也。經所以失矣。音方念切。譬以鴻飛，亦沖於天。鴻飛沖天，偶然而得，豈其羽翮之所能哉。粗工下砭石，亦猶是矣。夫聖人之治病，循法守度，援物比類，化之冥冥，循上及下，何必守經。經謂經脈，非法也。今夫脈浮大虛者，是脾氣之外絕，去胃外歸陽明也。足太陰絡支別者，入絡腸胃，是以脾氣外絕，不至胃，外歸陽明也。夫二火不勝三水，是以脈亂而無常也。二火謂二陽藏，三水謂三陰藏。二陽藏者，心肺也，以在鬲上。三陰藏者，肝脾腎也，以在鬲下。然三陰之氣上勝二陽，陽不勝陰，故脈亂而無常也。四支解墯，此脾精之不行也。土主四支，故四支解墯。脾精不化，故使之然。喘欬者，是水氣并陽明也。腎氣逆入於胃，故水氣并於陽明。血泄者，脈急血無所行也。泄謂泄出也。然脈氣數急，血溢於中，血不入經，故為血泄。以脈奔急而血溢，故曰血無所行也。若夫以為傷肺者，由失以狂也。不引比類，是知不明也。言所識不明，不能比類，故以為傷肺，由失狂言耳。夫傷肺者，脾氣不守，胃氣不清，經氣不為使，真藏壞決，經脈傍絕，五藏漏泄，不衄則嘔，此二者不相類也。肺氣傷則脾外救，故云脾氣不守。肺藏損則氣不行，不行則胃滿，故云胃氣不清。肺者主行宗衛陰陽故脉凝則經脈不能為之行使也真藏謂肺藏也若肺藏損壞皮膜決破經脈傍絕而不流行五藏之氣上溢也不衄則嘔謂血溢於鼻口也何者肺主鼻胃應口也然口鼻者氣之門戶也今肺藏已損胃氣不清不上衄則血下流於胃中故不衄出則嘔出也然傷肺傷脾衄血嘔血標出且異本歸亦殊故此二者不相類也譬如天之無形，地之無理，白與黑相去遠矣。言傷肺傷脾形證懸別譬天地之相遠如黑白之異象也是失吾過矣，以子知之，故不告子，是謂此也言雷公子之此是傷肺者是吾不教子此類之道故自謂過也明引比類從容，是以名曰診經，新校正云按太素經作輕是謂至道也。明引形證比量類例今從容之旨則輕微之者亦不失矣以然者何識以道之至數而能合於從容上古經篇名也何以合之陰陽類論雷公曰臣悉盡意受傳經脈頌得從容之道以合從容明古文傳從容矣

疏五過論篇第七十七新校正云按全元起本在第八卷名論過失

黃帝曰：嗚呼遠哉！閔閔乎若視深淵，若迎浮雲，視深淵尚可測，迎浮雲莫知其際。嗚呼遠哉歎至道之不極也閔閔乎言妙用之不窮也深淵清澄見之必定可測浮雲漂寓際不守常故莫知新校正云詳此文与六微旨大論文重聖人之術，為萬民式，論裁志意，必有法則，循經守數，按循醫事，為萬民副，故事有五

過四德，汝知之乎？〔謂五過，則此下所謂之德氣矣。然德者道之用，生之主，故不可不敬慎之也。上古天真論曰：所以能年皆度百歲而動作不衰者，以其德全不危也。靈樞經曰：天之在我者德也。由此則天降德氣，人賴而生，主氣抱神，上通於天。生氣通天論曰：夫自古通天者，生之本。此之謂也。○新校正云：按太素為万民副。楊上善云：副，助也。〕

雷公避席再拜曰：臣年幼小，蒙愚以惑，不聞五過與四德，比類形名，虛引其經，心無所對。〔經未師授，心匪生知，故動業微薄，故畢辭也。〕

帝曰：凡未診病者，必問嘗貴後賤，雖不中邪，病從內生，名曰脫營。〔神屈故也。貴之尊榮，賤之屈辱，心懷眷慕，志結憂惶，故雖不中邪而病從內生，血脈虛減，故曰脫營。〕嘗富後貧，名曰失精，五氣留連，病有所并。〔富而從欲，貧奪豐財，內結憂煎，外悲過物，然則心從想慕，神隨往計，榮衛之道，閉以迎留，氣血不行，積并為病。〕醫工診之，不在藏府，不變軀形，診之而疑，不知病名。〔言病之初也。病由想戀所為，故未居藏府；事因情念所起，故不變軀形。醫不悉之，故診而疑也。〕身體日減，氣虛無精，〔言病之次也。氣血相迫，形肉消爍，故身體日減。陰陽應象大論曰：氣歸精，精食氣。今氣虛不化，精無所滋故也。〕病深無氣，洒洒然時驚，〔言病之深也。病氣深，穀氣盡，陽氣內薄，故惡寒而驚。洒洒，寒貌。〕病深者，以其外耗於衛，內奪於榮。〔血為憂煎，氣隨悲減，故外耗於衛，內奪於榮病深者何以此耗奪故爾新校正云按太素病深者以其作病深以良工所失不知病情此亦治之一過也失謂失問其所始也凡欲診病者必問飲食居處飲食居處五方不同故問之也異法方宜論曰東方之域天地之所始生魚鹽之地海濱傍水其民食魚而嗜鹹安其處美其食西方者金玉之域沙石之處天地之所收引其民陵居而多風水土剛強其民不衣而褐薦其民華食而脂肥北方者天地所閉藏之域其地高陵居風寒冰冽其民樂野處而乳食南方者天地所長養陽之所盛處其地下水土弱霧露之所聚其民嗜酸而食胕中央者其地平以濕天地所以生萬物也眾其民食雜而不勞由此則診病之道當先問焉故聖人雜合以治各得其所宜此之謂矣暴樂暴苦始樂後苦新校正云按太素作始苦皆傷精氣精氣竭絕形體毀沮喜則氣緩悲則氣消然悲哀動中者竭絕而失生故精氣竭絕形體殘毀心神沮散矣暴怒傷陰暴喜傷陽怒則氣逆故傷陰喜則氣緩故傷陽厥氣上行滿脈去形厥氣逆也逆氣上行滿於經絡則神氣憚散去離形骸矣愚醫治之不知補寫不知病情精華日脫邪氣乃并此治之二過也不知喜怒哀樂之殊情槩為補寫而同貫則五藏精華之氣日脫邪氣薄蝕而乃并於正真之氣矣善為脈者必以比類奇恒從容知之為工而不知道此診之不足貴此治之三過也新校

謂氣候奇異於恒常之候也。從容謂分別藏氣虛實，脈見高下幾相似也。示從容論曰：脾虛浮似肺，腎小浮似脾，肝急沉散似腎，此皆工之所時亂，然從容分別而得之矣。診有三常，必問貴賤，封君敗傷，及欲侯王。貴則形樂志樂，賤則形苦志苦，苦樂殊貫，故先問也。封君敗傷，降君之位，封公卿也。及欲侯王，謂情慕尊貴而妄為不已也。滅位一云慕大素欲作公。故貴脫勢，雖不中邪，精神內傷，身必敗亡。憂惶煎迫，怫結所為。始富後貧，雖不傷邪，皮焦筋屈，痿躄為攣。以五藏氣留連，病有所并而為是也。醫不能嚴，不能動神，外為柔弱，亂至失常，病不能移，則醫事不行，此治之四過也。嚴謂戒，所以禁非也，所以令從命也。外為柔弱，言委隨而順從也。然戒不足以禁非，動不足以從令，委隨任物，亂失天常，病且不移，何醫之有也。

凡診者必知終始，有知餘緒，切脈問名，當合男女。終始謂氣色也。脈要精微論曰：知外者終而始之。明知五色氣象，終而復始也。餘緒謂病發端之餘緒也。切謂以指切近於脈也。問名謂問病證之名也。男子陽氣多而左脈大為順，女子陰氣多而右脈大為順，故宜以候常先合之也。離絕菀結，憂恐喜怒，五藏空虛，血氣離守，工不能知，何術之語。離謂離間親愛，絕謂絕念所懷，菀謂菀積思慮，結謂結固餘怨。夫間親愛者魂遊，絕所懷者意喪，積所慮者神勞，結餘怨者志苦，憂愁者閉塞而不行，恐懼者蕩憚而失守盛怒者迷惑而不治喜樂者憚散而不藏由是八者故五藏空虛血氣離守工不思曉又何言哉。新校正云按[illegible]而失守甲乙經作不知[illegible]音但

嘗富大傷。斬筋絕脈。身體復行。令澤不息。斬絕言非分之過損也身體雖已復舊而行且令津液不為滋息也何者精氣耗減也澤者液也

故傷敗結。留薄歸陽。膿積寒炅。陽謂諸陽脈及六府也炅謂熱也言非分傷敗筋脈之氣血氣內結留而不去薄於陽脈則化為膿久積腹中則外為寒熱也

粗工治之。亟刺陰陽。身體解散。四支轉筋。死日有期。不知寒熱為膿積所生以為常熱之疾概施其法數刺陰陽經脈氣奪病甚故身體解散而不用四支廢運而轉筋如是故知死日有期豈謂命不謂醫耶

醫不能明。不問所發。唯言死日。亦為粗工。此治之五過也。言粗工不必謂解不備學者縱備盡三世經法診不備三常療不慎五過不求餘緒不問持身亦足為粗略之醫

凡此五者。皆受術不通。人事不明也。言是五者粗略受術之徒未足以通極精微之理人間之事尚猶懵然

故曰。聖人之治病也。必知天地陰陽。四時經紀。五藏六府。雌雄表裏。刺灸砭石。毒藥所主。從容人事。以明經道。貴賤貧富。各異品理。問年少長。勇怯之理。審於分部。知病本始。八正九候。診必副矣。聖人之備識也如此

[illegible]治病之道，氣內為寶，循求其理，求之不得，過在表裏。治病必在於形氣之內，求有過者，是為聖人之寶也。求之不得，則以藏府之氣，陰陽表裏而察之。新校正云：按全元起本及大素作氣內為實。楊上善云：天地間氣為外氣，人身中氣為內氣。外氣裁成萬物，是為外實；內氣榮衛裁生，故為內實。治病能求內氣之理，是治病之要也。守數據治，無失俞理，能行此術，終身不殆。守數，謂血氣多少及刺深淺之數也。據治，謂據穴俞所治之旨而用之也。但守數據治而用之，則不失穴俞之理矣。不知俞理，五藏菀熟，癰發六府。菀，積也。熟，熱也。五藏積熱，六府受之，陽熱相薄，熱之所過，則為癰矣。診病不審，是謂失常。謂失常經術正用之道也。謹守此治，與經相明。謂前氣內循求俞會之理也。上經下經，揆度陰陽，奇恒五中，決以明堂，審於終始，可以橫行。所謂上經者，言氣之通天也；下經者，言病之變化也。言此二經揆度陰陽之氣，奇恒五中，皆決於明堂之部分也。揆度者，度病之淺深也。奇恒者，言奇病也。五中者，謂五藏之氣色也。夫明堂者，所以視萬物，別白黑，審長短，故曰決以明堂也。審於終始者，謂審察五色囚王，終而復始也。夫道循如是，應用不窮，目牛無全，万舉万當，由斯高遠，故可以橫行於世間矣。

○徵四失論篇第七十八 新校正云：按全元起本在第八卷，名方論得失明著。

卒与術協道与巧協巧誤為功當依太素改

黃帝在明堂，雷公侍坐。黃帝曰：夫子所通書受事衆多矣，試言得失之意，所以得之，所以失之。雷公對曰：循經受業，皆言十全，其時有過失者，請聞其事解也。言循學經師受傳事業，皆謂十全，然人無及乎？謂所受術宜有至道，或得失之於中，故請聞其解說也。帝曰：子年少智未及邪？將言以雜合耶？言謂年少智未及而不得十全耶，爲復且以言而雜合衆人之用而不得十全耶，帝疑先知而反問也。夫經脉十二，絡脉三百六十五，此皆人之所明知，工之所循用也。謂循學而用之也。所以不十全者，精神不專，志意不理，外内相失，故時疑殆。外謂色，内謂脉也。然精神不專於循用，志意不從於條理，所謂粗略，揆度失常，故色脉相失而時自疑殆也。診不知陰陽逆從之理，此治之一失矣。脉要精微論曰：冬至四十五日，陽氣微上，陰氣微下；夏至四十五日，陰氣微上，陽氣微下。陰陽有時，與脉爲期。由此故診不知陰陽逆從之理，爲一失矣。受師不卒，妄作雜術，謬言爲道，更名自功，新校正云：按太素功作巧。妄用砭石，後遺身咎，此治之二失也。不終師術，惟妄是爲，易古變常，自功循已，遺身之咎，不亦宜乎？故爲失二也。不適貧富貴賤，[illegible]

正吉音 答讀為 搞亦与巧 協

賤之居，坐之薄厚，形之寒溫，不適飲食之宜，不別人之勇怯，

不知比類，足以自亂，不足以自明，此治之三失也。貧賤者勞富貴者佚

佚則邪不能傷易傷以勞勞則易傷以邪其於勞也則富者處貴者之半其於邪也則貧者居賤者之半例率如此然其

於勞之家或此殊矣夫勇者難感怯者易傷二者不同蓋以其神氣有壯弱也觀其貧賤富貴之義則坐之薄厚形之寒溫

飲食之宜理可知矣不知比類用必乖衰外以自亂心緒不明內不自明故為失三也診病不問其

始，憂患飲食之失節，起居之過度，或傷於毒，不先言此，卒持

寸口，何病能中，妄言作名，為粗所窮，此治之四失也。憂謂憂懼患謂患

難也飲食失節言甚饑甚飽也起居過度言潰耗也或傷於毒謂病不可以藏府相聚之法而治療也卒持寸口謂不

先持寸口之脈和平與不平也然工巧者識四診以知病診不能中病之形名言不能合經而妄作粗略醫者尚能中

診之遼皆況深明者見而不謂非乎故為失四也是以世人之語者，馳千里之外，不

明尺寸之論，診無人事。言工之得失毀譽在世人之言語皆何至千里之外然其不明尺寸之診

論當以何事知見於人耶治數之道，從容之葆，葆謂平也言診數當從主之綸皆以高下而為

比類之原本也下也葆音保坐持寸口，診不中五脈，百病所起，始以自

怨遺師其咎自不能深學道術而致診差違始上申怨謗之詞遺過咎於師氏者未之有也是故治不能循理棄術於市妄治時愈愚心自得不能修學至理乃衒賣於市嘗人不信之謂乎賢謬哉云棄術於市也然愚者百慮而一得偶自勛之謂耳○新校正云按全元起本作自巧大素作自功

嗚呼窈窈冥冥孰知其道當今詩作[illegible]道之大者擬於天地配於四海[illegible]嗚呼歎也窈窈冥冥一言玄遠也言道之玄遠深[illegible]汝不知道之諭受以明爲晦[illegible]言道[illegible]孰謂也[illegible]天地言高下之不可[illegible]也配四海言深廣之不可測也然不能[illegible]道則受[illegible]道而[illegible]也[illegible]○新校正云按全元起本在[illegible]卷

○陰陽類論篇第七十九新校正云按全元起本在[illegible]八卷

孟春始至黃帝燕坐臨觀八極正八風之氣而問雷公曰陰陽之類經脈之道五中所主何藏最貴孟春月始至謂立春之日也燕安也觀八極[illegible]八風謂八方所至之風[illegible]會於[illegible]經謂經脈[illegible]視八方遠際之色[illegible]八[illegible]太一者[illegible]五中謂五藏[illegible]○新校正云按楊上善云[illegible]天[illegible]陰陽[illegible]八節之風[illegible]陽[illegible]

此說誤思謂明三陽少陽二陰厥陰者下云則一陰者少陰[illegible]

[illegible]貴賤[illegible]以正八風之氣。雷公對曰：春甲乙青，中主肝，治七十二日，是脈之主時，臣以其藏最貴。東方甲乙，春氣主之，青色內通肝也。金匱真言論曰：東方青色，入通於肝。故曰青中主肝也。然五行之氣，各王七十二日，五積而乘之，則終一歲之數三百六十日，故云治七十二日也。夫四時之氣，以春為始，五藏之應，肝藏合之，公故以其藏為最貴。藏，或為道，非也。帝曰：卻念上下經，陰陽從容，子所言貴，最其下也。從容，謂安緩比類也。帝念脈經上下篇，陰陽比類形氣，不以肝藏為貴，故謂公之所貴，最其下也。雷公致齋七日，旦復侍坐。悟非，故齋以洗心；願益，故坐而復請。帝曰：三陽為經，二陽為維，一陽為游部，經，謂經綸，所以濟成務。維，謂維持，所以繫天真。游，謂游行。部，謂身形部分也。故主氣者濟成務，化谷者繫天真，主色者散布精微，游行諸部也。新校正云：按楊上善云：三陽，足太陽脈也，從目內眥上頭，分為四道，下項，并正別脈上下六道，以行於背，與身為經。二陽，足陽明脈也，從鼻而起，下咽，分為四道，并正別脈六道，上下行腹，綱維於身。一陽，足少陽脈也，起目外眥，絡頭，分為四道，下缺盆，并正別脈六道，上下主經營百節，流氣三部，故曰游部。此知五藏終始。[illegible]其經綸維持游部之義，則五藏之終始可謂知矣。三陽為表，二陰為裏，三陽，太陽。二陰，少陰也。少陰與太陽為表裏，故曰三陽為表，二陰為裏。一陰至絕作朔晦，卻具合以正其理。

藏陰也。厥，猶盡也。靈樞經曰：亥為左足之厥陰，戌為右足之厥陰。兩陰俱盡，故曰厥陰。夫陰盡為晦，陰生為朔。厥陰者，以陰盡為義也。徵其氣王則朔，適言其氣盡則晦，既見其朔，又當其晦，故曰一陰至絕作朔晦也。然徵彼俱盡之陰，合此發生之木，以正應五行之理，而無替循環，故云卻具合以正其理也。○新校正云：按全元起注云：陰盡為晦，陰生為朔，是陽生為。

雷公曰：受業未能明。言未明氣候之應見。帝曰：所謂三陽者，太陽為經。太陽藏氣盛大，故曰太陽。三陽脈至手太陰，弦浮而不沉，決以度，察以心，合之陰陽之論。太陰為寸口也。寸口者，手太陰也，脈氣之所行，故脈皆至於寸口也。大陽之脈，洪大以長，今弦浮不沉，則當約以四時高下之度而斷決之，察以五藏異同之候而參合之，以應陰陽之論，知其臧否耳。所謂二陽者，陽明也。靈樞經曰：辰為左足之陽明，巳為右足之陽明。兩陽合明，故曰陽明。二陽者，陽明也。至手太陰，弦而沉急不鼓，炅至以病皆死。陽明之脈，浮大而短，今弦而沉急不鼓者，是陰氣勝陽，木來乘土也。而反熱病至者，是陽氣之衰敗也。然陰氣乘衰，陽不能救，故皆死。一陽者，少陽也。至手太陰，上連人迎，弦急懸不絕，此少陽之病也。人迎謂結喉兩傍同身寸之一寸五分，脈動應手者也。少陽之脈，乍數乍疏，乍短乍長，今弦急懸不絕，是經氣不足，故曰少陽之病也。懸，謂如物懸動也。專陰則死。

楊氏說是，王注非。少陰心与腎，故曰志心。空讀為控

經則三陰者，六經之所主也。三陰者，太陰也。言所以諸脈皆至手太陰者何耶？以是六經之主故也。六經謂三陰三陽之經脈也。所以至手太陰者何？以肺朝百脈之氣，皆以會於氣口也。故下文曰：交於太陰，此正發明肺朝百脈之義也。經脈別論云：肺朝百脈。伏鼓不浮，上空志心。脈伏鼓擊而不上浮者，是心氣不足，故上控引於心而為病也。志心，謂小心也。刺禁論曰：七節之旁，中有小心，此之謂也。新校正云：按楊上善云：肺脈浮澀，此為平也。今見伏鼓，是腎脈也。足少陰脈貫脊屬腎，上入肺中，從肺出絡心，肺氣下入腎志，上入心神也。王氏謂志心為小心，義未通。二陰至肺，其氣歸膀胱，外連脾胃。二陰，謂足少陰腎之脈。少陰之脈，別行者入跟中，以上至股內後廉，貫脊屬腎絡膀胱；其直行者，從腎上貫肝膈，入肺中。故上至於肺，其氣歸於膀胱，外連於脾胃。一陰獨至，經絕氣浮，不鼓鉤而滑。若一陰獨至肺，經氣內絕則氣浮，不鼓於手。若經不內絕，則鉤而滑。新校正云：按楊上善云：一陰，厥陰也。此六脈者，乍陰乍陽，交屬相并，繆通五藏，合於陰陽，或陰脈乍見陽脈，或陽脈乍見陰脈，故云乍陰乍陽也。所以然者，以氣交會故爾。當審比類，以知陰陽也。先至為主，後至為客。脈氣乍陰見陽，乍陽見陰，何以別之？當以先至為主，後至為客也。至，謂至寸口也。雷公曰：臣悉盡意，受傳經脈，頌得從容之道，以合從容，不知陰陽，不知雌雄。頌，謂今之誦也。公言臣所誦，今從容之妙道，以

厥陰心包合少陽三焦

二陽當作一陽下文自明然注云手陽明則二陽非誤且注云何表肺疑太陰肺說為太陽肺

合上古從容而比類形名猶不知陰陽尊卑之次不知雌雄雖舉目之義請言所以其自以明者至教陰陽雌雄相輸應也帝

曰三陽為父父所以尊也小言高尊也二陽為衛衛所以却會諸言扶生也一陽

為紀紀所以綱紀形平也三陰為母母所以育養諸子言滋生也二陰為雌雌者陰之一

為獨使一陰之藏外合三焦主謂臟使之名為使者故云獨使也二陽一陰

目也陰之藏外合二陰一陽陽明主病不勝一陰脈耎而動九竅皆沉

陽明主病不勝一陰脈耎而動九竅皆沉

氣也陰陽主病不勝一陰也陽明胃主病也木伐其土土不勝木故不勝一陰脈耎者胃氣動者謂木刑土土不相持則胃氣不

勝一陰故九竅皆沉也三陽一陰太陽脈勝一陰不能止內亂五藏

不轉而不通九竅沉也三陽太陽也一陰厥陰也木生火今盛陽不能止內亂五藏

外為驚駭太陽之氣盛故驚駭也外為驚駭二陰二陽病在肺少陰脈沉勝肺傷脾外

傷四支二陰謂手少陰心之脈也二陽謂手陽明大腸脈也心胃合病

謂手少陰心火勝金故病在肺以其胃主四支故傷脾胃故外傷四支

詳此二陽乃手陽明大腸為肺之府也少陰心火勝金故

云病在肺乃是心與肺等也二陽皆交至病在腎

以甲乙經太素等並云二陰一陽皆交至病在

二陽胃三陰脾為土故曰至陰

罵詈妄行。巔疾為狂。二陰為腎。水之藏也。二陽為胃。土之府也。土氣刑水。水救以至而病在腎。以腎水不勝。故胃盛而顛為狂。二陰一陽。病出於腎。陰氣客遊於心脘下空竅隄。閉塞不通。四支別離。一陽謂手少陽三焦。心主火之府也。水上干火救。火病出於腎。陰氣客遊於心也。何者。腎之脈從腎上貫肝鬲。入肺中。其支別者。從肺中出絡心。注胸中。故如是也。然空竅陰客上游。胃不能制胃不能制是。土氣衰。故脘下空竅皆不通也。言隄者。謂如隄堰不容泄漏。胃脈循足。心脈絡手。故四支如別離而不用也。新校正云。按王氏云。胃脈循足。此二陰一陽。病出於腎。胃當作腎。一陰一陽代絕。此陰氣至心。上下無常。出入不知。喉咽乾燥。病在土脾。一陰厥陰脈。一陽少陽膽脈。並木之氣也。代絕者。動而中止也。以其代絕。故為病也。木氣生心。藏病生而陰氣至心也。夫肝膽之氣。上至頭首。下至腰足。中至腹脇。故病發上下无常也。若受納不知其味。竅寫不知。其腹而發咽喉乾燥者。病發之後也。咽屬為脾之使。故病則咽喉乾燥。故病在脾土之中。蓋由肝膽之所為爾。二陽三陰。至陰皆在。陰不過陽。陽氣不能止陰。陰陽並絕。浮為血瘕。沉為膿胕。二陽陽明。三陰手太陰。至陰脾也。故曰至陰皆在也。然陰氣不能過越於陽。陽氣不能制心令陰陽相薄。並絕而不相連續也。脈浮為陽氣薄陰。故為血瘕。脈沉為陰氣薄陽。故為膿聚而[illegible]也。陰陽皆壯。下至陰陽。若陰陽皆壯而相薄不已者。漸

經文疑誤註尤支離

下至陰云陰陽之內為大病矣陰陽者男子為陽道女子為陰者以其盛衰故也上合昭昭下合冥冥

昭昭謂陽明之上冥冥謂至陰陰云之內幽暗之所也診決死生之期遂合歲首謂下終期之旨

雷公曰請問短期黃帝不應欲其復問而定之也雷公復問黃帝曰在

經論中上古經之中也。新校正云按全元起本自雷公已下別為一篇名四時病類雷公曰請問

短期黃帝曰冬三月之病病合於陽者至春正月脈有死徵

皆歸出春。病合於陽謂前陰合陽而為病者也雖正月脈有死徵陽已發生至王不死故出春二月而至夏初

也冬三月之病在理已盡草與柳葉皆殺裏謂二陰腎之氣也然腎病而正月

脈有死徵者以枯草盡青柳葉生出而皆死也理裏也已以也古用同春陰陽皆絕期在孟春

孟春之後而脈陰陽皆懸絕者期死不出正月。新校正云按太素無春字春三月之病曰陽殺陽病

不謂傷寒溫熱之病謂非時病熱脈洪盛數也然春三月中陽氣尚少未當全盛而反病熱脈應夏氣者經一云脈不再見

夏脈當洪數無陽外應故必死於夏至也以死於夏至陽氣殺物之時故云陽殺也陰陽皆絕期在草乾

乾若不陽病但陰陽之脈皆懸絕章者死在於霜降草乾之時也夏三月之病至陰不過十

日。謂熱病也脾熱病則五藏危土成數十故不過十日也陰陽交期在溓水謂熱病曰溫病

溓水為秋
石水為冬
盛水為春

汗出輒復熱而脉躁疾不為汗衰狂言不能食者病名曰陰陽交°六月病暑陰陽復交二氣相持故乃死於立秋之候也○新校正云按全元起本云陽[illegible]°[illegible]月也°建申水生於秋[illegible]°陰陽逆也°[illegible]上善云溓水[illegible]°戌[illegible]也°七月水生時也°秋三月之病三陽俱起不治自已°秋陽氣真衰陰氣漸出陽不勝陰故自已也°陰陽交合者立不能坐坐不能起°以氣不由其正用故作三陽獨至期在石水°有陽無陰故云獨至也°著至教論曰三陽獨至者是三陽并至°並則泊有陽而无陰也°石水者謂冬月水冰如石之時°故云石水也°火墓於戌°冬陽氣微°故石水而死也°○新校正云詳石水之解本全元起之說王氏取之二陰獨至期在盛水°亦并至而无陽也°盛水謂雨雪皆解為水之時則正謂正月中氣也°○新校正云按全元起本二陰作三陰°

○方盛衰論篇第八十○新校正云按全元起本在第八卷°

雷公請問氣之多少何者為逆何者為從°黃帝荅曰陽從左陰從右°陽氣之多少者從左°陰氣之多少者從右°從者為順反者為逆°陰陽應象大論曰左右者陰陽之道路也°老從上少從下°老者穀衰故從上為順少者欲甚故從下為順°是以春夏歸陽為生°反歸秋冬為死°歸秋冬謂反歸陰也°陰則順殺伐之氣故也°反之則歸秋冬為生°反之

謂秋冬。秋冬則是以氣多少逆皆為厥。陽氣之多少反從右，陰氣之多少反從左。歸陰為生也，是為不順，故曰氣少多逆也。如是從左從右之不順者，皆為厥。謂氣逆，故曰皆為厥也。問曰：有餘者厥耶？言少之不順者為逆，有餘者則成厥逆之病乎？答曰：一上不下，寒厥到膝，少者秋冬死，老者秋冬生。一經之氣厥逆上而陽氣不下者，何以別之？寒厥到膝是也。四支者，諸陽之本，當溫而反寒，上故曰寒厥也。秋冬謂歸陰，歸陰則從右發生其病。少者以陽氣用事，故秋冬死；老者以陰氣用事，故秋冬生。新校正云：按楊上善云：虛者厥也。陽氣一上於頭，不下於足，足脛虛，故寒厥至膝。氣上不下，頭痛巔疾。巔謂身之上，巔疾，則頭首之疾也。求陽不得，求陰不審，五部隔無徵，若居曠野，若伏空室，綿綿乎屬不滿日。謂之陽，乃脉似陰盛；謂之陰，又脉似陽盛，故曰求陽不得，求陰不審也。五部謂五藏之部。隔謂隔遠。無徵，無可信驗也。然求陽不得其熱，求陰不審其寒，五藏部隔，無徵可信，驗之有無，如是者乃從氣久逆所作，非由陰陽寒熱之氣所為也。若居曠野，言心神散越；若伏空室，謂志意沈潛。散越以氣逆而痛甚未止，沈潛以痛而復恐再來也。綿綿乎謂動息微也。身雖綿綿乎且存，然其心所屬望將不得終其盡日也，故曰綿綿乎屬不滿日也。新校正云：按太素云：若伏空室，為陰陽之一，有此五字為衍。是以少陰之厥，令人妄夢，其極至迷。氣之少則……

菌香為桂

厥，令人妄夢，其極至迷。（氣之厥逆，為夢寐；其厥之盛，則令人夢至迷亂。）三陽絕，（三陽之脈懸絕。）三陰微，是為少氣。（三陰之診細微，是少氣之候也。新校正云：按《太素》云三陽絕三陰微是少氣之候。）是以肺氣虛，則使人夢見白物，見人斬血藉藉。（白物，金之色也。斬者，金之用也。）得其時，則夢見兵戰。（得其時，謂秋三月也。金為兵革，故夢見兵戰。）腎氣虛，則使人夢見舟船溺人。（舟船溺人，皆水之用。腎象水，故夢形之。）得其時，則夢伏水中，若有畏恐。（得其時，謂冬三月也。）肝氣虛，則夢見菌香生草。（菌香，草生，草木之類也。新校正云：按全元起本云「菌香是桂」。）得其時，則夢伏樹下不敢起。（得其時，謂春三月也。）心氣虛，則夢救火陽物。（心合火，故夢之。）得其時，則夢燔灼。（得其時，謂夏三月也。）脾氣虛，則夢飲食不足。（脾納水穀，故夢飲食不足。）得其時，則夢築垣蓋屋。（得其時，謂辰戌丑未之月各王十八日也。）此皆五藏氣虛，陽氣有餘，陰氣不足。合之五診，調之陰陽，以在經脈。（以在經脈，則經脈候之。新校正云：按《靈樞經》備有調陰陽合五診。）診有十度，度人脈度、藏度、肉度、筋度、俞度。陰陽氣盡，人病自具。（診備盡陰陽虛盛之理，則人病自具知之。）

脉動無常。散陰頗陽，脉脫不具。診無常行，診必上下，度民君卿。脉動无常，數者是陰，散者是陽，[illegible]具，[illegible]者无以常行之診，[illegible]者調養之殊異，何以[illegible]憂樂苦[illegible]同[illegible]。受師不卒。使術不明，不察逆從，是為妄行，持雌失雄，棄陰附陽，不知并合，診故不明。[illegible]傳之後世，反論自章。章，露也。以不明而授與人，反古之迹，自然章露也。至陰虛，天氣絕；至陽盛，地氣不足。至陰虛，天氣絕而不降；至陽盛，地氣微而不升，是所謂不交通也。[illegible]陰陽並交，至人之所行。交，謂交通也。唯至人乃能調理使行也。陰陽並交者，陽氣先至，陰氣後至。陰陽之氣並行而交通，[illegible]何者？陽速而陰遲也。[illegible]靈樞經曰[illegible]是以聖人持診之道，先後陰陽而持之，奇恒之勢，乃六十首，診合微之事，追陰陽之變，章五中之情，其中之論，取虛實之要，定五度之事，知此乃足以診。奇恒勢六十首，今世不傳。是以切陰不得陽，[illegible]得陽不得陰，守學不湛，知左不知右，知右不知左，知上不知下，知先不知後，故[illegible]

不久。知醜[illegible]知善[illegible]知病知不病[illegible]知高知下[illegible]知坐知起[illegible]知行知止[illegible]用之有紀。診道乃具。萬世不殆[illegible]起所有餘。知所不足[illegible]度事上下。脈事因格[illegible]是以形弱氣虛死[illegible]形氣有餘。脈氣不足死[illegible]脈氣有餘。形氣不足生[illegible]

是以診有大方。坐起有常[illegible]出入有行。以轉神明[illegible]必清必淨。上觀下觀[illegible]司八正邪。別五中部[illegible]按脈動靜[illegible]循尺滑澀寒溫之意。視其大小。合之病能。逆從以得。復知病名。診可十全[illegible]不失人情。故診之或視息視意。故不失條理[illegible]道甚明察。故能長久。不知此道。失經絕理。亡言妄期。此謂失道[illegible]

○解精微論篇第八十一　新校正云按全元起本在第八卷名方論解

黃帝在明堂，雷公請曰：臣授業傳之，行教以經論，從容形法，陰陽刺灸，湯藥所滋，行治有賢不肖，未必能十全。言所自授用明十全　[illegible]　若先言悲哀喜怒，燥濕寒暑，陰陽婦女，請問其所以然者，卑賤富貴，人之形體所從，羣下通使，臨事以適道術，謹聞命矣。[illegible]　請問有毚愚仆漏之問，不在經者，欲聞其狀。[illegible]　帝曰：大矣。[illegible]　公請問：哭泣而淚不出者，若出而少涕，其故何也？言何藏之[illegible]　帝曰：在經有也。靈樞經有悲哀涕泣之義　復問：不知水所從生，涕所從出也。復問[illegible]欲知[illegible]　帝曰：若問此者，無益於治也，工之所知，道之所生也。[illegible]　夫心者，五藏之專精也，[illegible]　目者其竅也，[illegible]　華色者其榮也

知於色謂見於色。呂覽皆作知。左傳喜可知也。亦謂見於外

其榮也。〔華色其神明之外飾〕是以人有德也，則氣和於目；有亡，憂知於色。〔德者道之用，人之生也。老子曰：道生之，德畜之。氣者生之主，神者氣之帥，主神之舍也。天布德，地化氣，故人因之以生也。氣和則神安，神安則外鑒明矣；氣不和則神不守，神不守則外榮減。故曰人有德也，則氣和於目；有亡，憂知於色也。新校正云：按太素德作得。〕是以悲哀則泣下，泣下水所由生。水宗者積水也，〔新校正云：按甲乙經水宗作衆精。〕積水者至陰也，至陰者腎之精也。宗精之水所以不出者，是精持之也。輔之裹之，故水不行也。夫水之精為志，火之精為神。水火相感，神志俱悲，是以目之水生也。〔目為上液之道，故水火相感，神志俱悲，水液上行，乃生於目。〕故諺言曰：心悲名曰志悲。志與心精共湊於目也。〔水火相感，故曰心悲名曰志悲。神志俱[illegible]，故志與心神共湊於目[illegible]。〕是以俱悲則神氣傳於心精，上不傳於志，而志獨悲，故泣出也。泣涕者腦也，腦者陰也。〔五藏別論以腦為地氣之所生，皆藏於陰而象於地，故言腦者陰也。[illegible]則衝也。新校正云：按全元起本及甲乙經、太素，陰作陽。〕髓者骨之充也。〔充，滿也。言髓填於骨，充而滿也。〕故腦滲為涕。〔鼻竅通腦，故腦滲為涕，流於鼻中矣。〕志者骨之主也，是以水流

而涕從之者，其行類也。類謂同類。夫涕之與泣者，譬如人之兄弟，
急則俱死，生則俱生。同源故生死俱。○新校正云：按太素生則俱生作出則俱亡。其志以
早悲，是以涕泣俱出而橫行也。行謂為流。夫人涕泣俱出而相
從者，所屬之類也。所屬謂於腦也。何者？上文云涕者腦也。雷公曰：大矣。請問人
哭泣而淚不出者，若出而少涕，其不從之何也？帝
曰：夫泣不出者，哭不悲也。不泣者，神不慈也。神不慈則志不
悲，陰陽相持，泣安能獨來。泣不出者謂淚也，不泣者謂哭也。水之精為志，火之精為神，水為
陰，火為陽，故曰陰陽相持，泣安能獨來也。夫志悲者惋，惋則沖陰，沖陰則志去目，
志去則神不守精，精神去目，涕泣出也。惋謂內爍也，沖猶升也……神志……泣由是……
生故內爍則陽氣升於陰也……去目……法於目微神亦……時失大志去目則光……
外明故曰精神。法目微泣出也。且子獨不誦不念夫經言乎？厥則目無所見。
夫人厥則陽氣并於上，陰氣并於下。并謂合并，於本位也。陽并於上則
火獨光也；陰并於下則足寒，足寒則脹也。夫一水不勝五火，

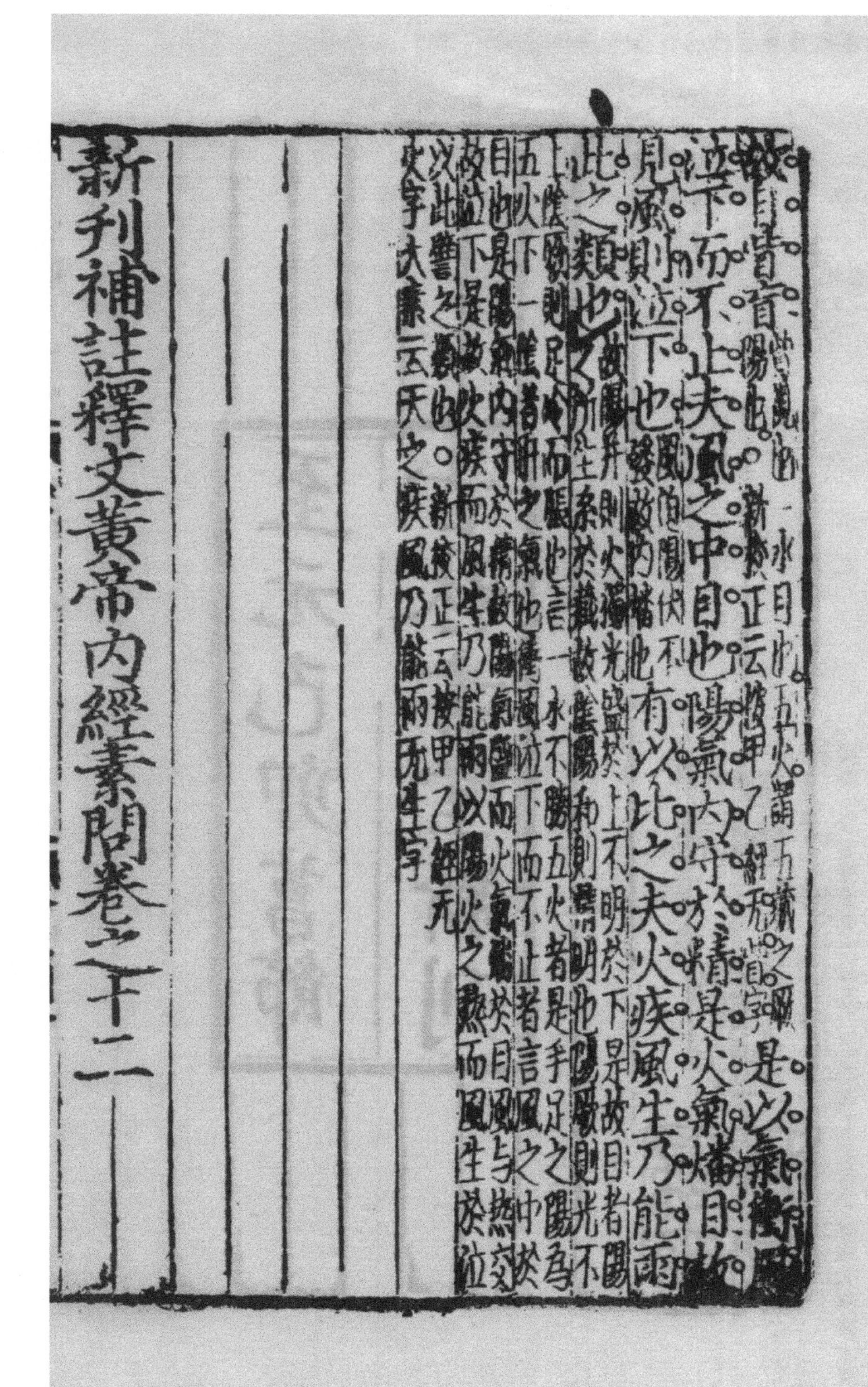
故目眥盲。一水目也，五火謂五藏之厥陽也。新校正云：按甲乙經无眥字。是以衝風泣下而不止。夫風之中目也，陽氣內守於精，是火氣燔目，故見風則泣下也。風迫陽伏不發，故內燔也。有以比之，夫火疾風生乃能雨，此之類也。故陽并則火獨光盛於上，不明於下。是故目者陽之所生，系於藏，故陰陽和則精明也，陽厥則光不上，陰厥則足冷而脹也。言一水不勝五火者，是手足之陽為五火，下一陰者肝之氣也。衝風泣下而不止者，言風之中於目也，是陽氣內守於精，故陽氣盛而火氣燔於目，風與熱交，故泣下。是故火疾而風生乃能雨，以陽火之熱而風生於泣，以此譬之類也。新校正云：按甲乙經无火字，太素云天之疾風乃能雨，无生字。

新刊補註釋文黃帝內經素問卷之十二

至元己卯菖節
古林書堂新刊